執 筆

日本保健医療大学教授
野上晴雄

神奈川大学教授
藤原　研

元東京慈恵会医科大学講師
権　五徹

改訂第7版にあたって

　組織学や肉眼解剖学といった科目は，昔も今も医学生が最初に学ぶ科目です。なぜなら，組織学や肉眼解剖学から得られる人体の構造の理解が，その後に学ぶ生理学，病理学，生化学，薬理学，免疫学などの修得に必須だからです。組織学を勉強し，標本の観察を重ねることによって，さまざまな組織や細胞のイメージを作り上げ，そのイメージした構造の上で生理学などで学ぶ生体の機能が展開されるのです。イメージした構造が正確であればあるほど，機能の理解は深まるはずです。

　本書は，医学系の大学において組織学実習を行う学生を対象として，系統的な組織学の知識をまとめたものですが，同時に，顕微鏡を覗く際に身近において観察の助けになるようにと意識して書かれています。

　ぜひ本書を傍らにおいて，標本を繰り返し観察してほしいと思います。最初はどの標本も同じようにしか見えなかったものが，観察すればするほど，違いが分かるようになります。大変だと感じるかもしれませんが，組織の理解にはそれが最も有効で近道でもあるのです。

　今回の改訂では，従来のスケッチや模式図に加え，随所に顕微鏡写真を追加することで，実際に顕微鏡を覗いた時に細胞や構造の同定が今まで以上に容易にできるよう心がけました。また，組織学用語についても見直し，使用頻度の高い用語に変更しました。

　本書を活用して自前のイメージを作り上げ，他の基礎医学の科目の理解に役立ててもらいたいと願っています。

　2020年5月

著者

目次

1 組織学の方法

- Q1 光学顕微鏡，電子顕微鏡で観察できる構造.... 1
- Q2 組織標本の作製法.................................. 2
- Q3 固定液の種類と組成................................ 3
- Q4 色素による染色法の種類と目的................. 3
- Q5 組織化学的染色法................................... 5

2 組織学総論

- Q6 細胞，組織，器官，器官系...................... 6
- Q7 細胞膜... 7
- Q8 核.. 8
- Q9 ミトコンドリア.................................... 10
- Q10 小胞体... 11
- Q11 ゴルジ装置，ライソソームなど............... 12
- Q12 細胞内の小胞輸送................................ 14
- Q13 エンドサイトーシス............................. 15
- Q14 ライソソームによる細胞内消化過程......... 17
- Q15 細胞骨格.. 18
- Q16 細胞相互の接着に関与する構造............... 20
- Q17 細胞表面にみられる特殊構造.................. 22
- Q18 体細胞分裂の過程................................ 23
- Q19 減数分裂の過程................................... 24
- Q20 上皮組織の分類................................... 26
- Q21 上皮の機能.. 28
- Q22 基底膜.. 28
- Q23 内分泌腺と外分泌腺の構造上の違い......... 30
- Q24 分泌細胞からの分泌物の放出機構............ 30
- Q25 結合組織の分類................................... 31
- Q26 結合組織の基質と線維成分.................... 32
- Q27 結合組織にみられる細胞成分................. 34
- Q28 脂肪組織... 36
- Q29 腱の構造と構成成分............................. 38
- Q30 滑膜の構造.. 38
- Q31 軟骨組織の構造と分類......................... 39
- Q32 骨組織の構造..................................... 40
- Q33 骨の発生様式..................................... 43
- Q34 筋組織の種類と鑑別点......................... 44
- Q35 骨格筋線維の特徴............................... 45
- Q36 心筋線維の特徴.................................. 47
- Q37 血液細胞の種類と鑑別点...................... 48
- Q38 骨髄細胞の種類と鑑別......................... 50
- Q39 ニューロンの基本構造......................... 52
- Q40 神経線維の構造.................................. 54
- Q41 神経膠細胞の種類と形態...................... 56
- Q42 神経終末の構造.................................. 58
- Q43 シナプスの構造.................................. 58

3 消化器

- Q44 口唇および口腔粘膜............................. 60
- Q45 舌乳頭の分類と味蕾の構造.................... 61
- Q46 耳下腺，顎下腺，舌下腺の区別.............. 62
- Q47 歯の構造... 65
- Q48 消化管に共通する基本構造................... 67
- Q49 食道の組織構築.................................. 69
- Q50 胃の組織構築..................................... 70
- Q51 胃底腺，噴門腺，幽門腺の比較............. 71
- Q52 小腸の構成.. 73
- Q53 小腸の吸収上皮細胞............................ 76
- Q54 虫垂.. 78
- Q55 結腸，直腸....................................... 79
- Q56 肛門.. 80
- Q57 肝臓の組織構築と門脈血の経路............. 81
- Q58 肝細胞の特徴..................................... 84
- Q59 クッパー細胞，伊東細胞（星細胞）........ 85
- Q60 胆嚢.. 86
- Q61 膵臓の外分泌部.................................. 87

4 呼吸器

- Q 62　鼻粘膜の呼吸部と嗅部 90
- Q 63　喉　頭 92
- Q 64　声　帯 93
- Q 65　気　管 94
- Q 66　気管支から肺胞まで 95
- Q 67　肺胞壁の構造 97

5 泌尿器

- Q 68　腎臓の構成 99
- Q 69　腎臓の血流 100
- Q 70　腎小体の構造 101
- Q 71　ネフロン 104
- Q 72　尿細管各部および集合管の鑑別 ... 105
- Q 73　尿管，膀胱，尿道 107

6 生殖器

- Q 74　精巣の構造 109
- Q 75　精子の発生 112
- Q 76　精子の構造 114
- Q 77　精子の輸送路 115
- Q 78　陰　茎 118
- Q 79　卵巣の構造 119
- Q 80　卵胞の成熟過程 121
- Q 81　黄体と白体 123
- Q 82　卵　管 125
- Q 83　子宮内膜の周期的変化 126
- Q 84　性周期に伴う卵巣と子宮内膜の形態変化 .. 128
- Q 85　胎　盤 130

7 内分泌腺

- Q 86　細胞間の化学的情報伝達機構 132
- Q 87　粘膜上皮内の内分泌細胞 133
- Q 88　甲状腺 134
- Q 89　上皮小体 136
- Q 90　副腎皮質と副腎髄質 137
- Q 91　松果体 140
- Q 92　腺性下垂体 141
- Q 93　神経性下垂体 144
- Q 94　膵臓のランゲルハンス島 145

8 心臓・血管

- Q 95　心臓壁の層構造 148
- Q 96　動脈と静脈の鑑別点 149
- Q 97　毛細血管の基本構造と特殊型 152

9 リンパ系

- Q 98　リンパ管の構造 155
- Q 99　リンパ性組織の分類 156
- Q 100　リンパ節の内部構造 157
- Q 101　白脾髄と赤脾髄 160
- Q 102　胸　腺 161

目 次

10 皮膚

Q 103 皮膚の基本構造 164
Q 104 皮膚にみられる特殊な神経終末 167
Q 105 毛とそれを包む構造 168
Q 106 爪の構造 170
Q 107 皮膚の付属腺 170
Q 108 妊娠に伴う乳腺の形態変化 173

11 神経系

Q 109 脊髄の横断像 174
Q 110 脳幹の横断像 176
Q 111 大脳皮質の層構造 180
Q 112 小脳の組織構造 182
Q 113 脳室壁を構成する組織 183
Q 114 髄膜の構造 184

12 感覚器

Q 115 眼球壁の構造 186
Q 116 角膜, 強膜 187
Q 117 虹彩, 毛様体 188
Q 118 水晶体, 硝子体 190
Q 119 脈絡膜の層構造 191
Q 120 網膜の層構造 193
Q 121 眼瞼を構成する組織 195
Q 122 外耳道壁と鼓膜 196
Q 123 聴覚器を構成する細胞 197
Q 124 平衡感覚器 199

1. 組織学の方法
2. 組織学総論
3. 消化器
4. 呼吸器
5. 泌尿器
6. 生殖器
7. 内分泌腺
8. 心臓・血管
9. リンパ系
10. 皮膚
11. 神経系
12. 感覚器

1 組織学の方法

Q1 光学顕微鏡，電子顕微鏡で観察できる構造

- 光顕で観察できる構造は，核やミトコンドリアなど一部の細胞内小器官まで。
- それ以下の微細な構造は，電子顕微鏡を用いなければ観察できない。

◆ 接近する2点を区別できる2点間の距離を分解能といい，顕微鏡の性能を表す。可視光線を用いる光学顕微鏡 light microscopy の分解能は最小約 $0.2\,\mu m$ といわれている。これは細胞膜の厚さ（8〜10 nm）の20〜25倍，ヒト赤血球の直径（約 $8\,\mu m$）の1/40に相当する。したがって，個々の細胞を観察することは容易であるが，細胞内の膜系を観察することは難しい。

◆ 通常の組織標本で観察できる最小の構造は，油浸レンズを用いてもゴルジ装置やミトコンドリアなどの細胞内小器官，それも特別な染色をした場合や，それが細胞の一部に多数局在している場合に限られる。光学顕微鏡では観察できない個々のミトコンドリアの内部構造やゴルジ装置の成り立ち，さらにリボソームや中心体などの微細な構造は，電子顕微鏡を使って初めて確認できる。

◆ 汎用される電子顕微鏡には，大別して透過型と走査型がある。透過型電子顕微鏡 transmission electron microscopy は超薄切片を観察するもので，細胞の断面の構造を二次元的に知ることができる。これに対して走査型電子顕微鏡 scanning electron microscopy は試料の表面構造を調べる方法で，これにより組織や細胞表面の構造，細胞内膜系や細胞骨格の構築，さらには細胞膜内のタンパクの局在などを三次元的にとらえることができる。

SI単位系で用いられる接頭辞　1000分の1ずつ小さくなる。

10^{-3}	m	ミリ (milli)
10^{-6}	μ	マイクロ (micro)
10^{-9}	n	ナノ (nano)
10^{-12}	p	ピコ (pico)
10^{-15}	f	フェムト (femto)

Q2　組織標本の作製法

● 組織の固定，包埋，薄切，染色の順に行う。
● 新鮮な組織を短時間のうちに固定することが重要。

◆ 組織を顕微鏡で観察するためには，一般に次の手順に従って標本を作製する。光学顕微鏡の場合，光を通すほど薄い標本を作らなければならない。

① 組織の切り出し
　観察しようとする部位を中心に，組織を適当な大きさに細切する。なるべく新鮮な材料を短時間に処理し，次の固定操作に進むことが重要である。

② 固定 fixation
　組織はなるべく生体に近い，死後変化の少ない状態で観察することが望ましい。組織を切り出したときの形態を維持し，以後の操作で形態変化が起きないようにするため固定が必要である。固定の目的で使われる試薬は，アルデヒドや重金属などタンパク質の変性剤であり，これらの処理により組織や細胞の形態を保持し，酵素による自己分解を阻止すると同時に，組織全体に適度な硬さを与える。☞ Q3

③ 包埋（ほうまい） embedding
　顕微鏡で観察できる薄さの切片を作製しやすくするため，組織を適当な包埋剤に埋め込む。包埋剤としてはパラフィン paraffin が一般的である。パラフィンは疎水性であるので，包埋前に組織中の水を除く必要がある。組織を水洗し固定液を除いたのち，アルコールで脱水，次にキシレンあるいはトルエンなどでアルコールを除く。最後に加温し融解したパラフィンに浸し，組織中にパラフィンを浸透させたのち，室温に冷やして固める。光学顕微鏡用にはセロイジンが使われることもある。電子顕微鏡用には一般的にエポキシ系の樹脂が用いられる。

④ 薄切（はくせつ） sectioning
　包埋した材料を包埋剤とともに薄切し，切片とする。切片を作る装置をミクロトーム microtome という。観察の目的によって異なるが，切片の厚さは通常 2〜20μm である。電子顕微鏡用の切片作製装置を特にウルトラミクロトームといい，ガラスやダイヤモンド製の刃を使って厚さ 50〜100 nm の切片を作ることができる。

⑤ 染色 staining
　生体の細胞は，網膜色素上皮など少数の例外を除き，通常は色がない。したがって，観察に先立って，組織に適当な色をつけて，像が見えるようにしなければならない。観察の対象により適当な染色液を選択することが重要である。☞ Q4

Q3 固定液の種類と組成

● 死後変性などによる組織の構造変化を停止させるために固定を行う。

◆ 固定の目的で使われる薬剤を固定剤といい，大別すると次の 4 種になる。いずれもタンパク質の変性剤である。
　①酸（酢酸，ピクリン酸など）
　②アルデヒド（ホルムアルデヒド，グルタールアルデヒド）
　③重金属（水銀，オスミウム，クロムなど）
　④有機溶媒（アルコール，アセトン，クロロホルムなど）

◆ 実際にはこれらの固定剤を単独あるいは数種用いて固定液を作製する。汎用される固定液の組成を表に示す。

光学顕微鏡用の固定液	電子顕微鏡用の固定液
① 10％ ホルマリン 　ホルマリン（36％ ホルムアルデヒド水溶液） .... 1 mℓ 　蒸留水 .... 9 mℓ ② Bouin（ブアン）液 　飽和ピクリン酸 .... 15 mℓ 　ホルマリン .... 5 mℓ 　酢　酸 .... 1 mℓ ③ Zenker（ツェンカー）液 　重クロム酸カリウム .... 2.5 g 　塩化第二水銀（昇汞） .... 5.0 g 　硫酸ナトリウム .... 1.0 g 　蒸留水 .... 100 mℓ	① グルタールアルデヒド液 　2〜5％ グルタールアルデヒド水溶液 .... 1 mℓ 　0.2 M リン酸（あるいはカコジル酸） 　　緩衝液 pH 7.2 .... 1 mℓ ② パラホルムアルデヒド液 　8％ パラホルムアルデヒド水溶液 .... 1 mℓ 　0.2 M リン酸（あるいはカコジル酸） 　　緩衝液 pH 7.2 .... 1 mℓ ③ オスミウム液 　2％ 四酸化オスミウム水溶液 .... 1 mℓ 　0.2 M リン酸緩衝液 pH 7.2 .... 1 mℓ

Q4 色素による染色法の種類と目的

● 組織切片には通常色がないので，観察しようとする構造に適した染色液で染色しなければならない。
● H-E 染色で核は紫に染まり，細胞質は細胞の種類によりさまざまな色に染まる。

◆ 細胞や組織の全体像を把握するために，基本的にどんな組織にも有用で，よく用いられる染色法に次の 2 つがある。

① **ヘマトキシリン・エオジン染色** hematoxylin-eosin staining（H-E 染色）
　最も一般的に用いられる染色方法である。核はヘマトキシリンの酸化物であるヘマチンにより紫に染まり，通常陽性荷電の強い細胞質はエオジンで赤に染まる。陽性荷電の強い細胞はエオジンに強陽性となり **好酸性細胞** eosinophils と呼ばれるのに対し，**好塩基性細胞** basophils は細胞質中の陽性荷電が少なくエオジンよりもむしろヘマトキシリンに弱く染まる。細胞外に存在する膠原線維などはエオジンに弱陽性を示すが，次のアザン染色を用いたほうがはるかに観察しやすい。一方，脂質，粘液，弾性線維，グリコーゲンなどは染まらない。特定の分子を同定することは困難であるが，核や細胞の形態，細胞外基質の分布など，得られる情報が多い。

② **アザン染色** azan staining
　染色の主剤はアゾカルミン（赤），アニリンブルー（青），オレンジ G（黄）の３色である。結合組織中の膠原線維はアニリンブルーで青に，核は赤に染まる。細胞内は一般に薄い赤に染まるが，分泌顆粒などの細胞内要素が好塩基性であれば青，好酸性であれば赤の色調が増す。

◆以下の方法は，組織の特定の構造あるいは物質を証明するための染色法である。

③ **鍍銀法（とぎん）** silver impregnation
　銀アンモニア錯体がさまざまな組織に親和性を示す性質を利用し，これを還元，銀粒子の沈着として観察する方法。膠原線維，細網線維（さいもう），神経軸索（じくさく），グリア細胞などの観察に適している。

④ **ギムザ染色** Giemsa staining
　血液塗抹標本（とまつ）では基本的な染色法である。

⑤ **PAS 反応** periodic acid-Schiff reaction
　糖の隣接する水酸基を過ヨウ素酸で酸化して得られるアルデヒド基に Schiff 試薬（シッフ）を作用させて赤色の色素を生成させる。肝臓のグリコーゲン，粘液多糖類，微絨毛の糖衣，基底膜など，糖質の証明に用いられる。

⑥ **フォイルゲン反応** Feulgen reaction
　PAS 反応と同じく核酸を酸化して生ずるアルデヒド基と Schiff 試薬との反応。DNA の染色法として用いられる。

⑦ **ズダンⅢ染色** Sudan Ⅲ staining
　脂肪滴が黄～赤色に染色される。脂肪は有機溶媒に溶けてしまうので，パラフィン包埋切片は使用できない。

Q5 組織化学的染色法

● 酵素組織化学は酵素活性の局在を，免疫組織化学はタンパク質や糖鎖など抗原分子の局在を，*in situ* hybridization は特定の mRNA の局在を調べる方法である．

① 酵素組織化学 enzymehistochemistry

◆ 組織を固定液で固定し切片にした後でも，組織中に含まれる酵素の多くはその活性および基質特異性を保持している．この酵素活性を利用して色素を生成し，当該酵素の存在位置を明らかにすることができる．

② 免疫組織化学 immunohistochemistry

◆ 組織中に存在する特定の物質，たとえば結合組織中のコラーゲンや内分泌細胞の作るホルモンなどに対する抗体を作製し，これを切片上に存在する当該物質（抗原）に抗原抗体反応 antigen-antibody reaction により結合させる．次に，この抗体を酵素や蛍光物質で標識することで可視化すれば，抗原の組織内あるいは細胞内での局在を知ることができる．

◆ 抗体に酵素をあらかじめ標識し抗原の局在部位を証明する方法を酵素抗体法 enzyme-labeled antibody technique といい，蛍光色素を標識物質とする方法を蛍光抗体法 fluorescent-labeled antibody technique という．免疫組織化学とはこれらの総称である．ペプチド，アミノ酸誘導体，糖，脂質など，さまざまな抗原に対して抗体を作ることができるため，生体内のほとんどの物質を特異的に染色することができる．

③ *in situ* hybridization

◆ 組織切片には，免疫組織化学的染色の標的となる抗原ばかりではなく，DNA や RNA も保存されている．1つの細胞には数千種の mRNA が発現していると考えられているが，その中の1種類の mRNA を特異的に可視化できる方法が *in situ* hybridization である．

◆ この方法は塩基の相補性に基づき，mRNA が相補的配列を持つ DNA あるいは RNA と特異的に二本鎖を形成する性質を利用する．ある程度の発現量があれば，任意の mRNA を光学顕微鏡下に検出できる．一般的な方法としては，特定の mRNA に対する相補的 DNA（cDNA）あるいは RNA（cRNA）を作成し，これを ^{35}S，^{33}P，^{3}H などのアイソトープあるいはハプテン分子で標識し，組織中の mRNA と結合させた後，標識物質をオートラジオグラフィーあるいは免疫組織化学的に可視化する．

◆ 免疫組織化学はタンパク抗原などの存在部位を示す（この場合，その分子がその細胞で合成されたものか，細胞外から取り込まれたものであるかは識別できない）のに対し，*in situ* hybridization は当該タンパクの合成部位を示す方法である．

---

in situ　「本来の場所」を意味するラテン語．英語読みで「イン・サイチュ」と発音することが多い．生体内でその細胞が本来ある場所を意味する．

2 組織学総論

Q6 細胞，組織，器官，器官系

- ◉ 細胞は生体を構成する基本的単位である。
- ◉ 細胞の大きさ，形態，機能は組織により大きく異なる。

◆ **細胞** cell は，細胞膜 cell membrane によって外界と区別され，単独でタンパク質合成を行い，生命を維持し，独自の機能を果たすことができる。しかも，それ自身を複製する能力を有するという点で，生体を構成する最小の単位である。

◆ 細胞は多くの場合，発生学的に同じ原基に由来する細胞の集団として存在し，これを**組織** tissue と呼ぶ。たとえば結合組織，上皮組織，筋組織などである。組織は共通の機能を有する細胞の集団である。

◆ **器官** organ とは，数種類の組織によって構成される単位であり，独自の形態と機能を有する。肝臓，胃，心臓，腎臓などがこれに相当する。器官はそのいくつかがまとまって**器官系** organ system を構成する。個体は，さまざまに分化・発達した器官系

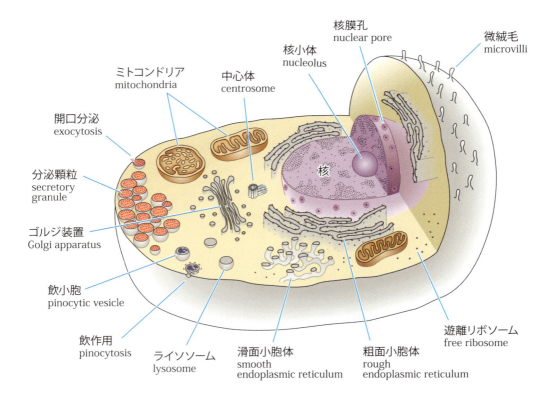

から成り立っている。神経系，感覚器系，消化器系，呼吸器系，循環器系，内分泌系，泌尿生殖器系，骨格系，筋系，免疫系などである。

◆ 組織学 histology は元来組織を扱う解剖学の一分野であるが，上記のうち器官の一部と組織，細胞および細胞内の構造まで含めることが多い。

Q7 細胞膜

- 細胞の構成要素は，細胞膜，細胞質，核，細胞内小器官。
- 細胞膜は脂質二重層でできている。
- 膜タンパクが細胞機能の発現に重要な働きをしている。

◆ 生体を構成する最小の基本単位が細胞である。細胞の種類により大きさや形はさまざまであるが，細胞の構成自体にはすべての細胞に共通する一定の特徴がある。すなわち，少数の例外を除いて，細胞は核と細胞内小器官を含む細胞質からなり，細胞膜によって他の空間と仕切られている。

◆ しかしながら，個々の細胞内小器官の形態や量，細胞内封入体（細胞が自ら作り出して貯蔵しているものや外部から取り込んだもの）の存在などは，細胞の種類によって著しく異なる。これは，細胞がそれぞれの機能を発揮するために，発生の途上で高度に分化・特殊化した結果である。

◆ 細胞膜 cell membrane の基本構造は 2 層のリン脂質である。リン脂質は 1 つの親水基と 2 本の疎水性炭化水素鎖からなり，細胞膜では疎水性の鎖を互いに向き合わせ，親水基が外側に位置するように配列している。この 2 層の脂質中にタンパク質を保持しており，このような細胞膜の構造を流動モザイクモデル fluid mosaic model という。細胞膜に限らず，すべての細胞内小器官を形成する膜は，基本的にこれと同じ構造を持っている。

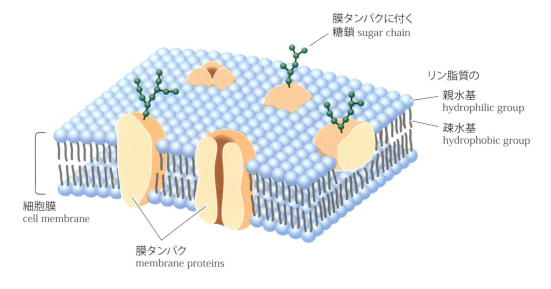

- 膜に含まれるタンパク質には，膜内に埋没して一部を細胞外（あるいは内）へ露出しているもの，あるいは膜を貫通しているものがある。膜タンパク分子の脂質二重層中に埋没している領域は疎水性アミノ酸に富み，逆に膜の内外の水相に突出している部分の表面には親水性アミノ酸が多い。膜タンパクは，物質輸送担体，チャネルの構成タンパク，ホルモンや伝達物質の受容体，細胞間の認識や接着に関与するタンパクなどであり，細胞の正常な機能発現にとって重要な分子である。
- 光学顕微鏡で細胞膜の構造を確認することは不可能である。電子顕微鏡で観察すると，細胞膜は 8〜10 nm の二重の線として見える。これは，膜を構成するリン脂質の親水性残基にオスミウムがよく結合するためと考えられる。

Q8 核

- 核膜には核膜孔があり，核は細胞質と連絡している。
- 核膜孔を介して，核と細胞質はさまざまな物質をやりとりしている。
- 染色体は DNA と核タンパクが凝集したものである。

- 核 nucleus は，赤血球や血小板など特殊な例を除き，すべての細胞に存在する。核は二重の膜からなる核膜 nuclear envelope によって細胞質と区別される。核膜には核膜孔 nuclear pore という直径約 50 nm の細孔が多数あり，これを通して核質と細胞質は連絡している。二重の核膜のうち外膜はそのまま粗面小胞体膜に移行する。すなわち核膜と小胞体は連続した構造である。☞ Q10
- 核膜孔を経由する物質輸送は二方向性である。核内で合成された mRNA，tRNA およびリボソームサブユニットなどはここを通って細胞質に，細胞質で合成された酵素，転写調節因子などはここを通って核質に入る。核内に輸送されるタンパク質は，その分子のどこかに 4〜8 個のアミノ酸からなる核移行シグナル nuclear localization signal を持っている。
- 核の中に納められている遺伝子＝ DNA は，核特有のタンパク質であるヒストン histone と結合して存在している。幅約 2 nm の DNA 二重ラセンがヒストンと作る複合体の最小の単位をヌクレオソーム nucleosome といい，これが直鎖状に配列し，高次の構造であるソレノイド solenoid を構成する。このような DNA とヒストンの複合体を染色体 chromosome といい，1 つの染色体は 1 本の長い DNA を含んでいる。
- ヒトの染色体は 46 本ある。そのうち 44 本は常染色体 autosome といい，同じもの（相同染色体）が 2 本ずつある。残りの 2 本は性染色体 sex chromosome で女性は XX，男性は XY の組み合わせである。染色体は細胞分裂の中期，後期に最も強く凝集し，棒状の明確な形態をとる。分裂間期には細い線維状となって核質に拡散し，染色質 chromatin と呼ばれる。
- 光学顕微鏡で核を観察すると，色素によく染まっている異染色質 heterochromatin と，あまり染まっていない正染色質 euchromatin とが区別できる。前者は染色質が

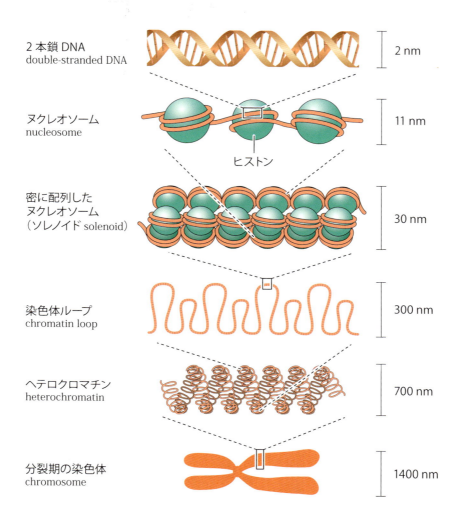

固く凝集したもので主に核膜に沿って存在し，後者は染色質が拡散した状態にあるもので DNA の転写が行われている部位である。

◆ **核小体** nucleolus は核の中に 1 個ないし数個存在する小体で，限界膜を持たない。主にタンパク質と RNA からなり，リボソーム RNA の転写・修飾を行う。塩基性色素によく染まり，光学顕微鏡でも確認できる。電子顕微鏡で観察すると，核小体糸 nucleolonema といわれる幅 60〜80 nm の細糸から構成されていることがわかる。

ゲノム genome ある生物の 1 組の染色体（ヒトでは 23 本）に蓄えられている全遺伝情報のこと。ヒトでは約 30 億塩基対あり，そのすべての塩基配列が決定された。

性染色質 sex chromatin（バー小体 Barr body） 女性は 2 本の X 染色体を持つが，どちらか一方は分裂間期であっても強く凝集し不活性化されていて，転写されることはない。この染色体は，核膜に沿って存在する強く染色される染色質塊として，女性の組織標本でしばしば観察される。

Q9 ミトコンドリア

- ATPを産生し，細胞にエネルギーを供給している。
- DNA・RNAを持ち，自己複製能力がある。

◆ **ミトコンドリア** mitochondria という名前は，ギリシャ語の mitos（糸），chondros（小粒）に由来する。その名の通り，楕円形で糸状あるいは小顆粒状に見える構造である。細胞の機能や状態により形態は著しく変化する。一般に好酸性を示し，エオジンや鉄ヘマトキシリンで染色すると，腎臓の近位尿細管上皮などでは光学顕微鏡でもミトコンドリアの集団を認めることができる。光学顕微鏡での観察にはこのほか，未固定細胞をヤーヌス緑B（Janus green B）によって超生体染色を施す方法が有効である。

◆ ミトコンドリアは，①平滑な**外膜** outer membrane と，②複雑なヒダ状構造を持つ**内膜** inner membrane の2層の膜系からなっている。内膜のヒダ状構造を**クリスタ** crista といい，内膜の面積を増大させている。内膜に囲まれた空間をマトリックス空間といい，**マトリックス** matrix（基質）が充満している。これに対し，内膜と外膜によって囲まれる空間を**膜間腔** intermembrane space（外基質）という。

◆ マトリックスには，多数の暗調な**ミトコンドリア顆粒** mitochondrial granule がみられる。その機能は不明である。また，環状のDNAやリボソームが存在する。

◆ 外膜には**ポーリン** porin と呼ばれる膜輸送体が多数存在し，分子量5000以下の低分子は自由に透過できる。したがって膜間腔の組成は，低分子に関しては細胞質と同じである。これに対して内膜は非透過性で，マトリックスでの酵素反応に必要な基質やイオンは選択的に輸送される。

◆ ミトコンドリアの主要な機能はATPの合成であり，これに関与する酵素群は内膜とマトリックスにのみ局在している。**ATP合成酵素** ATP synthase は基本粒子 elementary particle と呼ばれる粒子状の構造で，クリスタのマトリックス側に付着している。この粒子を光学顕微鏡で観察することはできないが，リンタングステン酸などにより陰性染色を施すことにより電子顕微鏡下に観察することができる。

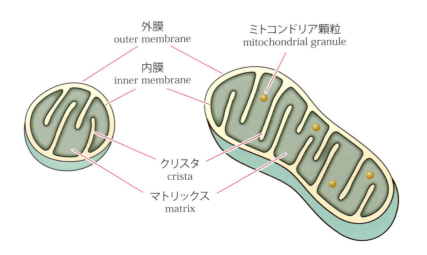

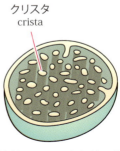

管状のクリスタを持つミトコンドリア。ステロイドホルモン産生細胞にみられる

◆ ブドウ糖は，細胞質で嫌気的分解（解糖）を受けピルビン酸になるが，この過程ではブドウ糖1分子あたり2分子のATPしか合成されない。これに対しミトコンドリア内では，クエン酸回路によりピルビン酸は好気的にCO_2とH_2Oに分解され，さらに電子伝達系を経てブドウ糖1分子あたり30分子のATPが合成される。

Q10 小胞体

- 小胞体は核膜と連続している。
- 粗面小胞体では分泌タンパク（ホルモン，酵素など）や膜タンパクが合成される。

◆ **小胞体** endoplasmic reticulum とは，細胞内に存在する閉鎖した管状あるいは袋状の膜構造である。小胞体膜にリボソームが付着したものを粗面小胞体，そうでないものを滑面小胞体という。

◆ 電子顕微鏡で初めて確認できる構造で，光学顕微鏡では発達した粗面小胞体の集まりが細胞質中の好塩基性の不定形構造としてまれに認められる程度である（たとえば神経細胞のニッスル小体）。

◆ **粗面小胞体** rough endoplasmic reticulum はタンパク合成の場であり，ペプチドホルモンや酵素などを分泌する腺細胞でよく発達している。小胞体膜に付着した**リボソーム** ribosome 上で合成されたタンパク質は，そのまま小胞体膜を通過して小胞体内に入り，**ゴルジ装置** Golgi apparatus に向かって輸送される。一般にゴルジ装置に面した部分はリボソームを欠き，この部位でタンパク質は小胞体膜から出芽のようにして生じる**輸送小胞** transport vesicle 中に入り，輸送小胞がゴルジ装置と融合することでゴルジ装置へ運ばれる。☞Q11

◆ 粗面小胞体で合成されるものは，分泌タンパク，ライソソームへ組み込まれるタンパクあるいは膜タンパクなどである。これらの多くは糖タンパクで，合成直後に粗面小胞体内でオリゴ糖の付加を受ける。

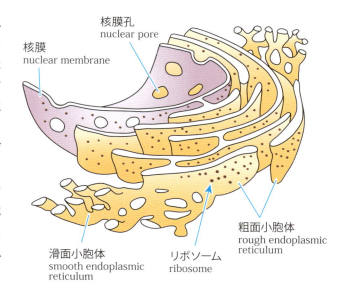

核膜孔 nuclear pore
核膜 nuclear membrane
滑面小胞体 smooth endoplasmic reticulum
リボソーム ribosome
粗面小胞体 rough endoplasmic reticulum

分泌タンパクはいかにして小胞体内に入るか　リボソームによってタンパク質の翻訳が始まると，まずシグナルペプチドが合成され，この部位に結合するシグナル認識粒子の働きでリボソームは小胞体膜に固定される。翻訳が進むにつれ，ペプチド鎖は小胞体膜上のタンパク質輸送体により小胞体内腔に向かって伸長を続け，ついには合成された完全なペプチド全体が小胞体に入る。

- **滑面小胞体** smooth endoplasmic reticulum は糖・脂質代謝や解毒，ステロイドホルモン合成などさまざまな化学反応に関与する。副腎皮質や精巣のステロイドホルモン分泌細胞や，肝細胞，胃底腺の壁細胞でよく発達している。また，滑面小胞体ではリン脂質をはじめとする膜脂質の合成が行われる。この結果，小胞体膜が増加し，一部が輸送小胞の形でゴルジ装置や細胞膜に供給される。ミトコンドリアやペルオキシソームなどへは小胞輸送の経路がなく，膜脂質は細胞質中に存在する特別な酵素の働きで輸送される。
- さらに小胞体は Ca イオンの貯蔵場所としての働きが重要であり，骨格筋細胞で最もよく発達している。

Q11　ゴルジ装置，ライソソームなど

- ゴルジ装置は分泌タンパクの濃縮，糖鎖の付加・修飾，分泌顆粒形成を行う。
- ライソソームはゴルジ装置により形成され，異物の消化を行う。

①ゴルジ装置 Golgi apparatus
- 19 世紀末にイタリアの組織学者 Camillo Golgi によって発見された構造で，多くは 5〜8 層に重なった層板と周辺の小胞からなる。ゴルジ装置には構造上明確な極性 polarity が認められる。小胞体に面した *cis* 側は形成面ともいい，小胞体由来の輸送小胞が融合を起こすところ，すなわち分泌タンパクがゴルジ装置に運び込まれるところ（cis Golgi network；CGN）である。*trans* 側は分泌面ともいい，出芽により分泌顆粒やライソソームを形成するところ（trans Golgi network；TGN）である。
- ゴルジ層板は互いの連絡がなく，層板間の物質輸送は輸送小胞によると考えられている。層板の *cis* 側の数層はオスミウムに親和性を示すので，オスミウム酸固定により

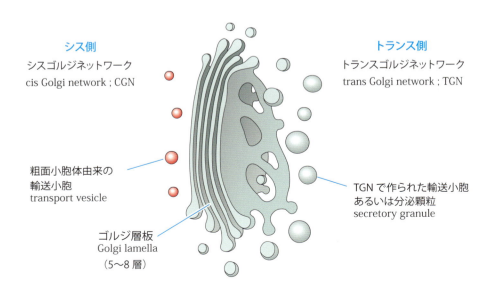

シス側
シスゴルジネットワーク
cis Golgi network；CGN

トランス側
トランスゴルジネットワーク
trans Golgi network；TGN

粗面小胞体由来の
輸送小胞
transport vesicle

TGN で作られた輸送小胞
あるいは分泌顆粒
secretory granule

ゴルジ層板
Golgi lamella
（5〜8 層）

光学顕微鏡で観察することができる。また，*trans* 側は酸性ホスファターゼを持つことが知られている。

- ゴルジ層板の *cis* 側の数層では，主に小胞体で付加された糖（*N*-linked glycosilation，アスパラギン残基へのオリゴ糖の付加）の修飾が起こる。ゴルジ装置での新たな糖の付加は *trans* 側の層板で起こり，ここでは主に *O*-linked glycosilation（セリン，スレオニン残基への糖付加）が行われる。
- 後にライソソームに組み込まれるタンパクは，*trans* 側でマンノース-6-リン酸の付加を受ける。これが TGN の膜にある受容体に認識され，ライソソームへ分配される。また，プロテオグリカンへの硫酸基の付加も *trans* 側で起こる。TGN から生み出される小胞には，①ライソソーム，②膜を細胞膜へ輸送するための輸送小胞，③分泌顆粒の少なくとも 3 種類が知られている。

②**ライソソーム** lysosome（水解小体）

- 1 層の膜で囲まれた小胞で，ゴルジ装置で作られた酵素を含む。**酸性ホスファターゼ** acid phosphatase の酵素組織化学的染色を施すことにより，光学顕微鏡でも観察できる。**数十種の加水分解酵素を含み，細胞内での不要物の消化**，たとえばミトコンドリアなどの細胞内小器官や，細胞外から取り込んだ微生物などの消化に関与する。
- 電子顕微鏡では，細胞内消化を行う前の状態である一次ライソソームと，異物を処理中の二次ライソソームが区別できる。☞**Q14**

③**ペルオキシソーム** peroxisome（microbody）

- 直径 0.2～0.8 μm の小胞で，代謝に関係するさまざまな酸化酵素を含む。ペルオキシソーム酵素は，粗面小胞体ではなく，細胞質の遊離リボソーム上で合成される。この一群の酵素には，翻訳後ペルオキシソームへ輸送されるための共通のアミノ酸配列が含まれている。
- ペルオキシソームの主要な働きの 1 つは，**脂肪酸の β 酸化**である。脂肪酸の酸化はほとんどがミトコンドリアとペルオキシソームで行われる。脂肪酸の酸化は有害な過酸化物を生じるが，これはやはりペルオキシソーム中に含まれるカタラーゼによって処理される。カタラーゼの持つペルオキシダーゼ活性を指標として酵素組織化学的に検出できるのでこの名がある。どの細胞にも存在するが，特に肝細胞に多い。

④**中心体** centrosome

- 細胞内における微小管の形成起点であり，**中心小体** centriole とそのまわりを取り巻くマトリックスからなる。中心小体は，3 本の**微小管** microtubule が連結されたユニットが 9 個環状に配列してできる長さ約 0.4 μm の小管が 2 個直角に配列したものである。マトリックスは，微細な顆粒と線維状タンパクからなる。
- 中心体は通常，核の近傍に位置し微小管系の起点となるほか，**細胞分裂に先立って自己複製し，細胞分裂の際には細胞の両極に位置して紡錘糸の形成中心となる**。

Q12 細胞内の小胞輸送

- ● 細胞膜や細胞内の膜系（ゴルジ装置や小胞体など）の間では，小胞を介した物質輸送が活発に行われている。
- ● 細胞内への取り込み，細胞内輸送・貯蔵，膜成分の交換に役立っている。

◆ **小胞** vesicle は，細胞による高分子物質（主にタンパク質）の取り込み，細胞内輸送，貯蔵のほか，膜成分の交換などの役割を担っている。小胞による物質輸送は，送り手の膜系から物質を含んだ小胞が出芽・分離し，細胞質内を移動し，受け手の膜系に接着・融合してその内容物を受け渡す仕組みである。この場合，小胞の限界膜や受容体などの膜タンパクも同時に受け渡されることに注意してほしい。

◆ 内分泌細胞や外分泌細胞の**分泌顆粒** secretory granule は，分泌されるまでの間タンパク質を貯蔵する小胞と考えることもできる。上皮細胞における代表的な小胞輸送の経路を図に示した。

① **エンドサイトーシス** endocytosis
細胞膜での小胞形成により膜成分と細胞外成分を細胞内に取り込む現象。飲小窩，飲

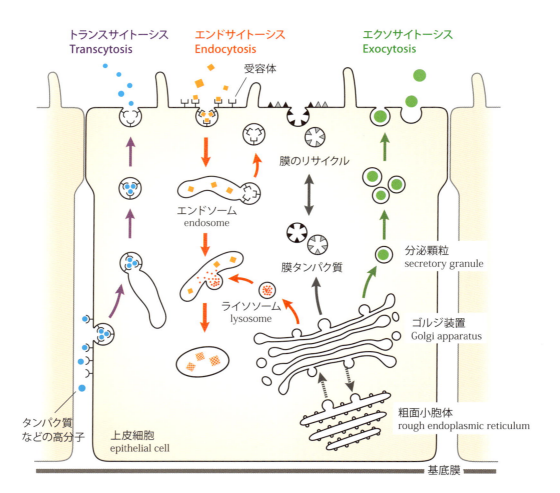

小胞や食胞が形成される．エンドサイトーシスの際に形成されたこれらの小胞は，細胞膜近傍の**エンドソーム** endosome と融合する．☞Q13

②**エクソサイトーシス** exocytosis

①とは逆に，小胞の膜が細胞膜と融合し，小胞の内容物が細胞外に放出される現象．分泌現象でみられる．☞Q24

③**トランスサイトーシス** transcytosis

細胞の頂部あるいは側部，基底部の細胞膜から①の様式で取り込まれた細胞外物質は，小胞によって細胞内を輸送され（途中エンドソームを経て），他の領域の細胞膜において②の様式で細胞外へ放出される．腸上皮における物質の吸収などでみられる．☞Q53

④小胞体とゴルジ装置の間

小胞体で合成されたタンパク質は小胞によってゴルジ装置に輸送され，修飾，選別，濃縮などが行われる．逆に，ゴルジ装置から小胞体への輸送経路もあり，膜と膜タンパク質のリサイクルが行われている．

⑤ゴルジ装置と細胞膜の間

◆ ゴルジ装置で形成された小胞は，特別な細胞外からの刺激がなくても細胞膜に輸送され分泌される場合がある．この過程を**構成性分泌** constitutive secretion という．これに対して，分泌顆粒が細胞内に蓄積され，細胞外からの刺激に応じて分泌される場合を**調節性分泌** regulated secretion という．

◆ 前者は，細胞膜に新しい膜と膜タンパク質などの構成成分を供給する場合にみられ，基本的にすべての細胞が営んでいる．後者は，内分泌細胞や外分泌細胞が分泌刺激に応じてホルモンや酵素を分泌する場合にみられる．

◆ これらとは逆に，細胞膜からゴルジ装置へ向かう小胞輸送もある．この輸送経路により，限界膜との融合によって生ずる細胞膜表面積の拡大を防ぎ，膜と膜タンパク質のリサイクルが行われる．

⑥ゴルジ装置からライソソーム系へ

ゴルジ装置で合成されたライソソーム酵素は，後期エンドソームへ輸送され，ライソソームが形成される．細胞内に取り込まれた後に不要となった物質は，エンドソーム系を経てライソソーム内で分解される．☞Q14

Q13 エンドサイトーシス

● 細胞膜に小胞が形成され，膜成分とともに細胞外の高分子を細胞内に取り込む．
● 飲作用と食作用がある．

①**飲作用**（**パイノサイトーシス** pinocytosis）

◆ 細胞がタンパク質などの高分子を取り込むところを電子顕微鏡で観察すると，まず細胞膜に**飲小窩** pinocytotic or endocytotic pit という微細な陥入ができる．**飲小窩**

はやがて外部との連絡を絶ち，直径 50 nm ほどの**飲小胞** pinocytotic or endocytotic vesicle となって細胞内に取り込まれる。

◆ 非特異的に何でも取り込む場合と，細胞膜の受容体を介して特異的に取り込む場合がある。後者の場合は，飲小窩や飲小胞の限界膜が電子密度の高い構造で覆われており，それぞれ**被覆小窩** coated pit，**被覆小胞** coated vesicle と呼ばれる。

◆ 被覆を構成する分子として**クラスリン** clathrin と呼ばれるタンパク質がある。クラスリンは重合して**トリスケリオン** triskelion と呼ばれる三本足構造をとっているが，小窩形成の際に陥入する細胞膜を裏打ちするように取り囲み，サッカーボールの模様に似たカゴ状の構造を作る。

◆ 被覆小胞となり細胞質内へ移行すると，クラスリンは小胞から遊離し，新しい小胞形成のために細胞膜へ移動，再利用される。

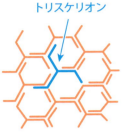
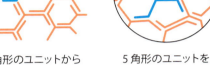

6角形のユニットからなる平らな格子　　5角形のユニットを含むカゴ状構造

② **食作用**（**ファゴサイトーシス** phagocytosis）

◆ 細胞が**細菌などの異物や死細胞の断片など大型の物質を取り込む場合**をいう。これらの物質は，細胞から伸びた偽足突起に包み込まれるようにして，あるいは細胞の中に沈み込むようにして細胞内に取り込まれ，限界膜に包まれた**食胞** phagosome が形成される。

◆ 好中球やマクロファージなどは盛んに食作用を行うことから**食細胞** phagocyte とも呼ばれる。食細胞の細胞表面には抗体の Fc 部分や補体に対する受容体があり，細菌などの異物表面に付着した抗体や補体を特異的に認識して捕食することができる。

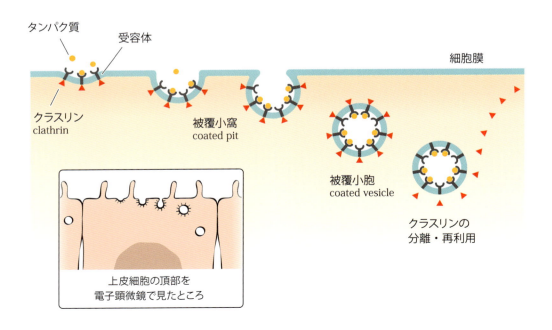

Q14 ライソームによる細胞内消化過程

- エンドサイトーシスで取り込まれた物質はライソームで消化される。
- 不要となった細胞内小器官も自家食胞を形成した後，ライソームで分解される。

①細胞内消化の過程は，飲作用または食作用による細胞内取り込みから始まる。

②飲小胞はまず細胞膜の近くのエンドソームと融合する。エンドソーム endosome とは不規則な形状をした管状ないし小胞状の膜構造で，小胞体とは異なる。細胞膜の近くに存在するものと，より深部でゴルジ装置の近くに存在するものがあり，前者を特に初期エンドソーム early endosome と呼ぶ。

③分解される物質はやがて初期エンドソームからゴルジ装置近傍の後期エンドソーム late endosome に移動する。2つのエンドソームは別のもので，分解される物質は小胞により輸送されるとする説と，初期エンドソームがゴルジ装置近傍に移動して成熟したものが後期エンドソームであるという説がある。

④ライソームの酸性加水分解酵素はゴルジ装置で合成され，非活性の状態で限界膜に包まれた顆粒として細胞質内を移動し，後期エンドソームと融合する。

⑤後期エンドソーム内部は膜の H^+-ATPase の働きにより酸性に保たれているため，酸性加水分解酵素が活性化される。このようにして消化活動を行うライソームが完成

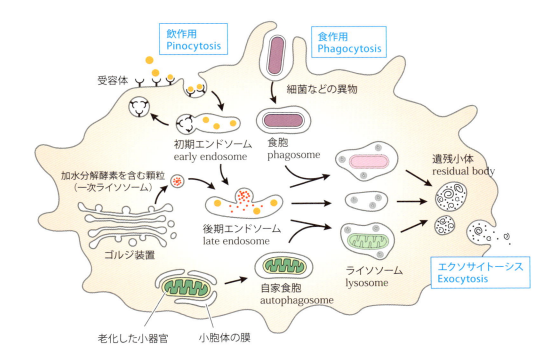

する。従来，**二次ライソーム**と呼ばれてきたものはこれである。

後期エンドソームが食胞と融合してできるライソームを特に**ファゴライソーム** phagolysosome と呼び，食細胞によく観察される。また，細胞内で古くなったミトコンドリアなどの小器官は，小胞体の膜に取り囲まれて**自家食胞**autophagosome を形成する。この自家食胞と後期エンドソームが融合してできるライソームを**オートファゴライソーム** autophagolysosome と呼ぶ。これら一連の細胞内小器官の分解様式を自食作用（**オートファジー** autophagy）と呼ぶ。

⑥分解後のライソームの内容物は，エクソサイトーシスにより細胞外に放出されるか，**遺残小体** residual body として細胞内にとどまる。神経細胞や副腎細胞などにみられる**リポフスチン顆粒** lipofuscin granule（細胞内に蓄積された褐色の粗大顆粒）は遺残小体の一種である。

Q15 細胞骨格

◉ 線維状タンパクが細胞の形を支えている。
◉ これらの線維は細胞の運動にも関与する。

◆ 骨が体の形態を保つために重要であるように，細胞がそれぞれ独自の形態を保っていられるのは**細胞骨格** cytoskeleton と呼ばれる線維状タンパクにより支持されているからである。これらの線維はアクチン，中間径フィラメント，微小管の 3 種類があり，それぞれが独立にあるいは互いに連結し合って骨格を作り上げている。細胞骨格は絶えず形成と分解を繰り返しており，固定した構造ではない。

①**アクチン細糸** actin filament
◆ 球形の **G-アクチン** actin がラセン状に重合してできた径 7〜8 nm の **F-アクチン**で構成される線維である。細胞膜の直下では，アクチンが互いにからみ合って網目状の構造を作っている。したがって，通常この部位には細胞内小器官は存在しない。
◆ 細胞が異物の貪食，飲み込み運動，開口分泌などを行うときには，細胞膜直下のアクチン細糸が部分的に分解され，細胞膜の形態変化や分泌顆粒の細胞膜への接近を可能にする。また，微絨毛や不動毛の内部にもアクチン細糸があり，形態の維持に寄与している。

エンドソームの役割 上皮の増殖を促す epidermal growth factor；EGF は細胞膜上で受容体と結合する。その後，小胞によってエンドソームに運ばれるが，増殖のためのシグナル活性はむしろエンドソームに移動してからのほうが強いという。また，エンドソームは不要になったタンパク分子と受容体の膜タンパクを選別し，リサイクルできる膜タンパクは新たな小胞とともに出芽，細胞膜へ送り返す。このように，エンドソームは細胞内消化のほかにもさまざまな働きを持つ。

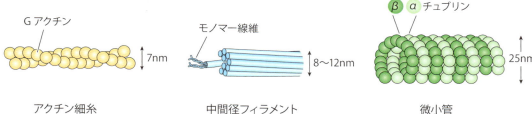

② 中間径フィラメント intermediate filament

◆ アクチンと微小管の中間のサイズ（約 10 nm）を持つ線維状タンパク群である。細胞の種類によって異なる種類の線維が作られる。

- **ケラチン** keratin：上皮細胞
- **ビメンチン** vimentin：内皮や線維芽細胞など間葉系細胞
- **デスミン** desmin：筋細胞
- **GFAP**（glial fibrillary acidic protein）：グリア細胞とシュワン細胞
- **ニューロフィラメント** neurofilament：神経細胞
- **ラミン** lamin：核に存在し，クロマチンの核膜への接着，有糸分裂に伴う核膜の分解，再構成に関与。

◆ 中間径フィラメントは細胞内でネットワークを作り細胞質や核質の体積を制御する一方，細胞の形態を安定させるように働いている。また，上皮細胞では デスモソームやヘミデスモソームに結合して上皮組織の形態を維持している。☞ **Q16**

③ 微小管 microtubule

◆ α および β **チュブリン** tubulin という 2 種類の球状タンパクが結合してチュブリンサブユニットを形成する。微小管は，このサブユニットが直線的に連結されてできる径約 25 nm の線維状の構造である。常に核の周囲にある中心体を形成起点とし，他方を細胞質周辺まで伸ばしている。

◆ 微小管は小胞体やゴルジ装置などの細胞内小器官と結合し，それらの位置を保つとともに，輸送小胞，分泌顆粒，染色体の移動を行う。さらには鞭毛や線毛の中にあってこれらの運動を行っている。輸送小胞や分泌顆粒の移動は，粗面小胞体→ゴルジ装置→細胞膜という明確な方向性を持っているが，これは膜相互の認識機構と微小管による誘導の結果である。

分子モーター 神経細胞の長い軸索を小胞が輸送される際にも微小管が使われる。小胞はキネシンや細胞質ダイニンなどの分子によって微小管に連結され，これに沿って輸送される。これらの分子は ATP を分解して得たエネルギーを使って小胞を輸送するので，分子モーターと呼ばれる。

Q16 細胞相互の接着に関与する構造

● 上皮細胞は特殊な構造により互いに結合されている。
● 細胞は膜タンパクにより相手を認識して接着する。

◆ 同種の細胞は細胞膜上の特別な構造を介して接着する。以下に挙げる接着装置のうち, 閉鎖堤は細胞周囲を走るバンド状の構造であるのに対し, デスモソームやギャップ結合は細胞膜上にランダムに分散した斑点状の構造である。

1) 閉鎖堤 terminal bar

◆ 光学顕微鏡では, 隣り合う上皮細胞の境界部に存在する暗い点のように見える。必ず自由表面近くにあり, 上皮細胞どうしを接着させるとともに, 物質の移動に対する関門となっている。

◆ 電子顕微鏡で観察すると, 以下の2種の接着装置の複合体であることがわかる。

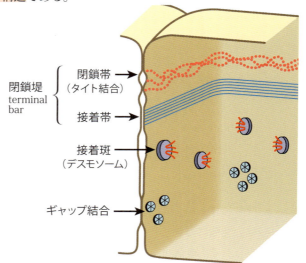

① 閉鎖帯 zonula occludens または タイト結合 tight junction
最も自由表面近くにあり, 細胞間が10〜15 nmまで接近している。膜貫通タンパクのクローディン claudin などからなる複合体が網目状に配列し, 細胞膜どうしをつなげている。閉鎖帯は上皮細胞や分泌細胞に共通してみられ, 細胞間の間隙をシールする働きをする。これは上皮において体内と体外を区別し, 上皮細胞を介した選択的物質輸送を可能にする。また, 小腸や腎尿細管の上皮細胞では, 自由表面の細胞膜と側基底部の細胞膜にそれぞれ独特な膜タンパクの分布がみられるが, 閉鎖帯は膜タンパクの流動範囲を限定し互いに混ざり合うのを防ぐ囲いのような働きをしている。

② 接着帯 zonula adherens または アドヘレンス結合 adherens junction
閉鎖帯の直下に位置し, 細胞間が15〜20 nmまで接近している。この領域の細胞膜はカドヘリン cadherin という膜貫通タンパクを含み, その細胞外領域は隣接する細胞のカドヘリンと結合する。カドヘリン相互の結合にはカルシウムイオンが必要である。細胞膜の内側には多量のアクチンフィラメントが付着している。光学顕微鏡で閉鎖堤が色素に好染し観察しやすいのは, この構造が色素に高い親和性を示すためと思われる。ターミナルウェブ (☞Q53) の付着部位である。

2) 接着斑 macula adherens または デスモソーム desmosome

◆ 細胞間の距離は約30 nmである。細胞膜の内側には電子密度の高い円盤状の構造 (attachment plaque) が付着している。この円盤はデスモプラキンやプラコグロビンなどのタンパク質からなる複合体で, ここに無数のケラチン線維 (張原線維

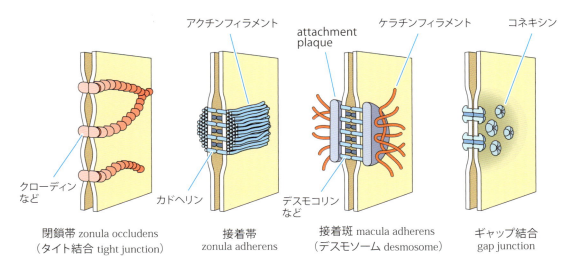

tonofilament）が付着している．すなわち，接着斑は**細胞接着装置であるとともに，細胞骨格の固定装置でもある．**

- 細胞膜にはカドヘリンファミリーに属する膜貫通タンパク（デスモコリン，デスモグレインなど）があり，その細胞内領域は attachment plaque に固定され，細胞外領域は隣接する細胞の膜貫通タンパクと相互に結合する．このため 2 枚の細胞膜の間の狭い空間には電子密度の高い細い線が観察される．重層扁平上皮の有棘層の細胞間にみられる「細胞間橋」は，その部位に豊富に存在する接着斑に相当する．☞Q103

- 重層扁平上皮の基底細胞などのように基底膜に向かい合う細胞の基底部には，デスモソームと似た構造が存在する．**ヘミデスモソーム** hemidesmosome といい，細胞間の接着ではなく，**上皮細胞を基底膜に接着させる**ための構造である．デスモソームと同様に attachment plaque と中間径フィラメントを持つが，ヘミデスモソームの膜貫通タンパクは**インテグリン** integrin である．インテグリンの細胞外領域は，基底膜に含まれる**ラミニン** laminin と結合する．☞Q22

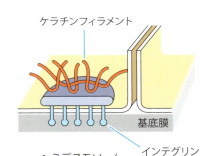

3）**ギャップ結合** gap junction

- **ネクサス** nexus ともいい，この部位では細胞膜どうしが約 2 nm まで接近している．電子顕微鏡で観察される斑点状の構造で，細胞膜には**コネキシン** connexin という膜貫通型タンパクがある．

- コネキシンは 6 量体を形成し，隣接する細胞のコネキシン 6 量体と結合して直径約 2 nm の管状構造を作る．この通路は，蛍光トレーサーを用いた実験から，分子量 1200 以下の低分子を通過させることがわかった．また，この通路は細胞内外の環境に応じて開閉が調節されており，**無機イオンや水溶性低分子などが細胞間を移動する**ことにより，細胞間情報伝達機構の 1 つとして働いている．

Q17 細胞表面にみられる特殊構造

●細胞膜の特殊構造は，その細胞の持つ機能と関係が深い。

①**微絨毛** microvilli
- 細胞の自由表面にある微細な突起で，内部にアクチン細糸が納められているが，線毛と異なり運動性はない。アクチン細糸は微絨毛中を長軸方向に走り，その細胞質側の末端は微絨毛直下にある**ターミナルウェブ** terminal web につながっている。ターミナルウェブも主にアクチン細糸で構成され，その末端は接着帯に固定される。
- 小腸や腎近位尿細管に存在する吸収上皮では微絨毛がよく発達し，管腔側の自由表面をすき間なく覆っている。これによって細胞膜の表面積は数百倍に増大し，吸収効率を高めている。微絨毛の細胞膜には，イオンやアミノ酸，糖などの輸送担体や，小腸においては消化酵素群が存在する。小腸上皮の微絨毛は，光学顕微鏡では細胞表面に存在する細い帯のように見え，**刷子縁** brush border と呼ばれる。☞Q53

②**不動毛** stereocilia
微絨毛より長く，アクチン細糸が密に詰まっているため硬く，運動性はない。内耳のコルチ器や前庭器官の有毛細胞では情報の変換器として働く。精巣上体管の上皮には発達した不動毛があり，その表面には水輸送担体（アクアポリン）があることから，管腔からの水吸収のための構造であると考えられている。

③**線毛** cilia
太さ約 0.2μm，長さ 7〜10μm で，運動性がある。気道の上皮では管腔側の表面に密生している。線毛内には**軸糸** axoneme と呼ばれる線維状の構造が入っている。軸糸は 9 対のチュブリンからなる**外側ダブレット** outer doublet と，2 本のチュブリンからなる**中心対** central pair で構成される（9+2 型という）。軸糸の末端は線毛直下にある**基底小体** basal body に連絡する。中心対はそれぞれ完全な微小管であるが，外側ダブレットは完全なチュブリン（A 小管）と不完全なチュブリン（B 小管）からなる。A 小管から隣の B 小管に向かって**ダイニン** dynein が伸びている。線毛は多くの場合一定方向に協調して運動し，細胞外液に流れを作る。

④**鞭毛** flagella
線毛と似た内部構造を有するが，通常 1 個の細胞に 1 本であり，長さ，運動の様式も線毛とは異なる（鞭毛の運動はラセン状である）。精子は長さ 50〜60μm の鞭毛を持ち，その運動により子宮から卵管へ向かう。☞Q76

⑤**細胞膜のかみ合い** interdigitation
電子顕微鏡で観察すると，小腸や腎尿細管の上皮では隣り合う 2 個の細胞の細胞膜が複雑に入り組んでいることがわかる。これを「かみ合い」といい，細胞間の結合を強める構造であると考えられている。☞Q53

Q18 体細胞分裂の過程

● 分裂各期の特徴を理解する。
● 成体の組織では細胞分裂の頻度は非常に低いため，見ることは難しい。

◆ 体細胞は**有糸分裂** mitosis によって増殖する。分裂に先立って細胞は DNA の複製を行い，細胞あたりの DNA 量は 2 倍になる。分裂は，次の 4 期に分けられる。

① **前期** prophase
核膜が消失し始め，核内の染色質は凝集して染色体を形成する。**中心体** centrosome が複製され，2 対の中心体がそれぞれ両極に移動し**紡錘糸** spindle fiber の形成を始める。同時に細胞質中の微小管系は解体されるので，分裂細胞は一様に球形に近くなる。複製された 1 組の染色体は，**セントロメア** centromere と呼ばれる特定の DNA 配列により互いに結合されている。セントロメアにはタンパク質の複合体が付着し**動原体** kinetochore を形成する。

② **中期** metaphase
核膜が消失し，染色体は細胞の赤道面上に配列する。紡錘糸（微小管）が染色体の動原体に付着する。

③ **後期** anaphase
染色体が 2 つに分かれ，微小管の短縮に伴って両極に移動する。この結果，染色体の集団が細胞の両極に位置するように見える。この過程は数分で完了する。

④ **終期** telophase
染色体の集団を取り囲むように不連続な核膜が形成され，同時に染色体の解体が始まる。細胞質にくびれが生じ，2 個の娘細胞に分かれる。

◆ 分裂によって生じた娘細胞が次の分裂を起こすまでの期間を**細胞周期** cell cycle といい，G1 期，S 期，G2 期および M 期に区分する。分裂後の G1 期は最も長く休止期ともいわれるが，実際はタンパク質合成の盛んな時期であり，細胞の成長もこの時期にみられる。S 期には DNA の複製が行われ，その後短い休止期（G2 期）を経て M 期（分裂期）に入る。細胞が機能的に成熟してそれ以上分裂することのない状態を G0 期にあるという。成人のほとんどの細胞はこれにあたる。

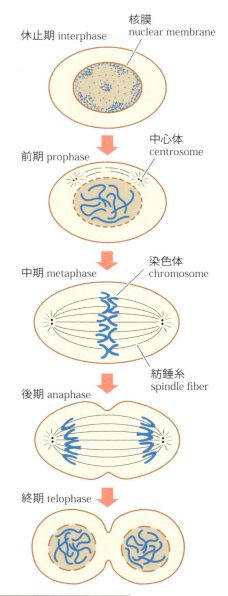

細胞分裂の結果生じた 2 つの娘細胞は，互いに等価である場合（**対称分裂**）と，それぞれ性格が異なる場合（**非対称分裂**）がある。たとえば神経細胞を生み出す神経上皮細胞層では，分裂の結果生じた一方の細胞は神経細胞に分化する能力を獲得するのに対し，他方はさらに分裂して新しい細胞を生み出す幹細胞としての性格を残す。非対称分裂は細胞の多様性を生み出す重要な仕組みである。

Q19 減数分裂の過程

- ● 生殖細胞のみに認められる分裂様式である。
- ● 減数分裂によって生じた生殖細胞の染色体数は，体細胞の半数である。

◆ **減数分裂** meiosis は卵子や精子の形成過程にみられる特殊な分裂様式で，連続して起こる2回の分裂からなる。この間，DNA の複製は1回しか起こらないため，最終的に生じた精子または卵子は **1倍体** となる。両者は受精によって **2倍体** となる。

◆ 第一分裂に入る前に，体細胞分裂の場合と同様 DNA の複製が起こる。したがって，分裂が始まる時点で，細胞は通常の2倍の DNA を持つことになる。第一分裂の前期は次の4段階に区分される。

① **細糸期** leptotene：染色質は糸状の細い染色体になる。このとき染色体は1本の糸のように見える。

② **接合期** zygotene：**相同染色体**（それぞれ2個の **染色分体** chromatid からなる）が接近し密接する。したがって，染色体数が半数になったように見える。この状態の染色体を **二価染色体**（4個の染色分体）と呼ぶ。

③ **厚糸期** pachytene：二価染色体は短縮し，太さを増す。

④ **双糸期** diplotene：対をなす染色体が再び分離する。このとき染色体の **交叉** chiasma が起こる。

◆ 第一分裂の中期になると，相同染色体は向かい合って赤道面上に配列する。核膜はこの時期に消失する。体細胞分裂の場合と異なり，この時点で染色体は二分しない。後期では2個の染色分体を持つ染色体は分離することなく両極に移動する。終期では細胞質が二分され，2個の娘細胞を生ずる。これはすぐに **第二分裂** に入る。第二分裂では染色体の分離が起こり，最終的には1倍体の娘細胞が4個作られる。

◆ 体細胞分裂では1組の相同染色体（一方は父親から，もう一方は母親から受け継いだもの）はそれぞれ複製され，2つの娘細胞に1つずつコピーが分配される。したがって，分裂前後で細胞の持つ遺伝情報に変化はない。

◆ これに対して減数分裂では，複製された1組の相同染色体は互いに癒合し二価染色体を形成する。その後1つの娘細胞にはそれぞれ複製された相同染色体の一方のペアが分配される。これは父親由来か母親由来のどちらか一方が複製されたものである。それぞれの染色体について，父親由来の染色体を受け取るか母親由来のものを受け取るかはランダムに起こると考えられている。したがって，減数分裂の第一分裂の結果生じた2個の娘細胞は，それぞれ異なる遺伝情報を持つことになる。このことと染色体の交叉は，父親由来の遺伝情報と母親由来のそれを混合させることになり，配偶子の遺伝的多様性を生み出す結果となる。

卵祖細胞の分裂様式　体細胞分裂と同じ様式で分裂増殖するが，これは個体発生の初期にのみ起こり，一定数まで増殖するとそれ以後数の増加はない。出生前に卵祖細胞は卵母細胞に分化し，減数分裂の第一分裂前期に入る。しかし，この第一分裂が終了するのは生後思春期以後である。これに対して精祖細胞は生後も存在し，思春期に分裂増殖する。何回かの分裂ののち精母細胞となり，減数分裂に入る。

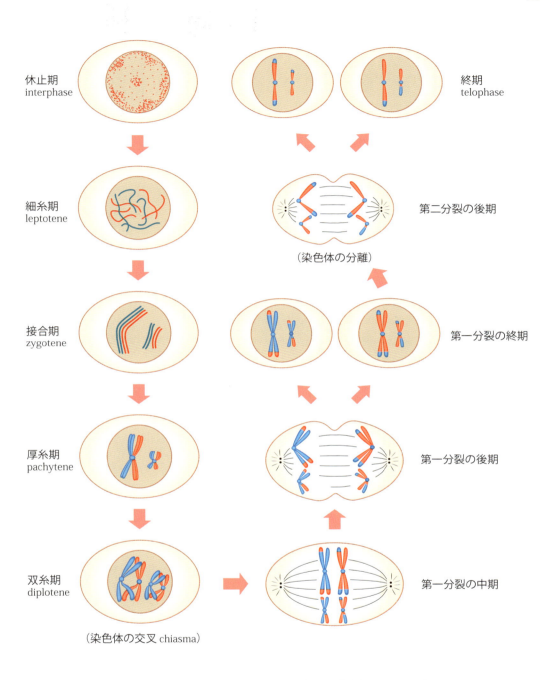

減数分裂を行う細胞は卵母細胞と精母細胞であるが，前者では第一分裂終了後，細胞質は著しく不均一に分裂し，細胞質の大半を占有する二次卵母細胞と細胞質の少ない極体を生ずる。第二分裂でも同様の現象が起こり，最終的に1個の卵細胞と3個の極体となるので，この図とは異なることに注意したい。また精母細胞は第一，第二分裂後も生じた細胞は互いに細胞質の一部が連絡している。この図は便宜上，細胞質は等しく分裂させ，分裂の結果生じた細胞は分離させて描いてある。

Q20 上皮組織の分類

◉各種上皮組織の特徴と存在部位を理解する。

- **上皮** epithelium とは**体の表面，管腔や体腔の壁を覆う組織の総称**である。胚発生の初期に構成される**外胚葉** ectoderm と**内胚葉** endoderm は上皮性であり，ほとんどの**上皮組織** epithelial tissue はこれらの胚葉に由来する。
- 上皮組織は基底膜の上に構成される。細胞には明確な**極性**があり，細胞間質に乏しいという特徴がある。また，組織中に血管が進入することはない。形態学的に単層上皮と重層上皮に分類される。

1) 単層上皮 simple epithelium
細胞が基底膜上に1層並んでできた上皮である。上皮細胞の形態により下記①〜⑤に分類できる。

①**単層扁平上皮** simple squamous epithelium
不規則な輪郭の扁平・板状の細胞からなる。血管内皮，胸膜や腹膜，ボウマン嚢の壁側上皮，ヘンレループの細い部分などに存在する。

②**単層立方上皮** simple cuboidal epithelium
垂直断面で見ると正方形に見える細胞で構成される。甲状腺の濾胞上皮，脈絡叢，腎臓の集合管などに存在する。

③**単層円柱上皮** simple columnar epithelium
上皮細胞は背が高く，横断面は長方形を示す。細胞全体の形は円柱あるいは多角柱である。胃から直腸までの消化管上皮，卵管，子宮内膜の上皮などがこれに相当する。

④**多列上皮** pseudostratified epithelium
すべての上皮細胞が基底膜に接しているという意味で多列上皮は単層上皮の一種であるが，光学顕微鏡で観察すると上皮細胞の核が重層しており重層上皮のように見える。これは上皮細胞の高さがまちまちであるためである。通常，上皮の最外層には核はみられない。外分泌腺の導管や男性尿道の一部に存在する。気道の上皮のほとんどを構成する多列上皮は線毛を持ち，**多列線毛上皮** pseudostratified ciliated epithelium と呼ばれる。

⑤**移行上皮** transitional epithelium
④と同様，光学顕微鏡では重層上皮のように見えるが，電子顕微鏡ですべての上皮細胞が突起を伸ばし基底膜に接していることが確認される。最表層を覆う細胞は大型で多核である（**被蓋細胞** umbrella cell という）。尿管および膀胱の上皮である。

内皮，中皮 血管やリンパ管の壁を構成する上皮を特に内皮といい，体腔壁を覆う上皮を中皮という。ともに中胚葉由来の組織であり，形態的には単層扁平上皮である。

2）重層上皮 stratified epithelium

上皮細胞の最下層のものだけが基底膜に接し，その上に何層もの細胞が重層している。

①重層扁平上皮 stratified squamous epithelium

基底部の細胞は円柱状ないし多角形であるが，表層に近づくにしたがって扁平化する。体表面を覆う表皮は重層扁平上皮であり，最表層が角化する。口腔や食道，角膜などでは角化しない。

②重層円柱上皮 stratified columnar epithelium

基底部に近い細胞は多角形であるが，表層の細胞は縦に長い。人体ではわずかに尿道海綿体部，肛門粘膜の一部などに認められるのみである。

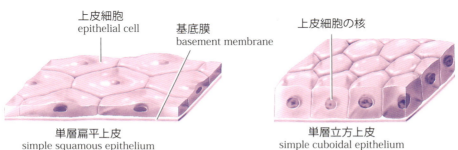

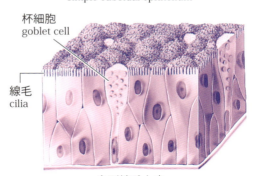

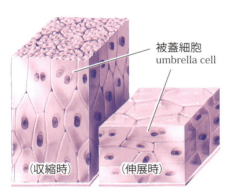

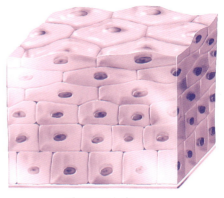

Q21 上皮の機能

● 分泌機能を有する内分泌腺や外分泌腺は上皮の陥入により形成されたもので，上皮組織に分類される。

◆ 機能に注目すると，上皮細胞は次のように分類できる。

① 被蓋上皮 covering epithelium：体表や体腔壁，内臓の表面あるいは中空性器官の内面を覆う上皮。体表の重層扁平上皮のように，外界の刺激（機械的刺激，熱，紫外線など）から体を保護するものを特に保護上皮ということがある。被蓋上皮の一部は独特の機能を持ち，吸収上皮や感覚上皮と呼ばれる。

② 吸収上皮 absorptive epithelium：体外からの物質吸収を行う上皮。腸管上皮や腎尿細管上皮がこれにあたる。一般に上皮細胞は互いに強く接着し，体の内外の物質輸送に対するバリアーとなっている。細胞膜は微絨毛によって表面積を増大させ，物質輸送に有利であり，さらに選択的な物質輸送を可能にする種々の輸送体を備えている。

③ 分泌上皮 secretory epithelium：上皮細胞が血管系から原料となる物質を取り入れ，特定の物質を合成し放出する。腺上皮 glandular epithelium ともいう。被蓋上皮の一部が間葉中に伸び出して作る組織で，たとえば唾液腺，膵臓，汗腺，乳腺などの外分泌腺や，下垂体前葉，甲状腺などの内分泌腺がこれにあたる。

④ 感覚上皮 sensory epithelium：体外からの物理的・化学的刺激を受容し，神経情報に変換する機能を持つ上皮。網膜，内耳の平衡斑，膨大部稜，コルチ器などがこれにあたる。網膜は発生途上の間脳胞由来，すなわち神経外胚葉由来である。内耳の平衡斑などはすべて菱脳胞領域の表層外胚葉由来である。

⑤ 呼吸上皮 respiratory epithelium：肺胞の上皮は薄く伸展し，直下の毛細血管と肺胞気との間のガス交換を可能にしている。肺は消化管から枝分かれして形成されるので，肺胞の上皮は内胚葉由来である。

Q22 基底膜

● 上皮組織は基底膜の上に形成される。
● 基底膜の主成分はコラーゲンやラミニンであり，細胞成分は含まない。

◆ 基底膜 basement membrane は，上皮組織の基底部や筋組織・血管・末梢神経などの周囲に存在するフィルム状の構造である。基底膜はこれらの組織を周囲の結合組織から隔離しているが，リンパ球やマクロファージは正常時でも基底膜を通過することがある。

◆ 電子顕微鏡で観察すると，細胞側のやや電子密度の低い透明層 lamina lucida，電子密度の高い緻密層 lamina densa，結合組織と結びつく電子密度の低い網状層 lamina reticularis の3層からなる。緻密層はかつては基底板 basal lamina と呼ばれていた。

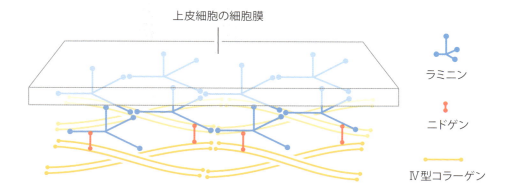

基底膜の厚さは100 nm ほどであるが，部位によりかなりの違いがあり，角膜内皮（デスメ膜）や腎糸球体では厚い。

- 基底膜の主成分は**Ⅳ型コラーゲン** type IV collagen であり，ほかに**ラミニン** laminin，ニドゲン（別名エンタクチン），プロテオグリカンなどで構成される。Ⅳ型コラーゲンは網目構造を形成し，ラミニンは上皮細胞の接着に関与する。これらの構成成分は，上皮細胞や基底膜に包まれている筋細胞などによって合成される。
- 基底膜は結合組織との隔壁となるだけでなく，部位によりさまざまな機能を果たす。上皮組織では細胞の接着，極性の維持，分化・発達になくてはならない構造であるし，末梢神経や筋組織では損傷後の組織の再生や軸索伸長にも関わる。腎糸球体では血漿の選択的濾過を可能にしているが，これには基底膜の構成タンパクが持つ糖鎖の極性が重要な役割を果たしている。
- 光学顕微鏡では，基底膜は H-E 染色で確認することはできないが，糖タンパクを多く含むので，PAS 反応などで確認することができる。また，Ⅳ型コラーゲンやラミニンなど緻密層に特異的なタンパクを免疫組織化学的に染色することで，明確に観察できる。

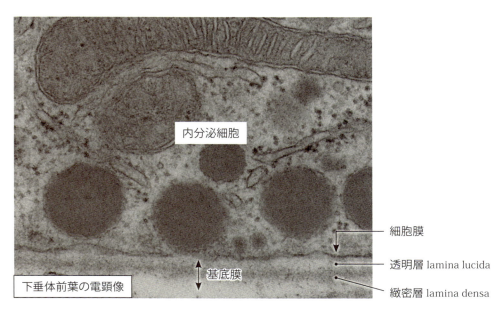

Q23 内分泌腺と外分泌腺の構造上の違い

- ◉ 内分泌腺は血管に富み，分泌物を血中に放出する。
- ◉ 外分泌腺の終末は腺腔を有し，分泌物は導管系を介して体外へ放出される。

◆ 細胞が細胞外から原料となる物質あるいは前駆体を取り込み，細胞内で別の物質に合成したのち，これを再び細胞外へ放出する過程を分泌 secretion という。分泌機能を営む細胞の集団が分泌腺であり，分泌物を血管に放出する場合を内分泌 endocrine，体外へ放出する場合を外分泌 exocrine という。

◆ 外分泌腺と一部の内分泌腺はともに上皮の陥入によって生じるが，外分泌腺は形態形成が完了したのちも導管を介して外界と通じているのに対し，内分泌腺はその由来となった上皮との連絡はなくなっている。両者の構造の違いは下記のとおりである。

◆ 導管系：外分泌腺は導管 duct を有するが，内分泌腺はこれを欠く。

◆ 腺の終末部：外分泌腺の終末部は単層上皮の形態を保っており，腺腔 lumen が認められる。内分泌腺では分泌細胞が互いに密着しており，腺腔を形成しない。

◆ 血管系：一般に腺組織は血管に富むが，特に内分泌腺ではよく発達している。外分泌腺では毛細血管は腺の終末部を取り囲むように配列するのに対し，内分泌腺では腺細胞の集団の中に多数の毛細血管がみられる。内分泌腺の毛細血管は内皮に孔を有する有窓性毛細血管 fenestrated capillary であり，このことは腺細胞への原料の供給と分泌物の血管への移動を助けている。☞Q97

Q24 分泌細胞からの分泌物の放出機構

- ◉ 酵素，ホルモンなどタンパク質の分泌は多くの場合，開口分泌による。
- ◉ 離出分泌，全分泌は外分泌腺でみられる。

◆ 脂溶性の強いステロイドホルモンなどを除けば，ほとんどの分泌物は細胞膜を透過して細胞外に出ることはできない。そこで分泌細胞は以下のような方法で分泌物を細胞外に放出する。

① 開口分泌 exocytosis
分泌物を分泌顆粒（あるいは小胞）の中に納め，細胞周辺部に移動し，分泌顆粒膜と細胞膜が融合することにより内容物を細胞外へ放出する。担体やチャネルで膜透過できない分子の放出には，この方法が最も一般的である。☞Q12

消化管には上皮細胞の中に特に内分泌機能を営む細胞がある（たとえば胃底腺のガストリン細胞など）。このような細胞は通常散在性に単独で存在し，他の内分泌器官のような明確な組織構築を持たない。

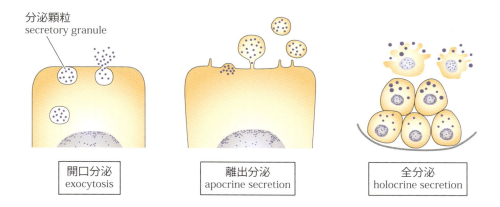

②**離出分泌** apocrine secretion
分泌物は腺腔側の細胞質に集められ，その部分の細胞質が細胞から切り離される形で内容物を放出する。したがって，細胞は分泌後容積を減ずるが，細胞膜の連続性は保たれており再び分泌物を蓄積する。アポクリン汗腺，乳腺などでみられる。☞Q107

③**全分泌** holocrine secretion
分泌物を貯留した細胞が死滅し，細胞全体の崩壊を伴って分泌物を放出する。皮膚の脂腺（☞Q107）や眼瞼の瞼板腺（☞Q121）でみられる。

Q25 結合組織の分類

- 結合組織は細胞外基質と細胞成分からなる。
- 細胞外基質は線維成分と基質からなる。
- 線維成分の含量は組織の硬さを決める。

◆ **結合組織** connective tissue という用語を広い意味で解釈すると，独立した組織や器官の間を埋める**間質結合組織**のほか，骨・軟骨などの支持組織や血液細胞までも含まれる。しかし，通常は結合組織と言った場合，間質結合組織をさすので，ここではその意味で用いる。

◆ 結合組織は膠原線維や基質などの非細胞成分である**細胞外基質** extracellular matrix（☞Q26）と，線維芽細胞や血管・リンパ管から移動してきた**細胞成分**（☞Q27）からなる。結合組織は，骨や筋など形のはっきりした組織の間を埋め，あるいは互いに結合させるとともに，これらの組織に分布する血管や神経の通路となっている。

◆ 結合組織は線維成分の構成により，以下のように分類される。

①**疎性結合組織** loose connective tissue
多様な細胞成分と比較的少ない膠原線維，弾性線維を含む。上皮，血管，神経組織の周囲，皮下組織，粘膜固有層などに広く分布する。

② **緻密結合組織** dense connective tissue
膠原線維の量が多く，細胞成分に乏しい。腱のように線維が一定方向に配列するものと，真皮のようにランダムに配列するものがある。

③ **弾性結合組織** elastic connective tissue
膠原線維とともに多量の弾性線維を含む。人体ではあまり発達せず，わずかに脊柱の黄色靱帯や動脈の弾性板などにみられるのみである。

④ **細網性結合組織** reticular connective tissue
細網細胞と細網線維により構成される。免疫・造血臓器に存在する。

⑤ **粘液性結合組織** mucous connective tissue
膠様組織 gelatinous tissue ともいい，細い膠原線維と多量の基質成分からなる。胎児や臍帯にみられる原始的な結合組織である。成体では歯髄に類似の組織がみられる。

Q26 結合組織の基質と線維成分

◉ 線維芽細胞は基質と線維成分を分泌する。
◉ コラーゲンは結合組織の代表的な線維である。

1) **コラーゲン線維** collagen fiber（膠原線維）

◆ 線維芽細胞から分泌されたコラーゲン分子が細胞外で会合してできた線維。組織に硬さと伸展に対する強さを与える。真皮や皮下組織などでは，コラーゲン線維はエオジン弱陽性の波状の構造に見える。

◆ 線維芽細胞は，3本のα鎖からなる三重ラセン構造のプロコラーゲン分子を分泌する。プロコラーゲンは細胞外で procollagen peptidase によりプロペプチド（ペプチド鎖の両端にあるラセン構造をとらないペプチド）が切り離され，疎水性の高い**トロポコラーゲン** tropocollagen となる。これは自然に会合して直径 10～300 nm の**コラーゲン原線維** collagen fibril となり，さらに原線維の自己会合によりコラーゲン線維ができる。この過程でコラーゲン分子は互いに共有結合し，強靱な線維となる。線維状のトロポコラーゲン分子は少しずつずれて会合するために，出来上がったコラーゲン原線維には 64～68 nm の幅の特徴的な縞模様ができる。

◆ コラーゲン分子のアミノ酸組成の特徴は，多数のグリシンやプロリンに加え，コラーゲンに特異的なヒドロキシプロリンやヒドロキシリジンを含むことである。ヒドロキシプロリン，ヒドロキシリジンはそれぞれプロリン，リジンの水酸化で合成されるが，この反応には補酵素として**アスコルビン酸**（ビタミンC）が必要である。壊血病のようなビタミンC不足の状態では水酸化が進まず，その結果α鎖間の水素結合ができなくなり，実質的にコラーゲン線維が補給されなくなる。

線維芽細胞は入り江のような細胞膜の陥凹をつくり，ここにプロコラーゲンを分泌する。この狭い空間ではトロポコラーゲンの濃度が高まり，コラーゲン原線維の会合が促進される。

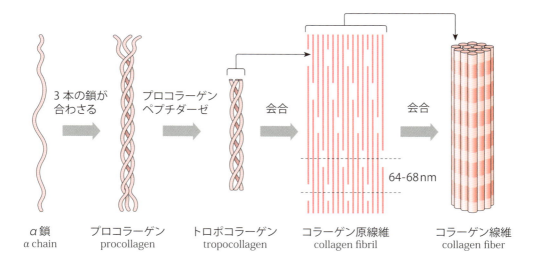

- ヒトのゲノム上にはα鎖をコードする42個の遺伝子が存在する。その中で特定の組み合わせから，これまで40種類ほどのコラーゲンが発見されている。主なものは次の4種である。

　　Ⅰ型コラーゲン：皮膚や骨，腱などに広く分布。
　　Ⅱ型コラーゲン：軟骨に多い。
　　Ⅲ型コラーゲン：細い線維を構成する。細網線維の主成分。
　　Ⅳ型コラーゲン：線維束を構成しない。基底膜に特異的。

2) **弾性線維** elastic fiber

- 肺胞や動脈壁のように常に伸展と収縮を繰り返す組織の結合組織には弾性線維が豊富に存在し，組織全体にばねのような弾性を与えている。弾性線維はほかにも皮膚や弾性軟骨に多く存在する。弾性線維はランダムコイル状の短い線維で，互いに架橋されて網目状の構造をとっている。H-E染色では染色されないので観察が困難であるが，たとえば中小動脈の弾性板などでは透明な膜として観察される。レゾルシン-フクシンで染色すると光学顕微鏡でも線維の走行が観察できる（☞**Q31**）。

- 弾性線維は**エラスチン** elastin と**マイクロフィブリル** microfibril という糖タンパクの複合体からなる。エラスチンは球状タンパクで，コラーゲンと同様プロリンとグリシンを多く含む。コラーゲンに特徴的なヒドロキシリジンやヒドロキシプロリンは全く含まれないが，代わりにデスモシンやイソデスモシンといった独特のアミノ酸を含む。これらのアミノ酸はエラスチン分子間に共有結合を形成し，線維を強化している。エラスチンはコラーゲンと同様に線維芽細胞から分泌される。

3) **細網線維** reticular fiber

- 骨髄の造血組織やリンパ性組織で網目状の構造を作るほか，神経や筋，血管の周囲あるいは皮下組織などにみられる。Ⅲ型コラーゲンで作られる線維で，結合組織中の線

維としては最も径が細く（約 20 nm），太い束を形成することはない。H-E 染色では観察できないが，糖鎖を豊富に含むため PAS 反応が有効であるし，好銀性であるため鍍銀法でも観察できる。

- 細網線維を産生するのはやはり線維芽細胞である。リンパ節や脾臓，骨髄などでは細網細胞 reticular cell という一種の線維芽細胞が分泌するほか，末梢神経ではシュワン細胞が，動脈や消化管では平滑筋細胞も細網線維を分泌する。

4) 結合組織の基質 matrix
- 細胞成分や線維成分を除くと，結合組織はタンパク質やムコ多糖類を含む細胞外液すなわち基質で満たされている。多糖類の代表がグルコサミノグリカン（GAG）であり，数百の糖が結合したものである。多数の GAG が 1 本のコアプロテインに結合し，プロテオグリカン proteoglycan を構成する。プロテオグリカンは基質中に単体で存在するほか，ヒアルロン酸という数千の糖からなる分子に結合し巨大分子を作る。
- 基質に含まれる糖タンパクには，そのほか線維状に会合していない単体のコラーゲンやエラスチン分子，創傷治癒の過程で重要な働きをするフィブロネクチンなどがある。線維芽細胞はこれら基質分子のほとんどを分泌している。

Q27 結合組織にみられる細胞成分

◉ 結合組織は，組織の支持だけでなく，栄養・代謝産物の運搬と貯蔵，生体防御反応など多様な機能を有する。

1) 線維芽細胞 fibroblast
- 不規則な細胞質を持つため，光学顕微鏡で細胞の形を確認することは難しい。通常，楕円形の核をもって同定する。電子顕微鏡で観察すると，粗面小胞体とゴルジ装置がよく発達しているのがわかる。
- 線維芽細胞はトロポコラーゲン，プロテオグリカン，プロエラスチン，フィブロネクチンなどを合成し，間質に放出する。胎生期の間葉細胞に由来し，成人でも活発な分

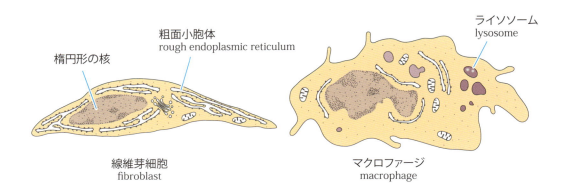

線維芽細胞　　　　　　　　　　　　　マクロファージ
fibroblast　　　　　　　　　　　　　macrophage

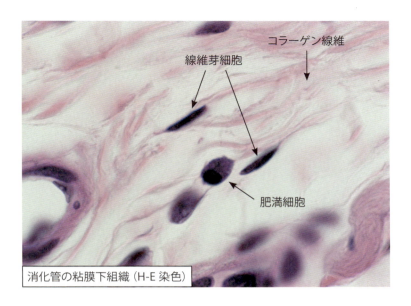

消化管の粘膜下組織（H-E染色）

裂能を有する。成熟動物の正常細胞は一般に培養条件下での分裂・増殖能はきわめて低いが，線維芽細胞は分裂して培養シャーレの上をシート状に覆うようになる。

2) **マクロファージ** macrophage（**大食細胞**）
- 結合組織中にあって，細胞の死骸や異物を取り込み消化する（**食作用** phagocytosis ☞Q13）。免疫応答の初期の段階で重要な働きをする。末梢血中の単球が組織に侵入したものと考えられており，一定期間組織中にいて，また血中に戻る。一方，特定の組織に常在し，特有の形態や機能を持つマクロファージを**組織マクロファージ** tissue macrophage と呼ぶ。それらには，肝臓の**クッパー細胞** Kupffer cell，肺の肺胞大食細胞，脾臓やリンパ性組織の大食細胞などがある。
- H-E染色ではマクロファージを同定することは難しいが，色素や炭末を投与した実験動物の組織では，これらの物質を捕食した細胞として見ることができる。
- マクロファージの細胞膜は波形を描いたように不規則な凹凸があり，偽足のような構造もみられる。細胞膜の直下にはアクチンの線維束がしばしば観察される。ゴルジ装置は大きく，多くの粗面小胞体やミトコンドリアがみられる。特徴的なのはライソソームで，特に活性化されたマクロファージには大型の**ファゴライソソーム**（二次ライソソーム）がいくつも含まれている。

3) **肥満細胞** mast cell
- 卵円形の細胞で，核は中央に位置し，細胞質中に好塩基性の粗大な分泌顆粒を豊富に持つ。表皮や気道，消化管など体表に面した上皮下の結合組織に多く分布している。
- トルイジン青で染色すると，本来青い色素であるにもかかわらず赤紫色に染まる，いわゆる**異染性**（**メタクロマジー** metachromasy）を示す。これは分泌顆粒中の酸性ムコ多糖類（主にヘパリン）と色素の相互作用による。ヘパリンは，結合組織基質中の

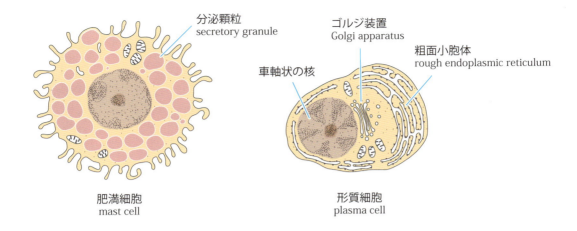

グルコサミノグリカンであるヘパラン硫酸に類似した分子で，多くの硫酸基が付加されている。
- 肥満細胞は大食細胞などと同様，造血系幹細胞由来であるとされている。セロトニン serotonin（血管平滑筋の収縮），ヒスタミン histamine（血管透過性の亢進），ヘパリン heparin（抗凝固）などの生理活性物質を放出することで炎症反応を引き起こし，生体防御に働いている。
- 細胞膜上に IgE 受容体が存在し，これに IgE 抗体および特異的抗原が結合すると，上記の物質を含む顆粒内容物を短時間で放出し，アレルギー反応を引き起こす。

4）形質細胞 plasma cell
- B リンパ球に由来する抗体産生細胞である。車軸状の核を持ち，細胞質は好塩基性に染まる。

5）リンパ球・好酸球 ☞ Q37

Q28 脂肪組織

◉ 人体にみられる脂肪組織はほとんどが白色脂肪組織。
◉ 脂肪組織はエネルギーの貯蔵庫であり，活発な代謝を行っている。

- 全身の疎性結合組織には多くの場合，脂肪細胞 adipocyte が含まれている。脂肪細胞の集まりである脂肪組織 adipose tissue は，結合組織性の被膜で覆われ，周囲の組織と隔てられている。被膜は組織内に入り込み，小葉構造を作る。脂肪組織は血管や，脂肪細胞によって分泌された細網線維に富む組織である。腹部，胸部，腋窩，殿部などの皮下には多くの脂肪組織がみられる。腹腔では腸間膜や大網に多い。
- 脂肪組織は，エネルギーを脂肪という形で貯蔵している生理的に重要な組織である。

また，眼窩や手掌，足底の脂肪組織は，他の組織で形づくられた空間を埋め，外的圧力に対するクッションの役割を果たす。このような部位の脂肪組織は，飢餓状態に置かれてもすぐには失われない。

◆ 脂肪細胞は内分泌機能を持つ。レプチン leptin，アディポネクチン，レジスチンなど食欲やエネルギー代謝を調節するホルモンの分泌を行う。

◆ 形態的には白色脂肪組織と褐色脂肪組織に区別される。人体では大部分が前者であり，後者の存在部位は限られている。通常の方法で作られた組織標本では脂肪自体は失われてしまうので，脂肪の存在部位は空胞化して見える。

① **白色脂肪組織** white adipose tissue

◆ 大型の脂肪細胞の大部分を単一の脂肪滴が占める。細胞質は光学顕微鏡では脂肪滴の周囲に線のように見える。核は周辺に押しやられ，扁平化する。

◆ 脂肪細胞の起源は，脂肪組織によく発達している血管の外膜などに存在する未分化な間葉細胞であると考えられている。このような間葉細胞が細胞質中に脂肪滴を蓄え，徐々にその量を増して細胞質を埋め尽くすような大きな脂肪滴を形成する。アドレナ

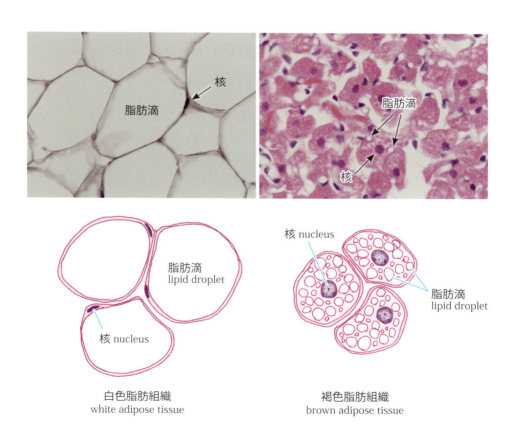

白色脂肪組織
white adipose tissue

褐色脂肪組織
brown adipose tissue

肉眼的に見た脂肪組織の色は，その含有する脂質の種類によって異なり，これは食餌によって左右される。光学顕微鏡で脂肪を観察するためには，凍結切片をズダンⅢで染めるか，脂肪をよく固定するオスミウム酸を含む固定剤を用いるなど，特別な処理が必要である。

リンや糖質コルチコイドなどの作用により脂肪分解が進むと，脂肪細胞は間葉細胞のような形態に戻るが，その後再び脂肪の蓄積を開始する。

②**褐色脂肪組織** brown adipose tissue

- 脂肪細胞は結合組織により分けられ，明確な小葉構造を作る。脂肪細胞内にはさまざまな大きさの脂肪滴が多数認められる。この点は発達途上の白色脂肪細胞に似ているが，白色脂肪細胞のように単一の大きな脂肪滴を蓄積することはない。核は円形で細胞の中央に位置する。
- ヒトでは新生児期に多くみられるが，成人では少ない。冬眠動物では特によく発達しており，冬眠後の体温上昇のために褐色脂肪細胞の持つ脂肪が分解される。

Q29 腱の構造と構成成分

◉ 腱細胞が分泌したコラーゲンが直線的，規則的に配列している。

- 腱 tendon は骨と筋をつなぐ結合組織で，緻密結合組織の一種である。腱の構成成分はほとんどがⅠ型コラーゲンであり，微細な線維がこれによって作られる。コラーゲンは直線的，規則的に配列して線維束を作り，その周囲を疎性結合組織が囲んでいる。このような構造がいくつか集まって太い腱となる。
- 腱を作る細胞は線維芽細胞の一種である**腱細胞** tendon cell（翼細胞 wing cell ともいう）であり，コラーゲンの線維束の間に，その細長い核がみられる。細胞質は光学顕微鏡では確認することが難しいが，粗面小胞体やミトコンドリアを豊富に含む。

Q30 滑膜の構造

◉ 滑膜の表層は2種類の非上皮性細胞で覆われている。

- 四肢長骨の可動関節の関節腔は関節包に覆われている。関節包の外層は線維層，内層は**滑膜** synovial membrane で構成されている。滑膜はヒアルロン酸などの滑液成分を産生する。
- 滑膜の関節腔に面した部分は，光学顕微鏡では扁平ないし立方上皮に覆われているように見えるが，電顕的には2種類の非上皮性の**滑膜細胞** synovial cell，すなわち①線維芽細胞様の細胞と②マクロファージ様の細胞で覆われている。後者の滑膜細胞は活発な食作用を有する。滑膜細胞間には上皮組織にみられるような接着複合体などの特殊な結合装置はなく，また基底膜の形成もみられない。細胞層下は疎性結合組織で，有窓性の毛細血管に富んでいる。

Q31 軟骨組織の構造と分類

● 軟骨細胞と軟骨基質からなる。
● 軟骨基質の組成により3種類に分類される。

◆ 軟骨 cartilage の基本構造は、**軟骨細胞** chondrocyte とそれを取り巻く基質すなわち**領域基質** territorial matrix であり、合わせて軟骨領域（軟骨単位）と呼ぶ。領域基質は好塩基性に染まり、異染性（メタクロマジー）を強く示す。軟骨組織は多数の軟骨領域と、その間に介在する**領域間基質** interterritorial matrix とで構成されている。

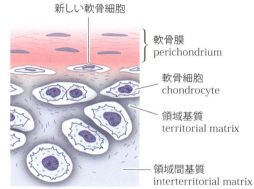

◆ 軟骨細胞は軟骨表層を取り巻く結合組織性被膜、すなわち**軟骨膜** perichondrium に存在する**軟骨芽細胞** chondroblast から発生する。形成されたばかりの軟骨領域は単一の軟骨細胞からなるが、成長に伴って深層へ移動するにつれ、軟骨細胞自身の細胞分裂により複数の細胞からなるものが目立つようになる。軟骨は血管の乏しい組織であり、主に周囲組織からの浸透により栄養される。

① **硝子軟骨** hyaline cartilage
軟骨基質に多量の膠原線維（Ⅱ型コラーゲン）を含む。通常の染色では**軟骨基質は染色性に乏しく、均質・半透明のガラス状に見え**、膠原線維の走行は観察できない。人体における最も典型的な軟骨で、関節軟骨、喉頭軟骨、肋軟骨、鼻軟骨、気管軟骨などを構成する。

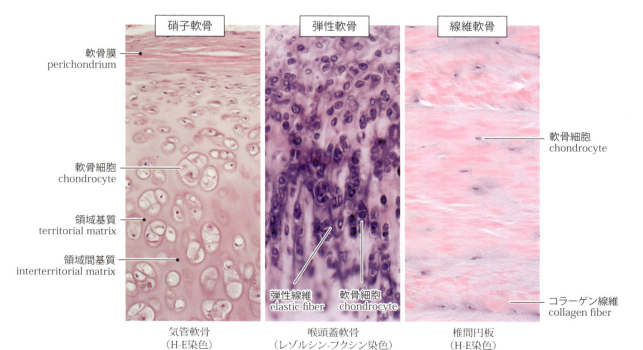

②**弾性軟骨** elastic cartilage

軟骨基質に弾性線維を豊富に含む。軟骨単位は主に単一の軟骨細胞よりなる。耳介, 外耳道, 耳管, 喉頭蓋などに存在する。

③**線維軟骨** fibrous cartilage

軟骨基質は膠原線維に富む。Ⅱ型コラーゲン以外にⅠ型コラーゲンを含むため, 硝子軟骨とは異なり通常の H-E 染色標本でも線維の走行を観察できる。軟骨単位の数は他の軟骨に比べて少ない。椎間円板, 恥骨結合, 関節円板などに存在する。

Q32　骨組織の構造

- 骨基質と細胞成分（骨細胞, 骨芽細胞, 破骨細胞）からなる。
- 骨の基本構造は, 骨層板と呼ばれる層板構造である。

◆ 骨は外側の硬い**緻密骨** compact bone と, 内側の骨梁と呼ばれる小柱構造でできた**海綿骨** cancellous bone（spongy bone）からなり, 骨梁の間は骨髄で満たされている。

1）骨基質 bone matrix

◆ 骨基質は**類骨** osteoid と呼ばれる有機成分と, **ハイドロキシアパタイト** hydroxyapatite と呼ばれる無機成分からなる。類骨は骨芽細胞が産生する膠原線維（Ⅰ型コラー

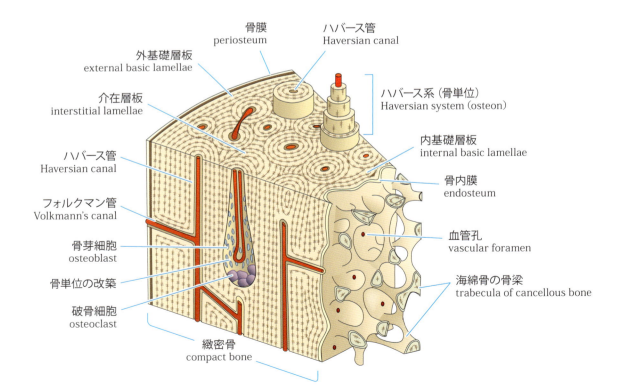

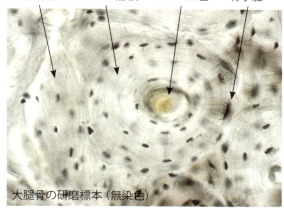
介在層板　ハバース層板　ハバース管　骨小腔
大腿骨の研磨標本（無染色）

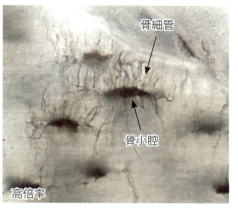
骨細管
骨小腔
高倍率

ゲン）やグルコサミノグリカンなどからなる骨の鋳型であり，これに石灰成分であるハイドロキシアパタイトの結晶（$Ca_{10}[PO_4]_6[OH]_2$）が沈着して硬い骨が作られる。類骨の膠原線維は規則的に平行に配列した状態で形成されるため，完成した骨には**骨層板** bone lamella と呼ばれる層状構造がみられる。

◆ 長骨の骨幹にみられるような緻密骨では，①骨の栄養血管や神経線維を通す**ハバース管** Haversian canal と，これを同心円状に取り巻く**ハバース層板** Haversian lamella からなる**ハバース系（オステオン** osteon；**骨単位**ともいう），②ハバース層板の間を埋める介在層板，③海綿骨と骨髄に面した内基礎層板，④骨表面の結合組織性被膜すなわち骨膜に面した外基礎層板がある。骨膜面・骨髄面とハバース管との間，あるいはハバース管どうしの間には，血管や神経を通す**フォルクマン管** Volkmann's canal が横走している。

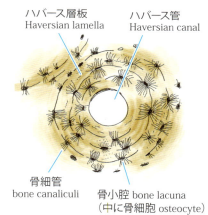
ハバース層板 Haversian lamella
ハバース管 Haversian canal
骨細管 bone canaliculi
骨小腔 bone lacuna（中に骨細胞 osteocyte）

2）骨膜 periosteum

◆ 骨は結合組織性被膜である**骨膜** periosteum に覆われている。骨膜には**骨原性細胞** osteoprogenitor cell と呼ばれる未分化間葉細胞が存在する。骨原性細胞は分化し，骨芽細胞になる。

3）骨の細胞成分

①**骨芽細胞** osteoblast
骨の辺縁（骨膜側および骨髄側）に一列に並ぶ卵円形，紡錘形（ぼうすい）の細胞。核は細胞質の一方に偏在し，細胞質は発達した粗面小胞体のために強い好塩基性を示す。骨基質の成分である膠原線維やムコ多糖類を産生し，骨形成に関与する。

②**骨細胞** osteocyte
骨芽細胞は自ら産生する骨基質に埋没し，骨細胞となる。骨細胞は骨層板の間に配列する小孔（**骨小腔** bone lacuna）内に存在する。そこから**骨細管** bone canaliculi を通

して多数の細長い細胞突起を伸ばし，隣接する骨細胞の細胞突起と互いにギャップ結合で連結している。全体としてみると，骨細胞は密な網目状の機能的合胞体を形成する。緻密骨では骨細管は骨小腔からハバース管に対して放射状に伸びており，ハバース管内の血管からの栄養や酸素をハバース層板の周辺へ運ぶ通路の役割を果たす。

③**破骨細胞** osteoclast

骨縁に存在する多核の巨大細胞で，骨の吸収を行う。エオジンに好染する細胞質には多数の空胞やミトコンドリアが観察される。骨縁に接する細胞表面には，骨吸収に重要な働きをする**波状縁**(はじょうえん) ruffled border と呼ばれる構造を持つ。波状縁では酸やタンパク分解酵素が分泌され，骨の吸収が行われる。破骨細胞が骨を吸収してできた骨縁のくぼみを**ハウシップ窩** Howship's lacuna と呼ぶ。

◆骨に加わる力の強度や方向の変化に伴い，骨芽細胞による骨新生と破骨細胞による骨吸収が絶えず行われ，骨基質を作り替えている。これを骨の**改築**（**リモデリング** remodeling）という。

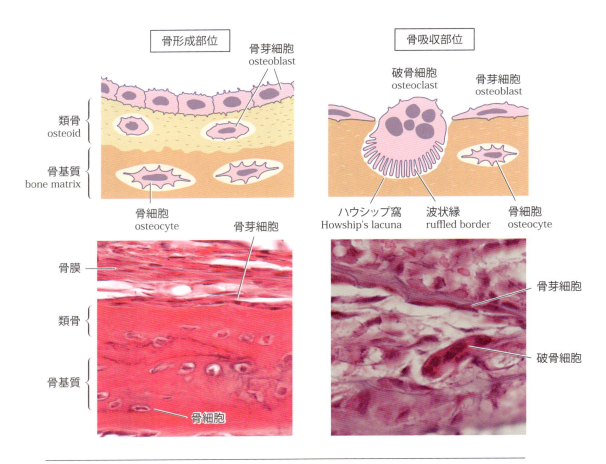

基質小胞　骨芽細胞が産生し類骨中に放出する小胞で，石灰沈着に必要な酵素群を含んでいる。新生骨での石灰沈着は初めにこの基質小胞で生じ，やがて石灰化した基質小胞どうしが融合し，成長した結晶となって類骨に沈着する。

Q33 骨の発生様式

- 扁平骨（頭蓋など）は膜内骨化により発生し，管状骨（四肢など）は軟骨内骨化により発生する。
- 軟骨内骨化では軟骨組織が骨組織に置換される。

1）**膜内骨化** intramembranous ossification
①未分化間葉細胞が集合し，間葉内に散在性の一次骨化点を形成する。
②間葉細胞が骨芽細胞に分化し，有機質からなる**類骨** osteoid を形成する。
③類骨にカルシウム塩が沈着し，島状の骨棘(きょく)を形成する。
④骨棘どうしが融合して海綿骨が形成される。骨の間に残存する間葉内には血管，造血細胞が入り込み，骨髄が形成される。

2）**軟骨内骨化** endochondral ossification
①将来の骨形成部位にまず硝子軟骨の「鋳型」が作られる。
②骨幹部の軟骨膜において膜内骨化により骨が形成される。
③骨幹部の骨形成による栄養供給不全の結果，骨膜下の軟骨の変性が生じる。
④変性した軟骨内に骨膜から血管，未分化間葉細胞が入り込む。
⑤破骨細胞や骨芽細胞が分化し，変性軟骨縁に沿って**一次骨化点** primary ossification center が形成され，骨化が開始される。**骨端軟骨** epiphyseal cartilage の軟骨細胞は骨の長軸方向と平行に規則正しく並び，増殖して新たな軟骨細胞を骨化点に向けて送り出す。骨化点に近づくにつれ軟骨細胞は肥大・変性する。残った軟骨小腔内に血管が進入し，新たな骨化が起こる。このようにして骨の長軸方向への成長が進むと同時に，骨幹部では骨膜からの付加的成長が続き，骨の太さ（横径）が増す。この際，骨髄側では破骨細胞による骨吸収が行われるため，緻密骨の厚さは一定に保たれる。
⑥骨端へ血管が進入し，**二次骨化点**が形成される。
⑦骨端軟骨の消失により長軸方向への成長が止まる。

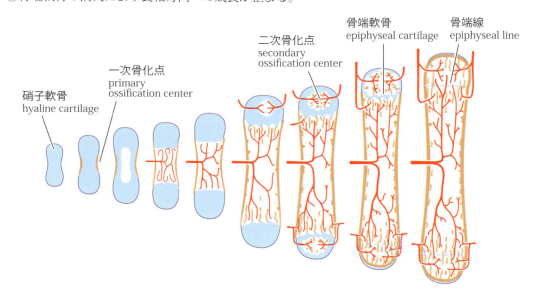

Q34 筋組織の種類と鑑別点

- ◉ 筋線維の種類は，断面における核の位置と数，横紋の有無により鑑別する。
- ◉ 骨格筋と心筋は横紋筋に属する。

◆ 筋組織を構成する筋細胞は細長い形をしているので，筋線維 muscle fiber とも呼ばれる。筋細胞は，細胞の長軸方向に走る無数の筋原線維 myofibril とその間を埋める筋形質からなる。筋原線維はさらに筋細糸 myofilament からなる。筋原線維の縦断像では規則正しい縞模様（横紋 striation）が観察される。

◆ 3種類の筋組織の横断面と縦断面の比較を図に示した。

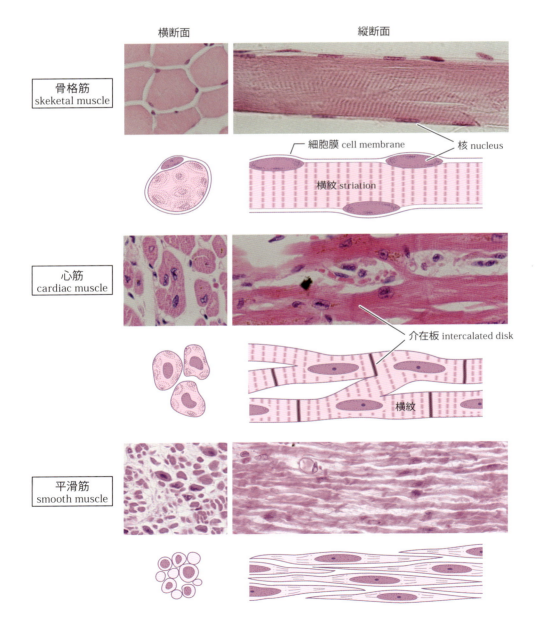

①骨格筋 skeletal muscle：骨格筋細胞は**多核**で，核は細胞膜直下に並んで偏在し，筋原線維は横紋を有する。☞**Q35**
②心筋 cardiac muscle：心筋細胞は**単核**で，核は細胞の中心に位置し，筋原線維は横紋を有する。☞**Q36**
③平滑筋 smooth muscle：平滑筋細胞は，細胞の中心に単一の長い円柱状の核を有する細長い紡錘形の細胞である。核周辺に細胞内小器官が集まり，それ以外の細胞質の部分は筋細糸により満たされている。筋細糸は骨格筋や心筋のような明瞭な筋原線維は形成せず，横紋はみられない。

Q35 骨格筋線維の特徴

◉ 骨格筋線維は多数の筋原線維で満たされ，横紋を有する。
◉ T小管は細胞膜と筋原線維をつなぐパイプである。

◆ 骨格筋線維は，多数の筋芽細胞が融合して形成される大型（直径20～100μm，長さ数cmから10cm）で多核の合胞体細胞である。核は細胞膜直下に偏在し，細胞質は多数の筋原線維で満たされている。
◆ 筋原線維の横紋の暗い部分を **A帯**，明るい部分を **I帯** と呼ぶ。I帯の中央にみられる細線は **Z帯** で，Z帯とZ帯の間は **筋節** sarcomere と呼ばれる筋原線維の最小単位である。
◆ 筋原線維は，主に2種類のタンパク質（アクチンとミオシン）でできた筋細糸からな

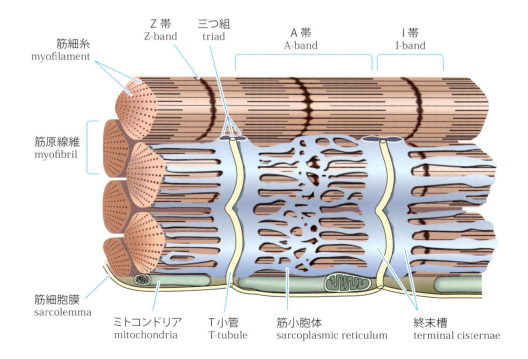

る。アクチンフィラメント actin filament がミオシンフィラメント myosin filament の間に滑り込むことによって筋の収縮が起こる。アクチンフィラメントが細胞膜に接着する部分はヘミデスモソーム様の構造がみられる。

◆ 筋原線維の間を満たす筋形質には，ミトコンドリア，グリコーゲン，滑面小胞体（筋小胞体 sarcoplasmic reticulum）が存在する。筋原線維の表層には筋小胞体の網目が発達している。筋原線維のA帯とI帯の境には筋細胞膜が管状構造となって内部に入り込んだT小管 transverse tubule が走っており，筋小胞体はその両側でT小管に平行な太い管状構造（終末槽 terminal cisternae）を形成して接している。これら3者（T小管と2つの終末槽）をあわせてトライアッド triad（三つ組）と呼ぶ。

◆ トライアッドは骨格筋の興奮と収縮を結びつける大切な構造である。すなわち，①筋細胞膜の興奮はT小管を介して筋線維内に伝えられ，②さらにトライアッドを介して筋小胞体に伝わり，筋小胞体からの Ca^{2+} 放出を引き起こす。③この Ca^{2+} がアクチンフィラメント上のトロポニンに結合し，トロポニン・トロポミオシン複合体の形態変化を引き起こす結果，アクチンフィラメントの移動が起こり筋線維が収縮する。

◆ 骨格筋線維は形態的・機能的な違いにより1型，2a型，2b型，2c型に分類されている。1型は赤筋線維，2b型は白筋線維と呼ばれてきたものである。白筋線維はすばやく収縮するが疲労しやすく，四肢などの筋に多い。赤筋線維は収縮は遅いが疲労しにくく，姿勢を維持する筋に多い。2a型は中間線維と呼ばれ，酸化と解糖の両方のエネルギー代謝を行い，速い収縮と疲労しにくいという赤筋線維と白筋線維の中間的な特徴を持つ筋線維である。2c型は幼若な筋線維とされている。

	赤筋線維（1型）	白筋線維（2b型）
筋線維	細い	太い
筋原線維	細い	太い
ミオグロビン	多い	少ない
ミトコンドリア	多い	少ない
エネルギー代謝	酸化	解糖
グリコーゲン	少ない	多い
ATPase活性	高い	低い

◆ 筋線維の細胞膜外には衛星細胞（または外套細胞）satellite cell が存在している。衛星細胞は筋芽細胞と類似しており，筋線維の再生に関与する。筋線維と衛星細胞は共通の基底膜により包まれている。

◆ 個々の筋線維は基底膜とともに，筋内膜 endomysium と呼ばれる少量の支持組織で包まれている。また，筋線維が集合してできる筋束を包む膜を筋周膜 perimysium，さらに多数の筋束が集まって作られる肉眼解剖学的な筋を包む膜を筋上膜 epimysium と呼ぶ。これらの被膜は，筋に分布する神経・血管の導通路として重要である。

◆ 骨格筋には，特殊な構造をした筋紡錘 muscle spindle と呼ばれる伸展受容器が存在する。錘内線維 intrafusal fiber と呼ばれる骨格筋と似た筋線

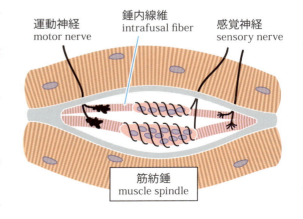

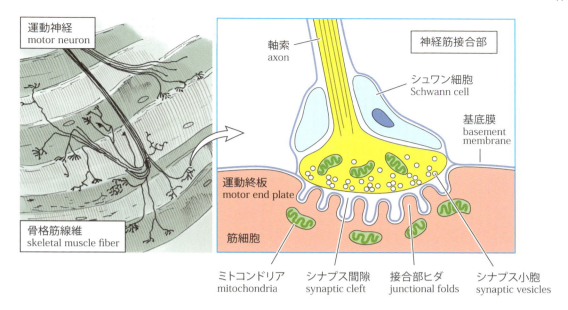

維の束を，結合組織性被膜が覆った紡錘状の構造である。錘内線維には知覚神経や運動神経が投射している。

◆ 骨格筋線維を支配する運動神経終末が接しシナプスを形成する部分（**神経筋接合部** neuromuscular junction）は，細胞表面が陥凹し**運動終板** moter end plate と呼ばれる特殊な構造を形成している。

Q36 心筋線維の特徴

● 多数の心筋細胞が特有の接着構造で結合し，機能的合胞体を形成している。

◆ 心筋線維は骨格筋線維とは異なり，多数の心筋細胞が互いに結合して形成されている。細胞と細胞が接する部分の細胞膜は**介在板** intercalated disk と呼ばれる接着構造を形成している。介在板には上皮の接着装置と同じような接着帯が発達し，ここにアクチンフィラメントが接着する。またデスモソームもみられる。

◆ 介在板にはギャップ結合が多数存在し，心筋線維は機能的合胞体を形成している。筋線維は枝分かれした網目状の構造を形成し，その間を豊富な毛細血管を含んだ疎性結合組織が満たしている。

◆ 筋線維の細胞膜の外側には基底膜がみられる。心筋細胞は骨格筋に比べて筋形質に富み，筋原線維の分布は疎である。筋原線維，細胞内小器官の構造は基本的には骨格筋と同様であるが，T小管はZ帯の位置にあり，筋小胞体の発達は悪い。筋小胞体は終末槽を形成せず，終末部は膨らんだ盲端となってT小管に接しているだけで，両者をあわせて**ダイアッド** diad と呼ぶ。

Q37 血液細胞の種類と鑑別点

- ◉ 末梢血液細胞には赤血球，白血球，血小板がある。
- ◉ 白血球には顆粒球，単球，リンパ球がある。
- ◉ 顆粒球は特殊顆粒の染色性により好中球，好酸球，好塩基球に分ける。

◆ 血液細胞の観察には，血液や骨髄液をスライドグラス上に滴下し薄く広げた塗抹標本 smear が広く用いられる。塗抹標本はアルコールで固定し，メチレン青やエオジンなどの混合染色液で染色する。ギムザ染色 Giemsa stain，メイ・グリュンワルド・ギムザ染色 May-Grünwald-Giemsa stain，ライト・ギムザ染色 Wright-Giemsa stain がよく用いられる。

染色性を示す用語		
	好塩基性 basophilia	塩基性色素（メチレン青など）に親和性を示す。濃青色／濃紫色を呈する。
	好酸性 acidophilia	エオジン好性ともいう。酸性色素のエオジンに親和性を示す。ピンク／オレンジ色を呈する。
	好中性 neutrophilia	サーモンピンク／薄紫色（ライラック色）を呈する。
	アズール好性 azurophilia	赤紫色を呈する。

1) 赤血球 erythrocyte, red blood cell（女性 $3.5 \sim 5 \times 10^6/\mu\ell$，男性 $4 \sim 5.5 \times 10^6/\mu\ell$）

◆ 直径約 $7 \sim 7.5\mu m$ の無核細胞で，両面がくぼんだ円盤形を呈する。肺で取り込まれた酸素は赤血球内のヘモグロビンに結合し，赤血球とともに全身へ送られる。酸化ヘモグロビンは鮮紅色を呈し，肉眼でも個々の細胞は橙黄色に見える。

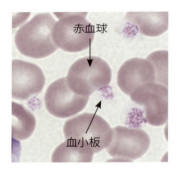

2) 白血球 leukocyte, white blood cell（$3500 \sim 9000/\mu\ell$）

① 顆粒球 granulocyte：細胞質に特殊顆粒を持つ血球で，特殊顆粒の染色性から好中球，好酸球，好塩基球に分類される。

◆ 好中球 neutrophilic granulocyte は末梢血の白血球のうち最も多い。核は分葉状（分葉核白血球 segmented cell）ないし馬蹄形（杆状核白血球 stab cell）を呈する。特殊顆粒は好中性で，はっきり見えない。他にライソソームの一種であるアズール顆粒 azurophil granule を認める。活発な食作用を有し，炎症局所で細菌などを貪食する。

◆ 好酸球 eosinophilic granulocyte は末梢血の白血球の $2 \sim 4\%$ を占める。好酸性色素に染まる大型球状の特殊顆粒が細胞質に充満している。核は二分葉のものが多い。抗原抗体複合体の食作用も持つが，寄生虫に対する防御作用や，花粉症・気管支喘息などのアレルギー反応に関与すると考えられている。

◆ 好塩基球 basophilic granulocyte は末梢血の白血球のうち最も少なく，$0 \sim 1\%$ を占めるにすぎない。核は二分葉であるが，細胞質には好塩基性の大型特殊顆粒が多数存在するため，形態がわかりにくい場合が多い。特殊顆粒はヒスタミンやヘパリンを含

み，形態的にも結合組織の肥満細胞に類似する。両者は骨髄における共通の前駆細胞に起源を持つと考えられているが，その関係については不明な点が多い。

② 単球 monocyte
- 末梢血の白血球の3〜7％を占める。白血球中最大の細胞で，馬蹄形や腎形の核を有する。核クロマチンが繊細な網目構造を呈しているのが特徴である。細胞質は淡い紫・青色ですりガラス状を呈し，アズール顆粒が認められる。運動性が高く，組織損傷や微生物感染などが起こると血管外へ遊走し，マクロファージ（大食細胞）に分化する。マクロファージは高い貪食能を持ち，組織片や異物を分解処理する。

③ リンパ球 lymphocyte
- 末梢血の白血球の20〜24％を占め，大きさにより大・小リンパ球に分類される。小リンパ球は赤血球とほぼ同じ大きさで，球形の暗い小さな核（ときに切れ込みがみられる）と狭い細胞質を持つ。大リンパ球は小リンパ球よりも細胞質の量が多く，大型で，細胞質にも少数のアズール顆粒が認められるため，大型顆粒リンパ球とも呼ばれる。リンパ球は体液性免疫および細胞性免疫に関与する。

3）血小板 blood platelet（$15 \sim 35 \times 10^4/\mu\ell$）
- 骨髄で巨核球の細胞質の一部がちぎれてできる。赤血球の約1/4の大きさで，好塩基性の顆粒状構造（アズール顆粒）とそれを取り巻く透明な部分からなる。核はなく，細胞というよりも細胞成分である。損傷した血管の修復や血液凝固に関与し，塗抹標本では凝集していることがある。血小板の顆粒には血液凝固因子のほか，セロトニン，ATP，血小板由来成長因子 platelet-derived growth factor；PDGF などが含まれている。

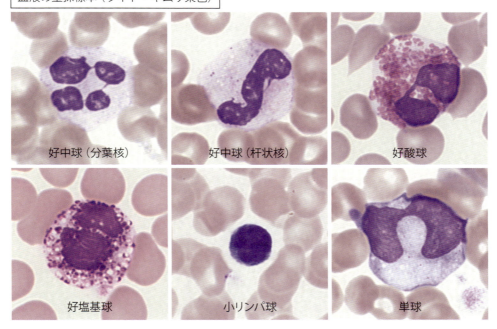

血液の塗抹標本（ライト・ギムザ染色）

好中球（分葉核）　好中球（杆状核）　好酸球
好塩基球　小リンパ球　単球

Q38 骨髄細胞の種類と鑑別

- すべての血液細胞は，骨髄に存在する多能性幹細胞より発生する。
- 多能性幹細胞から赤芽球，骨髄芽球，リンパ芽球，単芽球，巨核芽球系の細胞がそれぞれ分化する。

◆ 造血は，胎生期において卵黄嚢（のう），胎盤，胚子の各部位に島状に形成される造血幹細胞集団（血島）において始まる。やがて造血の主役は肝臓や脾臓，さらには骨髄に移り，出生を迎える。成人の造血部位は骨髄であるが，病的変化により骨髄での造血が不可能になると肝臓や脾臓で造血が行われることがある（髄外造血）。

◆ 各血液細胞は，骨髄に存在するすべての血液細胞に分化可能な**多能性幹細胞** pluripotent stem cell，単一の細胞種への分化が方向づけられた単能性幹細胞を経て成熟の過程に移り，成熟血液細胞に分化する。成熟の過程に入った後は分裂能を失う。

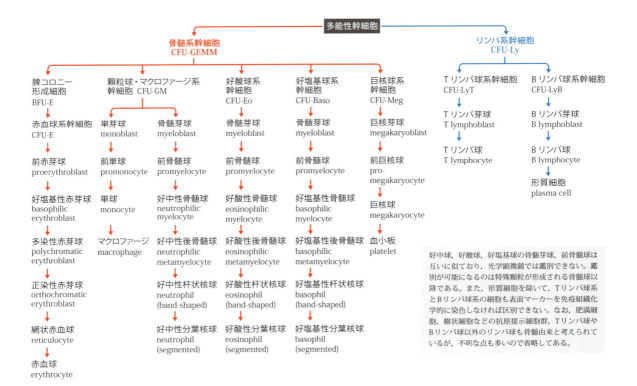

Tリンパ球（T細胞）：骨髄の前駆細胞が胸腺で成熟して産生される。細胞性免疫の中心を担うとともに，体液性免疫の調節に関与する。ヘルパー，キラー（細胞障害），レギュラトリー（制御），メモリー（記憶）などの働きを持つ細胞群からなる。

Bリンパ球（B細胞）：骨髄で産生され体液性免疫に関与する。抗体（免疫グロブリン）を産生する。リンパ性組織にみられる形質細胞は，Bリンパ球が成熟し，盛んに抗体産生を行っている細胞である。Tリンパ球と同様にメモリー機能を持つものがある。

NK（natural killer）細胞：T・Bリンパ球とは異なる系列に属するリンパ球。抗原感作やヘルパーT細胞の助けがなくとも，ウイルス感染細胞やある種の腫瘍細胞を障害する。細胞質に大型の顆粒を持つ。顆粒に含まれるパーフォリン，NK細胞障害因子などが，標的細胞の細胞膜に孔を開けて破壊する。

造血因子　赤血球産生を調節するエリスロポエチン（erythropoietin）は，腎臓から分泌されるペプチドホルモンとして有名である。そのほかに，インターロイキン（interleukin）やG-CSF，M-CSF，GM-CSFなどのコロニー刺激因子（colony stimulating factor；CSF）が知られている。

◆骨髄塗抹標本を観察する場合は，細胞どうしが分かれて個々の細胞の細胞質がよく広がっており，染色が良い場所を弱拡大の対物レンズでまず選ぶこと。また，視野に現れたすべての細胞を鑑別するのではなく，典型的な形態を示す細胞を探して観察することが初学者には望ましい。

血球および骨髄細胞の見分け方（塗抹標本，ギムザ染色）

	模型図	大きさ(μ)	細胞質 色	細胞質 特殊顆粒	細胞質 その他	核 形	核 核質	核 核小体	備考
前赤芽球		13	濃青	(−)		球形	細網状	(+)青 境界やや不明瞭	核は細胞の中央に位置
好塩基性赤芽球		10	濃青	(−)		球形	網状	(+)〜(−)	
多染性赤芽球		8〜10	青+赤 ヘモグロビンの増加につれ赤味が強まる	(−)		球形	粗網状	(−)	
正赤芽球		7.5	赤	(−)		球形	濃染 しばしば車軸状	(−)	
網状赤血球		7.5	brilliant cresyl blue で網状の顆粒が染まる				(−)		顆粒の本態はミトコンドリア
骨髄芽球		13	明るい空色	(−)		楕円形	極微細網状	(+)淡明境界明瞭	
前骨髄球		13〜15	淡青	(−)	アズール顆粒	楕円形	細網状	(+)	赤芽球系に比べ核は偏在する傾向がある
骨髄球		12	薄紅		アズール顆粒	楕円形	網状	(−)	
後骨髄球		12	薄紅	好塩基性好酸性好中性の3種	アズール顆粒	腎形	粗網状	(−)	
杆状核顆粒球		10〜12			アズール顆粒	棒状馬蹄形	濃染	(−)	
分葉核顆粒球		10〜12			アズール顆粒	分葉クローバ状	濃染	(−)	
リンパ芽球		10〜13	濃青	(−)		楕円形	細網状	(+)淡明境界明瞭	骨髄芽球との鑑別が難しい
リンパ球		小6.5〜9 大9〜15	濃青	(−)	アズール顆粒		濃染	(+)〜(−)	核小体が見えることはまれ
単球		14〜18	薄青	(−)	アズール顆粒	一側の不整陥凹	細網状淡染	(−)	
形質球		8〜15	帯紫青 核周明庭		空胞	球形	濃染 しばしば車軸状	(−)	核は偏在
巨核球		40〜60	薄紅	(−)	アズール顆粒	不整形	細網状あるいは濃染	(+)	細胞体は類円不整形

初学者の鑑別能力を考え，単芽球，前単球，巨核芽球，前巨核球については省略した。各細胞の正確な鑑別には組織化学的染色が力を発揮する（詳しくは血液学書を参照のこと）。

Q39 ニューロンの基本構造

- ● ニューロンは神経細胞体と神経突起よりなる。
- ● 軸索突起は興奮を他に伝え，樹状突起は興奮を受容する。

◆ 神経組織の機能的・形態的基本単位を**ニューロン** neuron（神経元あるいは神経単位）という。ニューロンは神経細胞体と神経突起からなる。

◆ ニューロンは一般の体細胞に比べて大型のものが多い。脊髄前角細胞，脊髄神経節細胞，大脳皮質運動野のベッツ巨大錐体細胞，小脳プルキンエ細胞などがそうである。しかし，小脳の顆粒細胞のように小型の細胞もある。また，神経突起の数，形態も個々の細胞で異なり，極言すれば同一個体の中でも全く同じ形態の神経細胞は存在しないといってもよい。

1) 神経細胞体 soma（核周部 perikaryon）

◆ 核とそのまわりの豊富な細胞質を合わせて神経細胞体という。核は大型で明るく見え，中心部に明瞭な核小体が存在する。電子顕微鏡で観察すると，細胞質には発達したゴルジ装置，ミトコンドリア，粗面小胞体が認められる。特に粗面小胞体は通常の染色でも，**ニッスル小体** Nissl body という好塩基性の虎斑様構造として光学顕微鏡

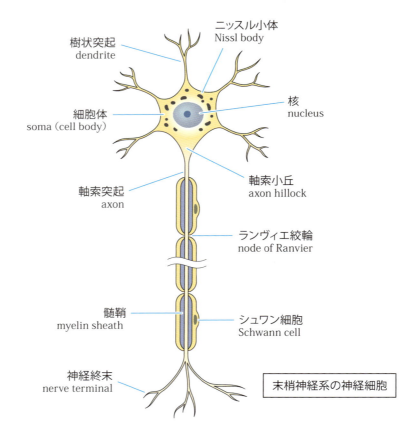

末梢神経系の神経細胞

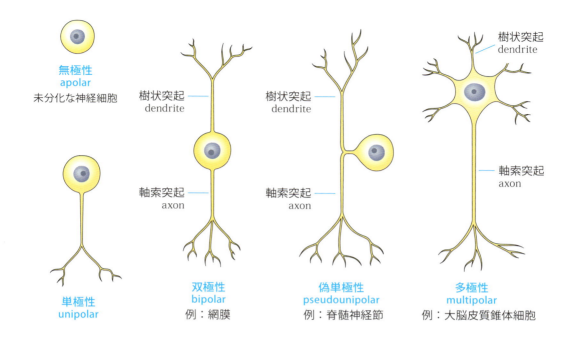

下に観察される。また，細胞質には褐色のリポフスチン顆粒が認められることがある。黒質や青斑核の神経細胞は，細胞質にメラニン顆粒を持つことが知られている。

2) **神経突起** neurite
- 神経細胞体から伸び出た細長い細胞突起で，軸索突起と樹状突起の2種類がある。**軸索突起** axon は1つの神経細胞あたり通常1本で，神経細胞からの情報を他のニューロンや細胞に伝える。**樹状突起** dendrite は枝状に分岐し，シナプスを介して他のニューロンからの情報を受け取る。樹状突起の数は神経細胞の種類によって異なる。
- ニューロンは樹状突起と軸索突起の形態的特徴から，無極性，単極性，双極性，偽単極性，多極性などに分類される。無極性は発生中の神経細胞のみに認められる。
- 軸索突起と樹状突起を切片上で正確に鑑別することは困難な場合が多いが，軸索突起の起始部（起始円錐）の細胞質には**軸索小丘** axon hillock と呼ばれるニッスル小体を欠いた部分がある。
- 電子顕微鏡で観察すると，神経突起および細胞体の内部には微小管（神経細管）や中間径フィラメント（ニューロフィラメント，神経細線維）の走行が認められる。微小管は軸索輸送を担い，中間径フィラメントは神経細胞の細胞骨格としての役割を果たす。
- **軸索輸送** axonal transport は，微小管をレールとして物質や細胞内小器官などを分子モーターが細胞体から神経終末へ（順行性），または神経終末から細胞体へ（逆行性）輸送する仕組みである。順行性輸送は分子モーターとして**キネシン** kinesin を用い，逆行性輸送には**ダイニン** dynein を用いる。

Q40 神経線維の構造

- 神経線維を覆う鞘は，電線の絶縁被膜にあたる。
- 髄鞘は，末梢神経ではシュワン細胞が，中枢神経では希突起膠細胞が形成する。

◆ 神経突起の長いものを神経線維といい，軸索突起をさす場合が多い。脊髄前角細胞では長さ1mに及ぶこともある。髄鞘の有無により **有髄神経線維** myelinated nerve fiber と **無髄神経線維** unmyelinated nerve fiber に分類する。

1）末梢神経系の神経線維

◆ 多数の **シュワン細胞** Schwann cell が神経線維に沿って連続して並び，神経線維のまわりを取り巻くことによって，**シュワン鞘** Schwann sheath と **髄鞘（ミエリン鞘** myelin sheath）とを形成している。

◆ シュワン鞘は神経鞘とも呼ばれ，無髄神経線維ではシュワン細胞が複数の軸索を抱きかかえるように包み，有髄神経線維では髄鞘の最外層となる。

◆ 髄鞘は，1個のシュワン細胞が1本の軸索を幾重にも取り巻くことによって，シュワン細胞の細胞質が押し出されて，脂質に富む細胞膜のみが重なり合った状態（ミエリ

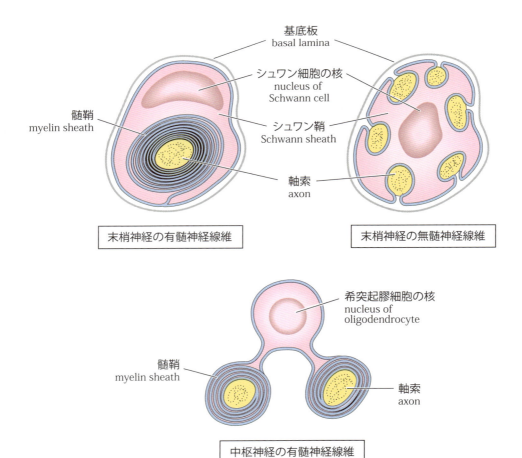

ン層板 myelin lamellae）になっている。通常の染色を施したパラフィン切片で観察すると，内部に神経角質（ニューロケラチン）と呼ばれる網状構造が見える。これはミエリン層板中のリン脂質が溶出して，わずかなタンパク質が残されたものである。髄鞘の観察にはリン脂質を保存する固定法（オスミウム酸など）や，リン脂質を染め出す染色法（ファースト・ブルー染色などの髄鞘染色）を利用するとよい。

◆ 光学顕微鏡で観察すると，髄鞘のところどころに神経線維の長軸方向に対して斜めに走る切れ込み様の構造が認められる。**シュミット・ランターマン切痕** incisure of Schmidt-Lanterman と呼ばれ，重層するミエリン層板がシュワン細胞の少量の細胞質によって局所的に離開した部分である。

◆ 末梢神経は，1本以上の神経線維の集まり，すなわち神経線維束を形成する。各々の神経線維は**神経内膜** endoneurium（シュワン細胞の基底膜と細い膠原線維）に覆われている。それが数本から数千本にまとめられ，**神経周膜** perineurium と呼ばれる緻密結合組織に包まれて1本の神経線維束となる。神経周膜は中枢神経系のクモ膜と連続しており，その内部では中枢神経系から流れ込んだ脳脊髄液に神経線維が浸っている。神経周膜最内層の細胞はバリアを形成し，脳脊髄液が漏れ出ることを防いでいる。

◆ 複数の神経線維束が集合し，緩い結合組織からなる**神経上膜** epineurium で包まれて機能的・形態的にまとまったものが，肉眼解剖で剖出される個々の神経である。

◆ 隣り合うシュワン細胞が接する部分では神経線維が鞘に覆われていない部分があり，**ランヴィエ絞輪** node of Ranvier と呼ばれる。有髄神経線維では髄鞘が絶縁体を形成し，ランヴィエ絞輪部にのみイオンチャネルが局在している。そのため膜の興奮はランヴィエ絞輪を伝って跳躍伝導し，無髄神経線維に比べて伝導速度が速い。

◆ 末梢神経の無髄神経線維では，シュワン鞘は存在するが，髄鞘の形成はみられない。有髄神経線維と異なり，1個のシュワン細胞が複数の神経線維を抱き込むようにして細胞質で取り囲んでいる。

2）中枢神経系の神経線維

◆ 中枢神経の髄鞘は**希突起膠細胞** oligodendrocyte（☞Q41）によって作られる。末梢神経におけるシュワン細胞とは異なり，1個の希突起膠細胞が複数の神経線維に細胞突起を伸ばし，それぞれの細胞突起が神経線維を層板状に取り巻いて髄鞘を形成する。したがって，髄鞘の外側にはシュワン鞘のような細胞核を含む鞘が認められない。

◆ 中枢神経の無髄神経線維では，神経膠細胞による神経鞘の形成は認められない。

神経の再生と基底膜 中枢神経の軸索線維は末梢神経系とは異なり，有髄・無髄を問わず，基底膜には包まれていない。これは脳や脊髄が多列円柱上皮からなる神経管から発生してきたものであり，当初の神経管の基底膜は完成した脳・脊髄の軟膜直下に存在することを考えればわかる。ところで末梢神経系の神経線維が途中で断裂などの損傷を受けると，損傷部より遠位の神経突起組織は変性に陥る。この際，もとの神経線維を包んでいた基底膜が残存していれば，損傷部の神経細胞体側から結合組織内に伸び出したシュワン細胞と再生神経線維は，この基底膜の管の中を通って，神経線維の再生を果たすことができる。

Q41 神経膠細胞の種類と形態

- 神経膠は神経系の支持組織である。
- 中枢神経系と末梢神経系では神経膠細胞の種類が異なる。

◆ ニューロンを支持し，栄養・代謝に関与する組織を神経膠 neuroglia という。神経膠を構成する細胞は神経膠細胞（グリア細胞 glial cell）と呼ばれ，以下のものがある。

1）中枢神経系の神経膠細胞

①星状膠細胞（アストロサイト astrocyte）

◆ 形態的に原形質型（protoplasmic）星状膠細胞と線維型（fibrous）星状膠細胞に分類される。前者は灰白質によくみられ，突起の枝分かれが多く，細胞質に富む。後者は白質に多く，突起は細く枝分かれが少ない。

◆ 灰白質では星状膠細胞は多数の細胞突起を伸ばし，近くの神経細胞体，神経突起を取り巻く。また，突起の一部は脳軟膜直下，上衣細胞直下，脳血管周囲に集合し，神経膠性の限界膜（境界膜）を形成する。神経細胞と血管系の間に介在し，神経細胞の支持，栄養，代謝調節に関与する。

◆ 白質では神経線維の間に細胞突起を伸ばし，神経束を区画している。

◆ 中間径フィラメントの一種である GFAP（glial fibrillary acidic protein）を発現する。

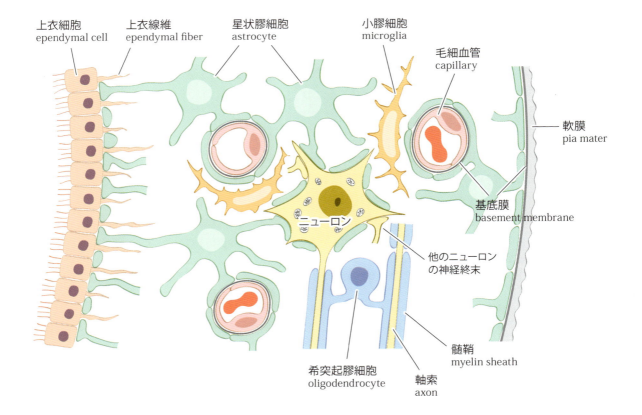

②希突起膠細胞 oligodendrocyte

灰白質では神経細胞を取り巻き，白質では有髄神経線維の間に介在し，髄鞘を形成する。1つの希突起膠細胞は平均15〜20本（多いものでは40〜50本）の突起を周囲の軸索に伸ばして髄鞘を形成する。

③小膠細胞 microglia

多数の短い細胞突起を持つ小型の神経膠細胞である。他の神経膠細胞と異なり，単球・マクロファージ系の細胞で（中胚葉由来と考えられる），神経組織の損傷部でマクロファージとなり，活発に食作用を行う。

④上衣細胞 ependymal cell

脳室および脊髄中心管の表層を覆う細胞で，頂部に線毛を持つ細胞が多い。通常のH-E染色では立方状の上皮にしか見えないが，鍍銀染色では基底側に細長い突起（上衣線維）を伸ばしている細胞が多いことがわかる。この突起は胎生期には神経管全層にわたり伸びているが，その後縮んだものである。第三脳室底部の上衣細胞は長い突起を視床下部ニューロンまで伸ばしており，タニサイト tanycyte の名で知られる。タニサイトは脳脊髄液成分を吸収・輸送する働きがあるらしい。脈絡叢上皮は上衣細胞の特殊化したものである。

2）末梢神経系の神経膠細胞

◆一般に神経膠細胞という名称は中枢神経内に存在する細胞をさす場合が多いが，末梢神経系のシュワン細胞や衛星細胞も広義の神経膠細胞といえる。

①シュワン細胞 Schwann cell

末梢神経系のミエリン形成は生後完成し，生涯維持される。このためシュワン細胞は常にミエリン塩基性タンパク（MBP）などの髄鞘独特のタンパクを作り続ける。末梢神経障害があるとその部位のシュワン細胞はMBPの合成をやめ，髄鞘を破壊，ライソソームを増やし貪食能を発達させる。さらに，神経の軸索伸長を促すなど，神経再生を補助する働きがある。

②衛星細胞 satellite cell（外套細胞）

末梢神経系の神経細胞体の周囲を取り巻くグリア細胞の一種で，互いにギャップ結合で連絡されている。神経節細胞の支持，栄養，伝達物質代謝などに関係する。その働きは中枢神経系のアストロサイトに良く似ているが，GFAPは発現せず，突起を伸ばすこともない。アストロサイトは神経上皮由来であるが，衛星細胞はシュワン細胞とともに神経堤細胞に由来する。

その他の神経膠細胞　下垂体の後葉細胞，松果体の間質細胞や網膜のミューラー細胞などがある。腸管のエンテログリアのようにその存在が新しく記載される神経膠細胞も多い。

上衣上細胞　上衣細胞の頂部（脳室側）に存在する細胞。一種の神経膠細胞やマクロファージのほかに，特殊な多極性神経細胞が含まれており，セロトニン作動性ニューロンとされているが，その生理的機能は不明である。

Q42　神経終末の構造

◉ 運動性神経，知覚性神経，自律神経の神経終末の構造はそれぞれ異なる。

- 神経の軸索突起は遠位端にいくにつれ枝分かれし，ついには細胞性の鞘に包まれない裸の神経線維になり，神経終末 nerve ending として他の神経細胞や効果器あるいは感覚受容器に終わる。すなわち，神経終末は軸索突起の遠位端である。
- 脊髄神経節などの偽単極性ニューロンでは，細胞体から出た1本の軸索が中枢側と末梢側に分かれる。活動電位は分かれた突起の両方に伝導するが，末梢側の末端は感覚受容器として働くため，末梢側の突起は樹状突起に相当する。
- 運動性神経の神経終末は，骨格筋との間に運動終板 moter end plate (☞Q35) を形成し，シナプスを介して神経の興奮を伝える。知覚性神経の神経終末には，①感覚細胞とシナプス結合するもの，②感覚刺激の受容のための特殊な構造を有するもの，③自由終末 free nerve ending として終わるものがある。自律神経系の神経終末は全身の器官・組織に幅広く分布しており，最終的には自由終末として終わる。
- 従来，自由終末とされてきた神経終末には，分布する組織の細胞との間にシナプス結合を形成しているものと，形成していないものがあることが電子顕微鏡による観察で明らかにされている。多くの神経終末は，シナプスで働く神経伝達物質のほかに，さまざまな神経ペプチド neuropeptide を含有していることもわかってきた。シナプスが形成されていない自由終末の場合でも，終末から放出された神経ペプチドが周囲の標的細胞上の受容体に到達することにより，神経の興奮が伝わるものと考えられている。神経終末の走行に沿って数珠（じゅず）状の膨らみがみられることがあるが，これは軸索瘤（りゅう）varicosity と呼ばれ，分泌顆粒が神経線維内で貯留した部分である。

Q43　シナプスの構造

◉ シナプス間隙をはさんで2つの細胞が化学的伝達を行う。

- シナプス synapse とは，ニューロン間（軸索突起と神経細胞体，樹状突起との間），ニューロンと効果器あるいは感覚器細胞との間に形成される情報伝達のための構造である。
- シナプスにおける情報伝達は一方向性である。シナプス間隙 synaptic cleft をはさんで，情報を送り出す側を前シナプス側，受け取る側を後シナプス側という。シナプス膜（前シナプス側のシナプス前膜 presynaptic membrane と後シナプス側のシナプス後膜 postsynaptic membrane）には電子密度の高い物質が集合し肥厚した部分がみられる。この膜の肥厚がシナプス後膜のみにみられるものと，シナプス前膜にもみられるものがあり，それぞれ興奮性，抑制性の伝達に関係すると考えられている。
- 前シナプス側の細胞質には神経伝達物質を含んだ多数のシナプス小胞 synaptic

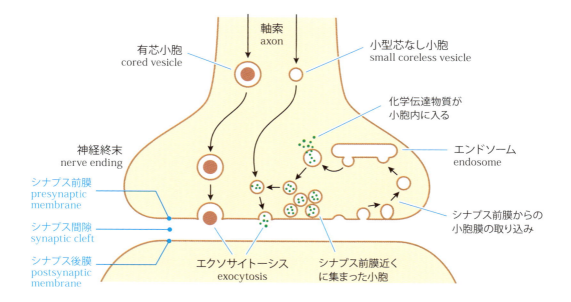

vesicle がある．電子顕微鏡的にシナプス小胞はいくつかのタイプに分類される．

①**小型の芯なし小胞**（明調小胞，無顆粒小胞）

直径 50 nm 前後と小型で大きさが比較的そろっており，内部は明るく抜けて見える．シナプス前膜近くに多数集まって観察されることが多い．シナプス小胞はグルタミン酸，アセチルコリン，GABA などの神経伝達物質を含んでいる．

②**小型の有芯小胞**（顆粒小胞）

小型で芯（電子密度の高い内容物）を持つ小胞．交感神経系の節後ニューロンなどにみられ，ノルアドレナリンなどのアミンを含む．

③**大型の有芯小胞**（顆粒小胞）

直径 100 〜 200 nm 前後と大型で芯を持つ小胞．ペプチド性の神経伝達物質を含む．神経終末（シナプス終末）での出現頻度は他のタイプに比べて低い．

◆ これらのシナプス小胞は，神経細胞体のゴルジ装置で形成され，神経線維内を輸送されてシナプス終末に至り，刺激に応じて開口分泌される．開口分泌によってシナプス間隙に放出された神経伝達物質がシナプス後膜上の受容体に結合することにより，情報の伝達が行われる．

◆ 小型の芯なし小胞は，開口分泌後，エンドソームを介して再形成される．エクソサイトーシスによりシナプス前膜に融合したシナプス小胞の膜と膜タンパク質は，被覆小胞として再び細胞質に取り込まれ，エンドソームと融合したのち，新しいシナプス小胞として出芽する（この時点では神経伝達物質を含んでいない）．次いで，シナプス終末の細胞質に存在する神経伝達物質が，新しく形成されたシナプス小胞膜のポンプ作用（小胞性輸送体）により内部に取り込まれる．完成したシナプス小胞は，放出されるまでの間，シナプス前膜の近くに集合して待機する．このようにシナプス前膜とエンドソームの間に速いサイクルの再形成機構が存在することによって，シナプスにおける活発な情報伝達が可能となる．

3 各論 消化器

Q44 口唇および口腔粘膜

● 口唇の口腔面と体表面とでは重層扁平上皮の形態が違うことに注意。
● 舌背や歯肉などを除く口腔上皮は角化しない。

◆ 口唇の外面は角化する重層扁平上皮，毛包，脂腺，汗腺などが認められ，他の体表の皮膚と変わるところはない。口唇の内面は重層扁平上皮であるが角化しない。すなわち角質層を欠く。内部には骨格筋である口輪筋 orbicularis oris muscle がみられる。
◆ 粘膜固有層には脂肪組織がよく発達しており，その中に混合腺である口唇腺 labial gland が存在する。口腔粘膜はほとんどが角化しない重層扁平上皮であるが，舌背や歯肉など一部の上皮は角化する。

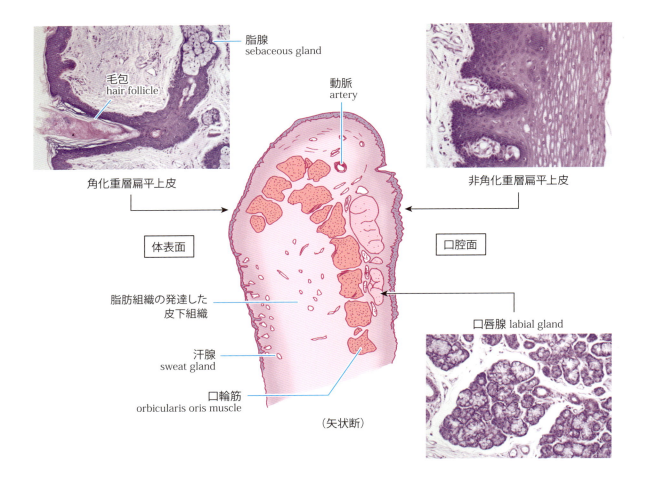

Q45 舌乳頭の分類と味蕾の構造

- 舌背の表面を覆う舌乳頭は形態的に4種に分類される。
- 味蕾は茸状乳頭，葉状乳頭，有郭乳頭に存在する。

◆ 舌は食物の咀嚼を助け，味を感じる働きを持つ。舌の上皮は重層扁平上皮であり，舌背にはさまざまな形態を持つ乳頭が認められる。乳頭は次の4種に分類される。

① 糸状乳頭 filiform papillae：舌全体に密に分布する。上皮は角化する重層扁平上皮で，この部位には味蕾はみられない。

② 茸状乳頭 fungiform papillae：舌全体に散在性に分布する。上皮は角化せず層構造も薄いので，肉眼的に赤味を帯びて見える。ごく少数の味蕾が認められる。

③ 葉状乳頭 foliate papillae：舌後方の側縁に沿って存在し，他の部位には存在しない。一般にヒトではあまり発達しない上，個人差も大きい。上皮は角化せず乳頭の側壁に多くの味蕾を含む。

④ 有郭乳頭 circumvallate papillae：分界溝の直前にのみ存在する。最も大きな乳頭であり，角化しない上皮層に多くの味蕾を持つ。乳頭直下の固有層あるいは筋層には，漿液性の小唾液腺であるエブナー腺 Ebner's gland が存在し，その導管は有郭乳頭を取り巻く溝の底部に開口する。分泌物は乳頭の溝を洗い，味覚受容を助ける。

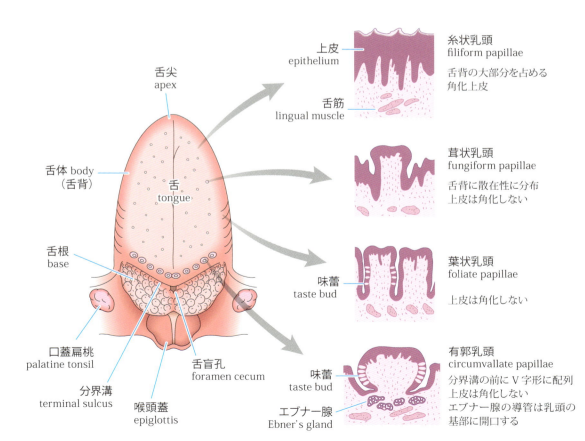

- ◆ 味蕾(みらい) taste bud は，舌乳頭の上皮の基底層から最表層までに達する細長い細胞が集まってできた卵形の構造で，味覚の受容器である。味蕾の頂部は，味孔 taste pore という上皮にあいた穴を通して口腔に連絡している。味蕾を構成する細胞は味孔に突出する長い微絨毛を持ち，味毛と呼ばれる。ここに味覚の受容器があると考えられる。

味孔 taste pore
味毛 gustatory hair
支持細胞 supporting cell
基底細胞 basal cell
上皮細胞 epithelium
味細胞 gustatory cell
神経終末 nerve terminal

- ◆ 味蕾は3種類の細胞で構成される。
- ◆ 味細胞 gustatory cell は基底膜から味孔まで伸びた細長い細胞で，味蕾に最も多く存在する。味細胞は，5つの基本的な味（甘味 sweet，塩味 salty，苦味 bitter，酸味 sour，旨味 umami）を感知する。それぞれの味物質は，イオンチャネル（塩味と酸味），Gタンパク質共役型受容体（苦味，甘味，旨味）により受容される。味細胞は，求心性ニューロンとシナプスを作り，味覚を脳に伝える。
- ◆ 支持細胞 supporting cell は味細胞と同様に基底膜から味孔まで伸びる細胞である。通常のH-E染色では両者を区別することは困難である。支持細胞は，ニューロンとシナプスを形成しない。
- ◆ 基底細胞 basal cell は味蕾の基底部に位置する幹細胞である。多角形ないし楕円形で，張原線維がよく発達しており，形態的には周囲の上皮細胞に似ている。味細胞，支持細胞の寿命は約10日と短く，基底細胞の分裂により常に新生されている。
- ◆ 味覚を伝える線維は，顔面神経 facial nerve（鼓索神経 chorda tympani），舌咽神経 glossopharyngeal nerve，迷走神経 vagus nerve に含まれ，いずれも延髄の孤束核 solitary nucleus に終わる。舌前2/3に分布する茸状乳頭でとらえた味覚は顔面神経が，舌後1/3の有郭乳頭，葉状乳頭でとらえた味覚は舌咽神経が，喉頭蓋周囲の味覚は主に迷走神経が伝える。孤束核からの線維は交叉して対側の視床の後内側腹側核を経由し，大脳皮質の味覚野 gustatory area に至る。

Q46 耳下腺，顎下腺，舌下腺の区別

- ● 粘液腺の割合と導管系の構造の相違によって区別する。
- ● 漿液細胞は暗調細胞，粘液細胞は明調細胞である。

- ◆ 歯肉を除く口腔粘膜の粘膜下組織には多くの小唾液腺が存在し，短い導管を介して口腔に唾液を供給する。
- ◆ 耳下腺 parotid gland，顎下腺 submandibular gland，舌下腺 sublingual gland の3つを大唾液腺という。大型の腺で，口腔から離れた場所にあり，長い導管系を持つ。

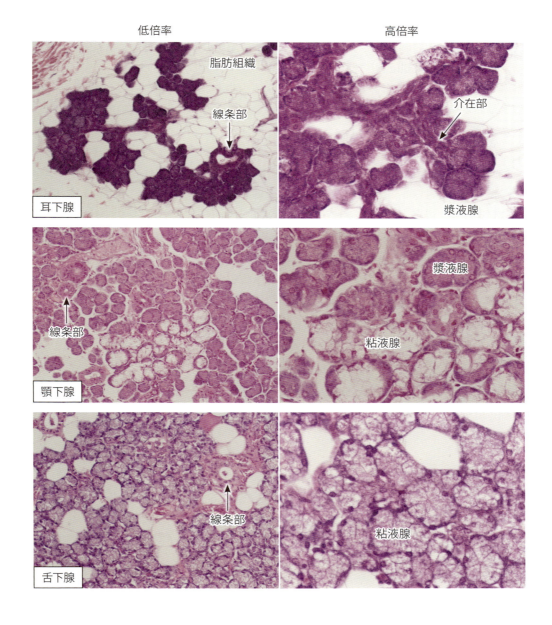

- ◆ 腺終末部を構成する細胞は次の2種類である。
- ① **漿液細胞** serous cell：好塩基性の細胞質を有し，核は円形で細胞の中心に位置する。アミラーゼなどの酵素を分泌する。
- ② **粘液細胞** mucous cell：通常の方法で作製した H-E 染色標本では，細胞質は色素にほとんど染まらないため明るく見える。核は扁平で基底側に位置する。
- ◆ 漿液細胞のみからなる腺を**漿液腺** serous gland，粘液細胞のみからなる腺を**粘液腺** mucous gland，両者を含む場合を**混合腺** mixed gland という。耳下腺は漿液腺であり，顎下腺は漿液細胞を多く含む混合腺，舌下腺は粘液細胞を多く含む混合腺である。導管系の特徴は表に示すとおりである。

	終末部	介在部	線条部
耳下腺	漿液腺	長い	長い
顎下腺	混合腺（漿液腺が多い）	短い	長い
舌下腺	混合腺（粘液腺が多い）	なし	ほとんどみられない

- 顎下腺や舌下腺では，混合腺の終末で漿液細胞が半月形に配列することがある。これを特に <mark>漿液半月</mark> serous demilune という。
- <mark>筋上皮細胞</mark> myoepithelial cell は多数の細胞質の突起を，腺終末部を外側から覆うように伸ばしている。腺上皮と同じ基底膜に囲まれている上皮細胞の特徴と，細胞質に平滑筋線維が豊富な筋細胞の特徴を併せ持つ。これが収縮することにより<mark>腺終末部から分泌物を絞り出す働きを持つ</mark>。唾液腺の終末によくみられるほか，汗腺や乳腺の終末部にも同様の細胞がみられる（☞Q107）。<mark>カゴ細胞</mark> basket cell とも呼ばれる。
- 唾液腺の分泌物は，<mark>介在部</mark> intercalated duct に始まる導管系によって口腔に放出される。介在部は扁平な上皮によって作られる細い管で，耳下腺では長いが，舌下腺ではみられない。<mark>線条部</mark> striated duct は介在部と導管を結ぶ管で，上皮細胞の基底部に<mark>基底線条</mark> basal striation がみられるためこのように呼ばれる。
- <mark>基底線条は基底陥入と基底膜に対して垂直に配列した糸状のミトコンドリアによって作られる構造</mark>で，好酸性を示す。小腸上皮や腎尿細管に同様の構造がみられ，ここでイオンや水の輸送が行われる。終末部の分泌物のイオン組成は血漿とほぼ同じであるが，線条部で重炭酸イオン，カリウムイオンが放出され，ナトリウムイオンが再吸収される。

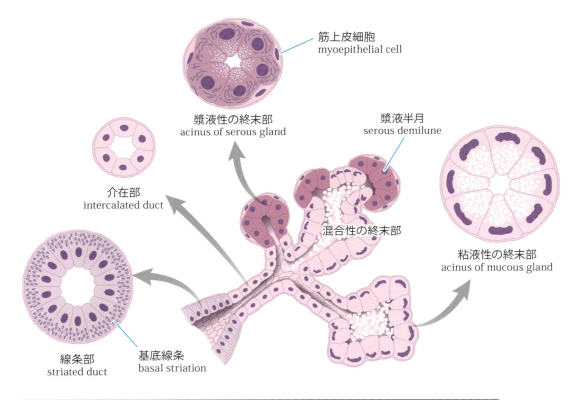

唾液の働き　唾液にはデンプンを分解するα-アミラーゼのほか，細菌の細胞壁を破壊するリゾチームが含まれる。これは口腔内の殺菌に役立つ。食物が口腔内にとどまる時間は短いので，唾液中のアミラーゼの役割は炭水化物の部分的消化により味覚を生じさせることにあると考えられる。また口腔内の食物残渣を消化し，細菌の増殖を抑えていると考えることもできる。

Q47 歯の構造

- ◉ 歯の主体は象牙質。
- ◉ 象牙質は歯冠部ではエナメル質，歯根部ではセメント質により覆われている。

◆ 歯は象牙質とその歯冠部を覆うエナメル質，歯根部を覆うセメント質からなる。エナメル質とセメント質の境界は歯肉の下にあるので，正常な状態で体表に現れているのはエナメル質である。象牙質の中心には歯髄腔 pulp cavity があり，歯髄 pulp という歯周組織に連絡する結合組織で満ちている。乳歯は 20 本，永久歯は 32 本である。

1) エナメル質 enamel

◆ 直径約 5μm のエナメル小柱 enamel rod からなる高度に石灰化した組織で，人体組織としては最高の硬度を持つ。歯の頂部ではエナメル質は 2mm ほどの厚さになる。研磨標本を観察すると，象牙質との境から発する放射状に伸びる線（シュレーガー線条 Schreger band）と，歯の頂点を中心とする同心円状に，外側では斜走する線（レチウス線条 striae of Retzius）が見られる。

◆ エナメル小柱は 10〜20 の小柱が束を作って成長する。小柱束は象牙質に接するところはこれに垂直に，エナメル質の中央部ではラセン状に，エナメル質の表層ではまた表面に垂直に形成される。この結果，シュレーガー線条が放射状に形成される。レチウス線条は，エナメル質の成長速度の変化を反映したいわゆる成長線である。

◆ エナメル質は他の硬組織と同様，有機質と石灰質からなる。ただし，石灰質の量が多く，形成途上で有機質の吸収が起こる結果，でき上がったエナメル質は 95％以上が石灰質である。そのため，脱灰標本ではエナメル質は保存されない。

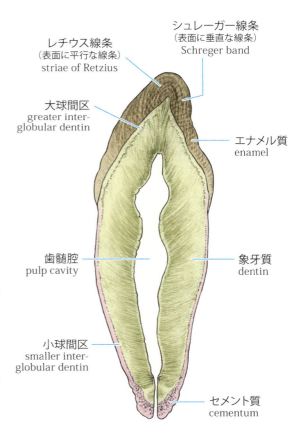

切歯の研磨標本

2) 象牙質 dentin

◆ 骨に類似の組織で，歯髄腔に存在する象牙芽細胞 odontoblast によって作られる。象牙芽細胞はまず predentin という線維成分を分泌し，次いでその周囲に石灰化が起こり象牙質が作られる。象牙質に含まれる無機質の割合はエナメル質よりは少ないが，骨よりも多い。

- 象牙芽細胞は背の高い円柱形の細胞で，好塩基性が強い。歯髄腔に面した象牙質の内側面に一列に配列し，細胞質の突起を残しながら内方に象牙質の形成を続けるので，象牙芽細胞の突起（トームス線維）を入れた象牙細管 dentinal canaliculi という径3〜4μmの管が歯髄腔から放射状に形成される。象牙細管はエナメル質の近くでは約1μmの細さになり，途中で側枝を出し互いに癒合する。
- 象牙質には球状の石灰化域ができることがあり，これと周囲の象牙質との間の石灰化が十分に行われず，球間区 interglobular dentin と呼ばれる象牙質独特の模様を作る。球間区は歯冠部では大型でエナメル質から少し離れた位置に並び（大球間区 greater interglobular dentin），歯根部では小型でセメント質の直下に並ぶ（小球間区 smaller interglobular dentin）。小球間区は顆粒状でトームス顆粒層 Tomes' granular layer とも呼ばれる。
- 歯髄腔は下端の歯根管を通って，周囲の結合組織（歯根膜 periodontal membrane）に連絡する。歯髄腔には血管，神経が進入している。知覚神経の終末は歯髄腔から少なくとも象牙細管の近位まで入り込み，象牙芽細胞の突起と接しているが，象牙質の表層まで侵入するわけではない。
- 歯の表面への刺激は，象牙芽細胞の突起を介して歯髄腔の知覚神経に伝えられるという説があるが，象牙芽細胞の突起にはシナプス様の構造は証明されていない。現在では，周辺の象牙質に加えられた刺激が象牙細管中の細胞外液を介して知覚神経に伝えられると考えられている。

3) セメント質 cementum

- 象牙質の歯根部を囲む薄い硬組織で，物理的・化学的性状は骨と同じである。しかし，骨のハバース管のような構造はなく，血管が進入することはない。
- 基質中には周囲の結合組織（歯根膜）から伸びた膠原線維であるシャーピー線維 Sharpey's fiber が埋め込まれている。シャーピー線維のもう一方の端は歯槽骨に埋め込まれており，これによって歯は歯槽骨に固定されている。歯が容易に抜けないのはこのためである。

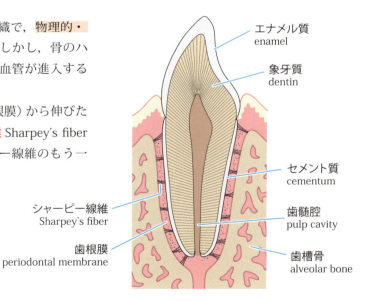

歯の発生 胎生5週頃，口腔上皮の一部が肥厚し，歯堤と呼ばれる隆起を形成する。これは間葉中に伸長し，歯の原基である歯胚を作る。エナメル質は口腔上皮由来の，すなわち外胚葉性のエナメル芽細胞 ameloblast によって形成される。エナメル芽細胞層はこれに接する間葉を象牙芽細胞に分化誘導する。

Q48 消化管に共通する基本構造

- 管腔側から，上皮組織，粘膜固有層，粘膜筋板，粘膜下層，2層の平滑筋層からなり，外側を外膜あるいは漿膜が包む。
- 上皮の種類と形態，腺の分布，筋層の形態などは消化管各部の鑑別点となる。

◆消化管は食道，胃，小腸，大腸からなる。それぞれ独自の形態を示すが，もともと原腸という同じ起源から発生するので，共通の形態的特徴を残している。

①消化管の**上皮** epithelium は，食道では角化しない重層扁平上皮，胃以下では単層円柱上皮である。上皮は直下の結合組織中に陥凹を作り，胃では胃小窩，小腸と大腸では腸腺あるいは陰窩と呼ばれる。粘膜は小腸でのみヒダと絨毛を作り，栄養吸収面積を増大させている。

②**粘膜固有層** lamina propria：上皮に続く疎性結合組織で，血管やリンパ管を含む（大腸にはリンパ管はみられない）。消化管の内腔は体外であるから，感染に対する防御機構が発達している。リンパ浸潤やリンパ小節は消化管全体の固有層にみられる。特に回腸では集合リンパ小節を作ることが特徴的である。食道噴門腺，胃腺，腸腺は固有層に存在する。粘膜固有層は粘膜筋板によって粘膜下層と区別される。

③**粘膜筋板** lamina muscularis mucosae：食道では比較的厚く，胃腸では数層の細胞からなる薄い平滑筋層で，粘膜の収縮・弛緩を起こすと考えられている。管壁の筋層とは異なり，小腸のように粘膜がヒダを作る場合はそれに沿って粘膜筋板も蛇行する。

④**粘膜下組織** submucosal layer：固有層よりも線維成分に富む結合組織で，血管やリンパ管の通路となっている。ここにみられる**マイスナー神経叢** Meissner's plexus は副

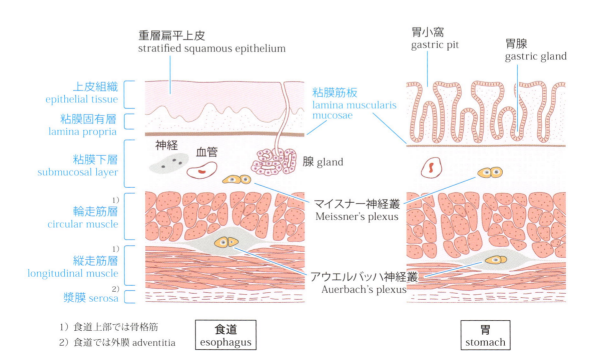

1) 食道上部では骨格筋
2) 食道では外膜 adventitia

交感神経節であり，<mark>節後線維は粘膜に分布する分泌性線維を含む</mark>。粘膜下組織には交感神経系に属する内臓性求心性線維も分布している。これらの線維は，皮膚にみられるものと同じような感覚受容器，たとえばパチニ小体などでとらえた内臓感覚を中枢に送る。食道や十二指腸では粘膜下組織に比較的大きな腺がある。

⑤消化管壁には2層の**平滑筋層** muscularis externa がある。内側が**輪走筋** circular muscle，外側は**縦走筋** longitudinal muscle である。2層の筋層の間は少量の結合組織で仕切られ，ところどころに**アウエルバッハ神経叢** Auerbach's plexus がみられる。これも副交感神経節であり，<mark>節後線維は輪走筋と縦走筋の運動を支配する</mark>。平滑筋は蠕動運動などの消化管運動を行い，食物を消化液と混ぜ消化を促すとともに，内容物を徐々に肛門側へ移動させる。内側の輪走筋は各所で肥厚して**括約筋**を作る。幽門括約筋，回盲弁，内肛門括約筋などである。食道の上部では平滑筋はみられず，筋層は鰓弓由来の骨格筋で作られる。胃では部位により輪走筋の内側にもう1層の平滑筋層，斜走筋が加わる。

⑥消化管の最外層は，食道では縦隔の結合組織，胃以下では腹膜後器官である十二指腸，上行結腸，下行結腸を除いて全周が漿膜（単層扁平上皮）に覆われている。

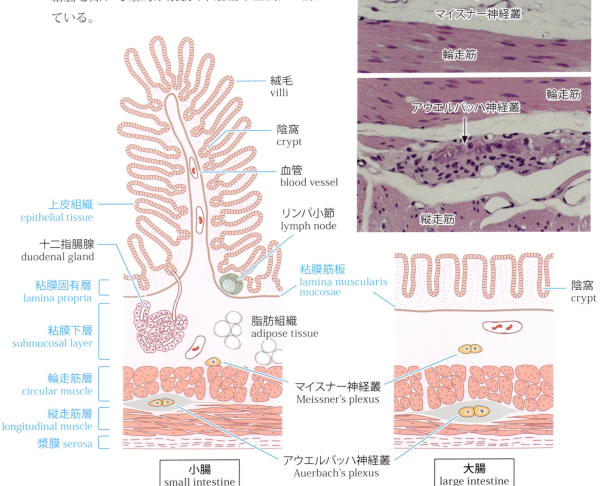

Q49 食道の組織構築

- ◉ 消化管で重層扁平上皮を持つのは食道だけである。
- ◉ 筋層の一部は骨格筋からなる。

◆ 食道 esophagus は咽頭から胃に至る約 25 cm の円筒状の器官で，内腔には多数のヒダがみられる。筋層がよく発達しており，通常内腔は閉じている。

◆ 粘膜上皮は重層扁平上皮であり，基底層，有棘層，顆粒層が区別できるが，ヒトでは角化することはない。これに続く粘膜固有層は疎性結合組織であり，白血球や肥満細胞のほかリンパ球の浸潤がみられることが多い。粘膜筋板は上皮に平行して走行する平滑筋束で，大部分は縦走する。

◆ 食道腺 esophageal gland は固有食道腺と食道噴門腺がある。ともに粘液腺であるが，固有食道腺の分泌物は弱酸性であるのに対し，食道噴門腺は中性の粘液を分泌する。固有食道腺 esophageal gland proper は食道全域の粘膜下組織にあり，その導管は粘膜筋板を貫いて上皮に開口する。食道噴門腺 esophageal cardiac gland の終末は固有層にあり，咽頭付近と噴門に近い部位にしか存在しない。食道噴門腺の構造は胃の噴門腺に似ている。

◆ 筋層は内輪・外縦の2層からなるが，その走行は他の消化管に比べると不規則である。食道の下 1/3 ではすべて平滑筋であるが，中間部 1/3 では平滑筋に骨格筋が混在する。これは咽頭筋の続きであり，上部 1/3 ではすべて骨格筋である。ともに迷走神経支配であるが，骨格筋は延髄の疑核から来る特殊内臓性運動神経，平滑筋は消化管の他の部位と同じように迷走神経背側核からの副交感神経が支配する。

◆ 2層の平滑筋の境界には疎性結合組織があり，アウエルバッハ神経叢 Auerbach's plexus が存在する。粘膜下組織に存在するマイスナー神経叢よりもアウエルバッハ神経叢のほうが，神経細胞数も多く確認しやすい。これらの神経叢にある神経節細胞は迷走神経に含まれる副交感神経の節後線維である。食道を含む消化管の運動は主にアウエルバッハ神経叢で中継される。

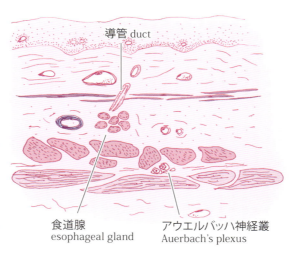

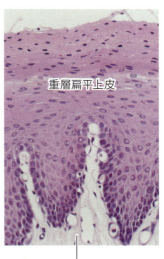

Q50 胃の組織構築

- 消化に必要な酸や酵素を分泌するのは胃底腺（胃腺）で，噴門腺と幽門腺は粘液腺である。
- 胃底腺には主細胞，壁細胞，副細胞の3種類の外分泌細胞と，内分泌細胞が存在する。

- 食道との移行部を**噴門** cardia，十二指腸との移行部を**幽門** pylorus といい，それ以外を**胃体** body という。噴門の左にドーム状にふくらんだ部位を**胃底** fundus と呼ぶ。空腹時は，粘膜下層から上皮層までが作る**胃粘膜ヒダ**が胃体部下部から幽門にかけて粘膜を縦走している。胃の内面には一面に**胃小窩** gastric pit という上皮の深い陥入が認められる。それぞれの胃小窩の底部には複数の管状腺（胃底腺）が開口している。

- 胃の内面や胃小窩の壁を構成する細胞は，**表層粘液細胞** surface mucous cell と呼ばれる粘液細胞である。この細胞は円柱上皮細胞で，核は基底部に存在し，明るい細胞質を持つ。粗面小胞体とゴルジ装置がよく発達し，細胞頂部に粘液を含んだ粗大な顆粒を蓄えている。

- 表層粘液細胞から分泌される粘液は，唾液や他の消化管壁から分泌される粘液とは異なり，粘稠で食物と混和されにくい。粘液は胃粘膜表面にシート状に広がり，酸やペプシンが上皮細胞層まで拡散することを防ぐ。表層粘液細胞が分泌する重炭酸塩によって粘液層のpHが中性付近に保たれることも，胃の自己消化（消化性潰瘍）を防ぐ上で重要である。

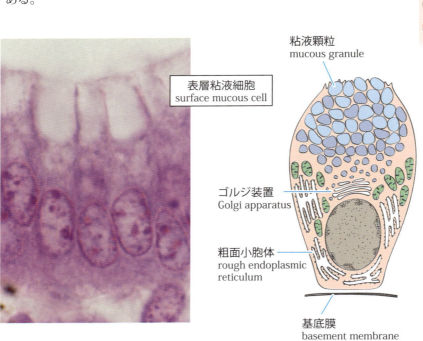

- 胃底部や胃体部に分布する腺は**胃底腺** fundic gland（単に**胃腺** gastric gland ともいう），噴門部では**噴門腺** cardiac gland，幽門部では**幽門腺** pyloric gland と呼ばれる。胃底腺はペプシンや塩酸などを分泌するのに対し，噴門腺と幽門腺は粘液腺である。いずれも腺の末端は粘膜筋板に終わっており，胃の固有層は腺と少量の疎性結合組織で満たされている。
- 胃粘膜の上皮細胞は，胃小窩の基部，あるいは胃底腺の頚部に存在する幹細胞の分裂によって供給される。分裂の結果生み出された細胞は，胃小窩の壁を表層に向かって移動しながら機能的に成熟し，表層粘液細胞となる。表層粘液細胞の寿命は約5日と短く，常に新しい細胞と置き換わっている。このことは，食物の機械的刺激や酸に対する胃粘膜の防御機構の1つと考えられる。事実，軽度の粘膜障害はすぐに修復される。胃底腺の細胞も同じ部位で生まれ，順次，腺底部へ移動する。胃底腺細胞の寿命は数ヵ月から1年とされている。
- 胃の筋層は部位によって多少異なるが，3層からなると考えてよい。いずれも平滑筋で最内層が斜走筋，中間層が輪走筋，外層が縦走筋である。斜走筋は噴門から胃体部にかけて，縦走筋は特に小弯と大弯に沿って分布する。輪走筋は最もよく発達した筋層で，幽門に近づくにつれて厚みを増し**幽門括約筋** pyloric sphincter を作る。マイスナー神経叢は粘膜下組織に，アウエルバッハ神経叢は輪走筋と縦走筋の間にみられる。

Q51 胃底腺，噴門腺，幽門腺の比較

- 主細胞は好塩基性，壁細胞は好酸性。
- それぞれの形態と機能，分布領域を理解する。

1）**胃底腺** fundic gland

噴門部と幽門部にあたる狭い部分を除き，胃粘膜の大部分は胃底腺を含む。胃液はこの部位から分泌される。腺を構成する細胞は次の3種類である。

①**主細胞** chief cell

好塩基性細胞で，腺頚部よりも底部にいくにしたがって多くなる。特に腺底部では主細胞のみがみられる。ゴルジ装置や粗面小胞体が発達し，分泌顆粒を有するなど，タンパク質を分泌する細胞の典型的な形態を示す。**ペプシノーゲン** pepsinogen や**胃リパーゼ** gastric lipase を分泌する。分泌されたペプシノーゲンは，胃の内腔で酸やすでに存在するペプシンによって加水分解を受け，活性型のペプシンに変換される。

②**壁細胞**または**傍細胞** parietal cell

- 大型の好酸性細胞で，主に腺中央部から腺頚部に分布する。電子顕微鏡でミトコン

胃リパーゼ 胃液にはリパーゼが含まれている。胃リパーゼは胃の強酸性の中でも安定で，胃でも小腸でも働く。新生児では膵臓の働きが十分ではないので，胃リパーゼに依存する割合は成人よりも高い。免疫組織化学的研究からこの酵素は胃底腺の主細胞から分泌されることがわかっている。

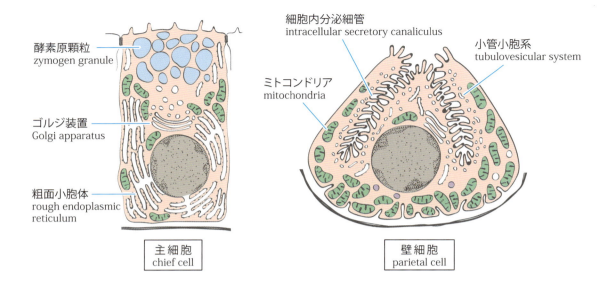

ドリアが多数認められるのが特徴で，好酸性を示すのはこのためらしい。管腔側よりも基底側が広がっており，全体として角の丸い三角形をしている。管腔側には微絨毛があり，さらに細胞膜の一部が細胞質中に深く陥入して複雑な**細胞内分泌細管** intracellular secretory canaliculus を構成する。この構造は，酸分泌のための細胞膜の面積を拡大させている。

◆ 細胞膜直下には小胞が多数みられ，**小管小胞系** tubulovesicular system と呼ばれている。酸分泌の盛んな壁細胞では，細胞内分泌細管に微絨毛が密にみられ，細胞内の小管小胞系は少ない。これに対して酸分泌の抑制された状態では，小管小胞系が多くみられる。つまり，分泌機能の変化に対応して管腔側の細胞膜の面積も変化する。小管小胞系はそのための細胞膜の予備と考えられる。

◆ **壁細胞は H^+-K^+ ATPase の働きで H^+ を能動的に分泌する**。この H^+ は細胞内で H_2O と CO_2 から酵素的に合成される。一方，HCO_3^- との交換輸送により Cl^- が血中から取り込まれ，H^+ 輸送と共役して管腔側に放出される。こうして**塩酸**（HCl）すなわち胃酸が作られる。これらの輸送過程に必要な ATP は，壁細胞の体積の半分近くを占めるミトコンドリアにより供給される。壁細胞は塩酸のほか，ビタミン B_{12} の腸管からの吸収に必要な**胃内因子**（gastric intrinsic factor；GIF）も分泌する。

③ **副細胞**または**頚部粘液細胞** mucous neck cell

主に腺頚部に分布する立方形の粘液細胞である。細胞の管腔側には多数の粘液分泌顆粒を持ち，核は基底側に圧排されている。

2) **噴門腺** cardiac gland

食道開口部の付近にのみ分布する粘液腺である。

3) **幽門腺** pyloric gland

幽門から 4〜5 cm の範囲に分布する粘液腺で，しばしば分岐する管状腺である。**ガストリン** gastrin を分泌する **G 細胞**が存在する。

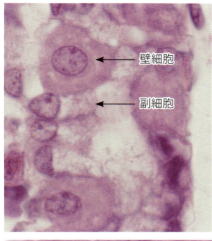
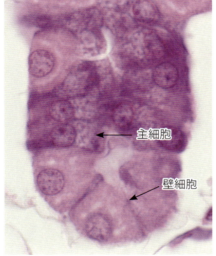
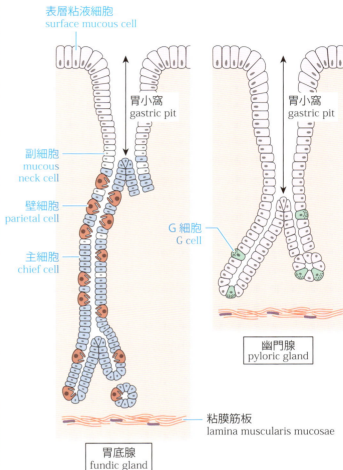

Q52 小腸の構成

- 輪状ヒダ，絨毛，微絨毛の存在により，栄養吸収のための面積は数百倍に増大する。
- 粘膜下組織の粘液腺は十二指腸腺のみ。パイエル板は回腸に特徴的。

◆ 小腸は十二指腸 duodenum，空腸 jejunum および回腸 ileum からなる。内壁には**輪状ヒダ** circular fold と呼ばれる，上皮から粘膜下層までを含むヒダがある。これは十二指腸と空腸で最もよく発達し，その表面を覆う**絨毛**villi とともに栄養吸収面積を広げている。

◆ 小腸全域にわたり，粘膜固有層には腸腺，リンパ小節，中心乳ビ管，毛細血管網が発達しており，間質には多くの好酸球，リンパ球，形質細胞，マクロファージなどがみられる。

①**腸腺**（**陰窩** crypt あるいは**リーベルキューン腺** crypt of Lieberkühn gland）
絨毛上皮から連続した上皮が固有層に陥入して作る浅い腺。陰窩の上皮には，腸上皮の幹細胞，未分化な吸収上皮細胞のほか，パネート細胞や少数の消化管ホルモン分泌細胞が含まれる。**パネート細胞** Paneth cell は，管腔側の細胞質に強い好酸性を示す粗大顆粒を含む細胞で，通常陰窩の基底部に数個まとまって存在する。顆粒中には細菌の細胞壁を破壊するリゾチームや抗微生物ペプチドのディフェンシンが含まれている。

②**十二指腸腺** duodenal gland または**ブルンネル腺** Brunner's gland
十二指腸に固有の粘液腺であり，空腸や回腸には認められない。固有層ばかりでなく粘膜下層にも存在する。**分泌液はアルカリ性**で，胃から送られてきた酸を膵液とともに短時間のうちに中和して上皮を保護し，膵液中の消化酵素が働ける pH 環境を作り出す。

③中心乳ビ管・毛細血管網
上皮細胞が吸収した栄養素を取り込む。**中心乳ビ管** central lacteal **はリンパ管であり，脂質を運ぶ。毛細血管網には糖やアミノ酸が入り，門脈を経て肝臓に至る**。この部位の血管は有窓性である。

④リンパ性組織
固有層にリンパ浸潤が頻繁に認められるほか，固有層から粘膜下層にかけて**孤立リンパ小節** lymph nodule がみられる。**パイエル板** Peyer's patch と呼ばれる**集合リンパ小節** aggregated lymphatic nodules は回腸に固有のもので，固有層から粘膜下層に位置する。☞ **Q99**

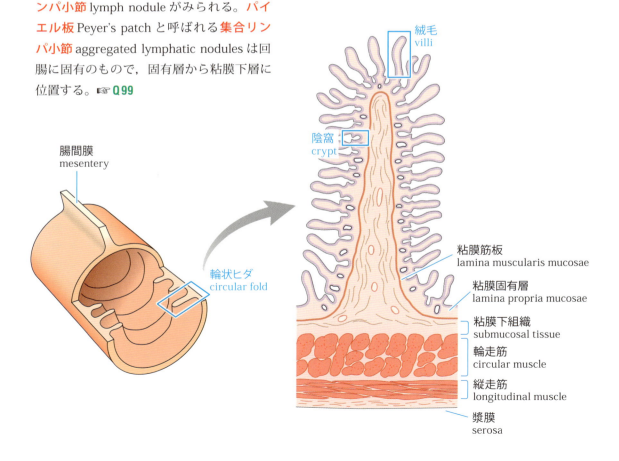

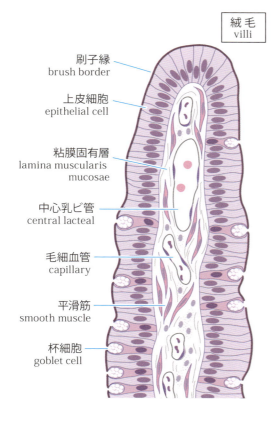
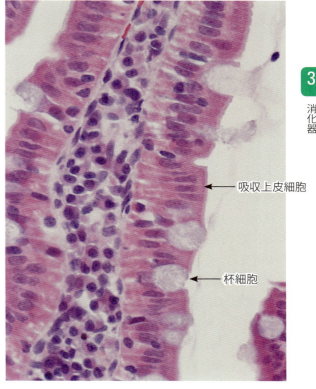
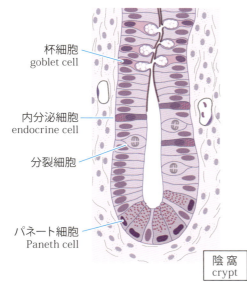
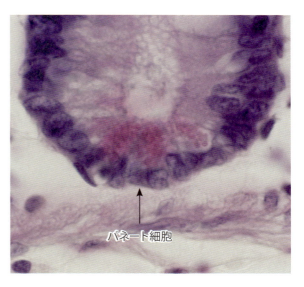

消化管上皮の細胞分化 陰窩の上皮のうち腺底部に近い部分では細胞分裂が盛んで，ここで分裂・増殖した細胞が吸収上皮細胞あるいは杯細胞に分化し，絨毛の先端に向かって移動していく。一般に胃から大腸までの上皮はこのように一定の場所で新生し，2〜4日の寿命しかない。小腸の場合，死んだ細胞は絨毛の先端で抜け落ちる。

Q53 小腸の吸収上皮細胞

● 小腸の上皮は微絨毛を持つ単層円柱上皮（吸収上皮）であり，杯細胞を含む。
● 微絨毛膜と側底膜はタイト結合を境として，それぞれ異なる機能分子を備える。

1) 微絨毛膜

◆ 小腸の粘膜上皮は背の高い単層円柱上皮である。光学顕微鏡では上皮細胞の表面に色素に濃染する細い帯が見え，刷子縁 brush border という。電子顕微鏡で観察すると，これは表面に密生する上皮細胞の突起，すなわち微絨毛 microvilli からなっている。

◆ 微絨毛の表面には糖衣 glycocalyx が付着している。これは多糖類の細線維からなる網目状の構造で，細線維の一端は微絨毛膜に結合している。糖衣は上皮細胞内のゴルジ装置で作られ，輸送小胞により微絨毛膜に供給される。膵液中の消化酵素は糖衣に吸着され，したがって微絨毛膜の近傍で栄養素を消化し，微絨毛膜上の終末消化酵素群にその基質となるペプチドや二糖類を供給している。糖衣はまた，膵酵素による上皮細胞の傷害を防いでいると考えることもできる。

◆ 微絨毛の内部にはアクチン線維が密に存在する。これは微絨毛の形態を維持する構造で，細胞の頂部を横走するアクチン線維であるターミナルウェブ terminal web に連絡している。ターミナルウェブは接着帯に固定されている。

◆ 微絨毛の存在は，輪状ヒダや絨毛とともに小腸粘膜の表面積を増大させる。微絨毛膜

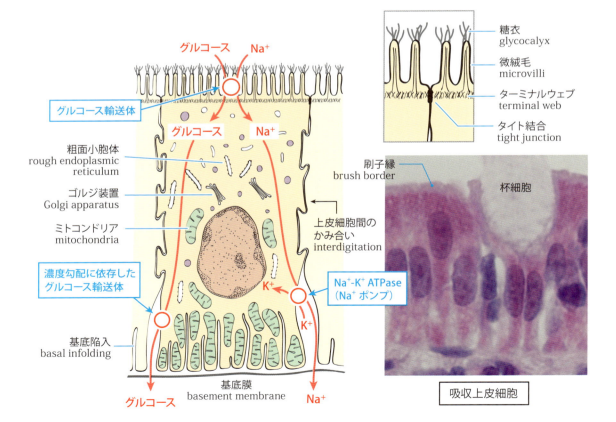

吸収上皮細胞

は腸管における栄養吸収の場であり，膜上には多様な二糖類あるいはジペプチドの加水分解酵素（終末消化酵素 enzymes for terminal digestion），糖やアミノ酸の輸送担体 transporter が存在する．輸送担体の多くは，膜内外の Na^+ 濃度勾配を駆動力とする．

2) 側底膜

- 小腸上皮細胞の側面の細胞膜は，隣接する細胞膜との間で上部ではタイト結合，下部ではかみ合いを作り，互いにつなぎとめられている．側面および底部の細胞膜（側底膜）は，微絨毛膜とは機能的に異なる．この部位には Na^+-K^+ ATPase（Na^+ ポンプ）が多く分布し，Na^+ を細胞外へ汲み出している．そのため細胞内 Na^+ 濃度は低く保たれ，微絨毛膜での Na^+ と共役した糖やアミノ酸の能動輸送を可能にしている．上皮細胞の底部に多くのミトコンドリアが集まっていることは，この部位で行われる ATP に依存した Na^+ 輸送を考えると合理的であるといえる．

- 小腸上皮細胞のタイト結合は上皮細胞間をシールする構造であるが，同時に微絨毛膜と側底膜を境する構造でもある．微絨毛膜に特徴的な終末消化酵素や栄養素の輸送担体はタイト結合を越えて側底膜に拡散することはないし，側底膜の膜タンパクは微絨毛膜には移動できない．

- 微絨毛膜のグルコースとガラクトース輸送体には，ナトリウムとの共輸送体である SGLT と濃度勾配に従って受動的に輸送する GLUT2 がある．フルクトースは GLUT5 という別の輸送体でエネルギー非依存的に吸収される．上皮細胞から基底膜側の細胞外スペースに糖輸送が行われる側底膜には SGLT は存在せず，GLUT2 が単糖類を輸送する．アミノ酸も微絨毛膜と側底膜に存在する輸送体によって吸収される．各々の細胞膜領域に輸送するアミノ酸の種類が異なる数種の輸送体が発現しており，多くがナトリウムやプロトンの濃度勾配に依存してアミノ酸を輸送する．

3) 杯細胞

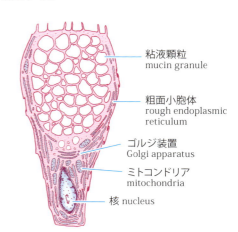

- 小腸上皮には吸収上皮細胞のほかに，杯（さかずき）細胞 goblet cell というワイングラスのような形の細胞が多く散在する．細胞質には粘液を含む顆粒が豊富に含まれているが，粘液成分は H-E 染色では染まらないため細胞質が白く抜けたように見える．核は基底部に圧排され，顆粒以外の細胞質には粗面小胞体とゴルジ装置が発達している．単一細胞からなる粘液腺であり，消化管と気道にみられる．

腸管における高分子の吸収　消化管に入ったタンパク質は酵素で分解され，最終的にはアミノ酸として吸収上皮細胞に取り込まれる．ごく一部のタンパク質は分解をまぬがれ，そのままの形で上皮細胞に取り込まれ，血流に入る．この機構は，微絨毛膜の基部における飲作用 pinocytosis によるものである．新生児の腸では特にこの能力が高く，母乳中の抗体分子を取り込む．日齢を経るにしたがって高分子物質の吸収能は減少するが，成人でもなお認められる．

Q54 虫垂

◉ 組織構築は結腸と同じであるが、リンパ小節が豊富。

- **虫垂** vermiform appendix は細い盲管で、組織構築は結腸と同じである。すなわち上皮は単層円柱上皮で、内腔にはヒダがなく絨毛もない。
- **リンパ小節が発達**しており、明瞭な胚中心 germinal center を持つ。リンパ小節は固有層から粘膜下層に相当する部位にあるが、粘膜筋板の発達が悪く不連続であるため、両者の境ははっきりしない。
- 虫垂は虫垂間膜を持ち、外側は漿膜で覆われる。
- ヒトの虫垂は下等動物に比べると小型で、摘出しても格別の不都合が認められないことから、虫垂は痕跡的な器官で、生理的な意味はないと考えられてきた。しかし、最近は腸管の局所的な免疫機能を担う重要なリンパ系器官の1つであると考えられている。
- また、虫垂に多量に存在する腸内細菌はヒトと共生関係にある"有益な"腸内細菌であると考えられている。このような細菌は虫垂をはじめとする大腸の吻側部に豊富に存在し、遠位部には少ない。細菌感染により下痢が起こると、病原性細菌ばかりでなく有益な細菌も排泄されてしまう。しかし、虫垂は径が細く、盲管であるため内部の細菌は下痢で流出することはない。下痢が収まると虫垂に保存されていた有益な細菌が大腸近位部に播種され、正常な腸内細菌叢を回復すると考えられている。

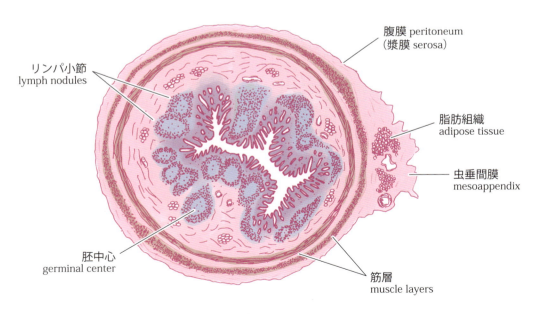

（横断）

Q55 結腸, 直腸

● 結腸や直腸の粘膜は絨毛を欠くが, 陰窩が発達している。

◆ 大腸は盲腸 cecum, 虫垂 vermiform appendix, 結腸 colon, 直腸 rectum からなる。大腸の内壁には小腸のようなヒダや絨毛がない。結腸ヒダ fold of colon (半月ヒダ semilunar fold) と呼ばれるヒダがあるが, 筋層を含めた管壁全体で作るヒダであり, 小腸の輪状ヒダとは異なる。

◆ 粘膜は絨毛を欠くが, 小腸に比べてよく発達した陰窩 crypt を持つ。粘膜上皮は単層円柱上皮であり, 吸収上皮細胞と杯細胞 goblet cell を含む。杯細胞は陰窩の底部に近いほど多い。上皮細胞の表面には刷子縁がみられる。

◆ 吸収上皮細胞の働きは, 水と電解質の吸収である。小腸同様, 吸収上皮細胞の側底膜には Na^+-K^+ ATPase が存在する。大腸の上皮細胞の寿命はおよそ5日で, 陰窩の底部で増殖する。

◆ 粘膜下層および筋層の構造は基本的に小腸と同じである。2層の筋層のうち縦走筋は大腸の周囲に均等に発達するわけではなく, 3ヵ所で帯状に肥厚し, 3本の結腸ヒモ taenia coli を作る。

◆ 外側は, 上行結腸, 下行結腸を除いて全周が漿膜に覆われている。

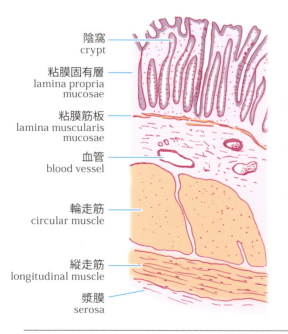

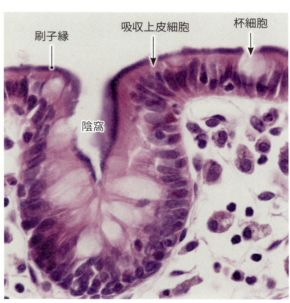

消化管における水の吸収 食餌から2ℓ, 唾液1.5ℓ, 胃液2.5ℓ, 胆汁0.5ℓ, 膵液1.5ℓ, あわせて1日8ℓもの水分が消化管に流入する。この多量の水のほとんどは小腸以下における電解質の吸収に伴う二次的な水の吸収, および水チャネルを介した水の選択的吸収により消化管から回収される。小腸では約6.5ℓの水が, 結腸では浸透圧勾配に逆らって1.3ℓの水が吸収される。

Q56 肛門

- ◉ 直腸・肛門移行部では上皮や筋層の構成が変わる。
- ◉ 内肛門括約筋は平滑筋，外肛門括約筋は骨格筋である。

◆ 消化管の出口近く，直腸に続く骨盤隔膜から肛門 anus までのおよそ4 cm の部分を肛門管 anal canal という。この部位で消化管の上皮である単層円柱上皮から，体表の上皮である重層扁平上皮に上皮の形態が変わる。肛門管には肛門柱 anal column という縦走する粘膜のヒダがあり，ヒダの間の陥凹部を肛門洞 anal sinuses という。肛門柱と肛門洞の下端は波状で，歯状線 dentate line（櫛状線 pectinate line）と呼ばれる。

◆ 肛門から歯状線までは体表外胚葉由来の重層扁平上皮であり，歯状線から上は内胚葉由来（後腸由来）の単層円柱上皮である。歯状線は，胎生期に肛門を閉ざしていた肛門膜の位置に当たる。

◆ 直腸の固有層には腸腺があり，肛門に近づき重層扁平上皮に移行すると固有層に肛門腺 anal gland がみられる。肛門腺は粘液腺で，導管は肛門小窩（肛門洞の下端）に開く。肛門管の粘膜下組織には静脈叢 venous plexus が発達している。歯状線から肛門皮膚境界までは，毛や汗腺などの皮膚の付属器は含まれない。

◆ 直腸から続く輪走筋は肛門管付近で肥厚して内肛門括約筋 internal anal sphincter となる。すなわち内肛門括約筋は平滑筋である。その外側には横紋筋である外肛門括約筋と肛門挙筋がある。内肛門括約筋と外肛門括約筋の境は粘膜に溝があり，ヒルトン白線 Hilton's white line または括約筋間溝と呼ばれる。

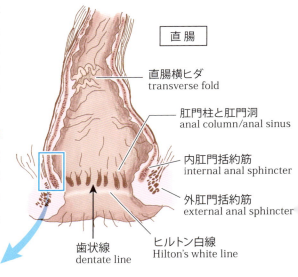

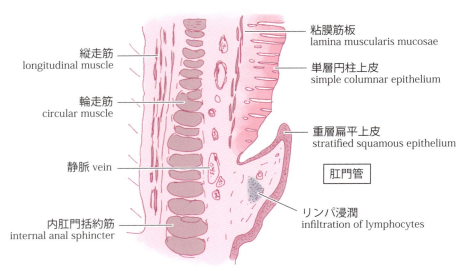

Q57 肝臓の組織構築と門脈血の経路

- ◉ 肝臓の機能単位は肝小葉である。
- ◉ 門脈血は肝小葉の辺縁部から中心静脈へ向かう。
- ◉ 門脈域には小葉間動静脈および小葉間胆管が存在する。

◆ 肝臓 liver は人体最大の腺であり，腹腔の右上に位置し，左葉，右葉，尾状葉，方形葉の4葉からなる。表面は，横隔膜に接する部分と肝門を除き，漿膜に覆われている。漿膜の下は薄い緻密な結合組織が存在する。肝門から血管（門脈と固有肝動脈），肝管，リンパ管，神経が出入りする。

◆ 門脈は胃から直腸上部までの消化管，脾臓，膵臓などからの静脈血を肝臓に運ぶ血管で，肝臓は門脈血との間で物質交換を行う。すなわち門脈は肝臓の機能血管である。固有肝動脈は腹大動脈から分かれる腹腔動脈の枝で，酸素分圧の高い動脈血を肝臓に供給する栄養血管である。

1）肝小葉（古典的肝小葉）

◆ 肝臓の組織学的・機能的構成単位は**肝小葉** hepatic lobule である。肝小葉は肝実質細胞の集団で，その断面はヒトでは径1〜2mmの不規則な多角形に見える。肝小葉の周囲は薄い結合組織で囲まれている。

◆ 3つ以上の肝小葉の出会う部位ではやや広い結合組織があり，この中に**小葉間動脈** interlobular artery（肝動脈枝），**小葉間静脈** interlobular vein（肝門脈枝），**小葉間胆管** interlobular bile duct が存在する。この部位を特に**門脈域** portal area あるいは**小葉間結合組織** interlobular connective tissue，**グリソン鞘** Glisson's sheath と呼ぶ。

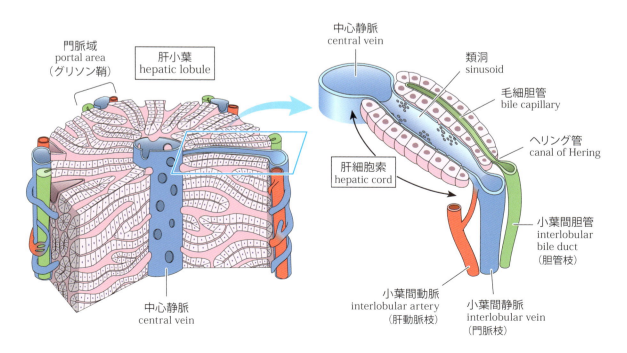

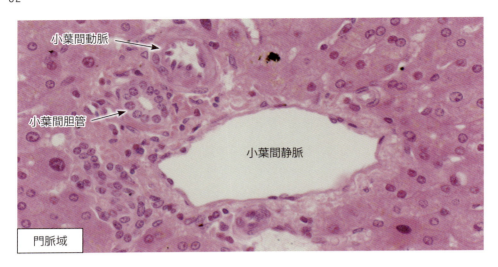

門脈域

通常，小葉間動・静脈および小葉間胆管は一緒に走っているので，どの門脈域においてもこの3者がみられるはずである。これを三つ組 portal triad または interlobular triad という。

2）門脈血の経路
◆ 肝小葉の中心には中心静脈 central vein があり，ここから放射状に配列している肝細胞の縦のつながりを肝細胞索 hepatic cord という。肝細胞索にはさまれるように毛細血管が走り，これを類洞 sinusoid または洞様毛細血管 sinusoidal capillary と呼ぶ。
◆ 門脈および肝動脈の枝はそれぞれ小葉間静脈，小葉間動脈となり類洞に入る。血液は中心静脈に向かって流れる間に肝細胞と物質交換を行う。類洞の血流はきわめてゆっくりしており，肝細胞と血液間の物質交換に適している。類洞は毛細血管であるから，その壁は内皮細胞である。この内皮細胞は有窓性で，しかも外側の基底膜は不連続である。すなわち物質の移動に適した構造となっている。☞Q97

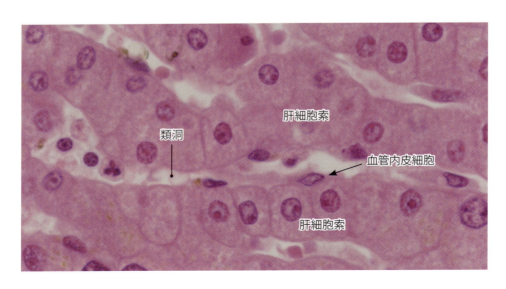

- 内皮細胞と肝細胞との間の狭い空間を**ディッセ腔** space of Disse といい，結合組織成分に乏しい。伊東細胞（☞ Q59）はこの空間に存在する。

3）肝臓の機能単位
- 上記の古典的肝小葉以外に，下図のような機能単位のモデルが考えられている。
① **門脈小葉** portal lobule は，門脈域を中心として中心静脈を頂点とする三角形の構造で，胆汁分泌を中心に考えた構造である。
② **肝腺房** liver acinus は，中心静脈からの距離によって肝細胞の代謝活性が次第に変化することを説明しやすい概念である。この場合，小葉は隣接する2つの中心静脈と2つの門脈域を結んだ領域である。門脈域に近いゾーン1は，門脈血を処理する最初のゾーンである。酸素と栄養に富む血液と接する一方，門脈血に含まれる有害物質や薬剤に最初にさらされる。中心静脈に近いゾーン3は，ゾーン1と2で処理を受けた血液と接する。このような違いは，肝細胞の機能の多様性を生むと同時に，病気による肝細胞の障害が領域特異的に起こることと関係している。

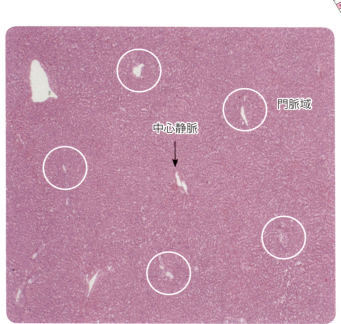

> **肝細胞の多様性** 肝細胞は形態的・機能的に均一ではなく，多様性がある。たとえば糖新生に関与するある種の酵素活性は，肝小葉の周辺部の肝細胞で高く，中心部（中心静脈の近傍）で低い。逆に解糖系のピルビン酸キナーゼ活性は中心部で高い。このような酵素活性の不均一な分布は，ステロイド代謝に関与する酵素についても認められる。

Q58 肝細胞の特徴

- ●肝細胞は血漿タンパクの合成，糖や脂質の貯蔵，解毒などさまざまな代謝機能を行い，それら多彩な機能に対応する細胞内小器官がよく発達している。
- ●肝細胞は胆汁を分泌するという意味では外分泌腺細胞でもある。

1) 肝細胞の形態的特徴

- ◆核はおおむね球形で，細胞の中心に位置している。二核細胞もしばしば観察される。
- ◆肝細胞は細胞内小器官が発達している。滑面小胞体には薬物代謝酵素やアルコールデヒドロゲナーゼが存在し，これらの代謝（解毒）が行われる。アルコールやフェノバルビタールなどの薬物の多量摂取は代謝酵素活性を高めるが，このとき小胞体の形成も促進され，肝細胞内に多数の滑面小胞体が出現する。薬物代謝はペルオキシソーム peroxisome でも行われる。ある種の薬物はペルオキシソームの数を増加させる。
- ◆肝細胞ではアルブミン，各種グロブリン，フィブリノゲンなどの血漿タンパク質の合成が行われる。これらのタンパク質は，類洞に近い細胞質に位置するゴルジ装置を経由して，血中に分泌される。また細胞質中にグリコーゲン顆粒 glycogen granule が貯蔵されているため，肝細胞は PAS 陽性である。グリコーゲンの蓄積量は食事や栄養状態によって大きく変化する。

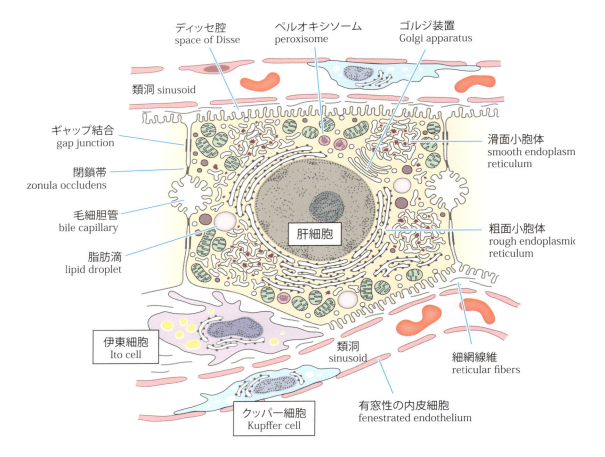

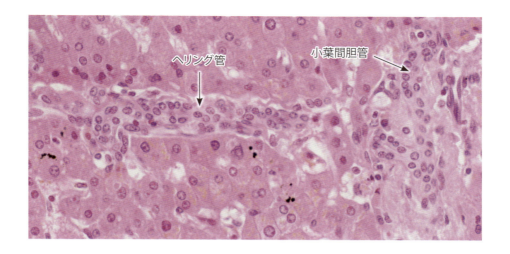

2）胆汁の分泌と輸送
- 肝臓の重要な機能の1つとして<u>胆汁</u> bile の分泌がある。胆汁は最終的には十二指腸に排出されるので，胆汁分泌は肝細胞の持つ外分泌機能といえる。胆汁の主成分である<u>胆汁酸</u> bile acid は滑面小胞体で合成される。
- <u>毛細胆管</u> bile capillary は，隣り合う2つの肝細胞が類洞に面していない側面の2ヵ所で結合装置（閉鎖堤）で結ばれる結果できた管状の構造である。毛細胆管に分泌された胆汁は，肝小葉の周辺部に向かって（類洞の血流とは逆方向に）流れ，辺縁部で明調の立方上皮からなる<u>ヘリング管</u> canal of Hering という小管に入り，小葉を出て<u>小葉間胆管</u> interlobular bile duct に注ぎ，<u>肝管</u> hepatic duct となって肝臓を出る。

Q59 クッパー細胞，伊東細胞（星細胞）

- ● クッパー細胞は類洞内にあり，食作用を持つ。
- ● 伊東細胞はディッセ腔にあり，細胞質に脂肪を貯留する。

1) **クッパー細胞** Kupffer cell
- 類洞内に常在するマクロファージで，食作用を持つ。肝細胞100個に対してクッパー細胞は15～16個存在するという。通常の光顕標本でも確認可能であるが，その食作用を利用して色素や墨汁を取り込ませた動物の肝臓では容易に識別できる。
- 門脈血中に存在する有害物質（腸管から吸収されたエンドトキシンなど）や細菌，老化した赤血球の処理を行う。

肝臓の幹細胞 肝臓は他の器官と異なり，実質細胞が分裂能力を備えている。しかし，薬剤により肝障害を起こした場合などではヘリング管の細胞が分裂して肝細胞や小葉間胆管上皮に分化する。肝臓は胆汁を分泌する外分泌腺であり，ヘリング管は介在部に相当する構造である。唾液腺の介在部，膵臓の腺房中心細胞なども実質細胞を供給する幹細胞であると考えられている。

2）伊東細胞 Ito cell（星細胞 hepatic stellate cell）

- 従来，fat storing cell，lipocyte，perisinusoidal cell などの名称で呼ばれていた細胞。伊東俊夫がこの細胞に脂肪が蓄積されることを報告したのでこの名があるが，星細胞という名称が使われることも多い。
- クッパー細胞とは異なりディッセ腔に存在し，食作用も示さない。細胞質に散在する脂肪滴中にはビタミンAが貯留されている。コラーゲン産生能を有する細胞で，肝実質細胞の変性壊死に伴う線維化に関与する可能性が指摘されている。

3）ピット細胞 pit cell

- 類洞内に存在する顆粒を持った大型のリンパ球で，肝臓に常在するナチュラルキラー細胞 natural killer cell である。腫瘍細胞を攻撃するなど，免疫監視機能があるとされている。

Q60 胆嚢

- ◉ 胆嚢上皮は単層円柱上皮で，水分の吸収を行う。
- ◉ 粘膜が筋層にまで深く陥入することがある。

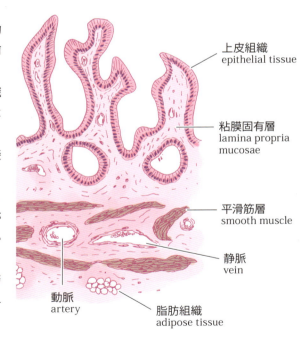

- 胆嚢 gallbladder は，肝臓の下面に付着する容量約 50 mL の中空性器官である。肝臓や膵臓とともに前腸に由来する。
- ヒダを持つ粘膜上皮，粘膜固有層，筋層，結合組織および漿膜からなる。粘膜筋板はない。胆嚢上皮は背の高い単層円柱上皮であり，刷子縁を有するが，微絨毛の発達はあまりよくない。細胞は互いに接着装置で結合されており，細胞間のかみ合いもみられる。小腸上皮と同様，細胞の頂部と基底部にはミトコンドリアが多く，側底膜には Na^+-K^+ ATPase が存在する。粘膜固有層には有窓性の毛細血管が多いが，小腸と異なりリンパ管は分布しない。
- 胆嚢上皮は水分を吸収して胆汁の濃縮を行う。筋層は副交感神経刺激やコレシストキニン cholecystokinin により収縮し，胆汁を十二指腸へ排出する。

ロキタンスキー・アショフ洞とルシュカ管　胆嚢粘膜のヒダはところどころで深い陥入を作り，筋層に達することがある。ロキタンスキー・アショフ洞と呼び，粘膜の過形成の結果であると考えられている。また，肝臓に近接した胆嚢壁の結合組織中には単層立方上皮を持つ管がみられることがある。ルシュカ管と呼ばれ，胎生期に陥入してきた胆管の遺残といわれる。ルシュカ管は胆嚢内腔との連絡はなく，肝臓の胆管と直接交通している。このため手術時に損傷すると，胆汁の漏出をきたす。

Q61 膵臓の外分泌部

- 膵外分泌部の腺房細胞はエオジン好性の分泌顆粒を持つ。
- 腺房中心細胞の存在は他の外分泌腺との鑑別点となる。

◆ 膵臓 pancreas は後腹壁の腹膜の後ろにある細長い器官で，C字型をした十二指腸に囲まれた部分を頭部，反対側の脾臓に近い部分を尾部，中間部を体部という。膵臓の実質は，消化酵素を含む膵液を十二指腸に分泌する**外分泌部** exocrine pancreas と，インスリンなどのホルモンを血中に分泌する**内分泌部** endocrine pancreas（**ランゲルハンス島**）からなる。内分泌部は膵臓全体の1～2％を占めるにすぎず，尾部を中心に散在する。☞ Q94

◆ 外分泌部は，導管を伴う薄い疎性結合組織によって多くの小葉に分けられている。各小葉はさらに多くの腺房からなる。

1) 腺房細胞 acinar cell

◆ 基底側の広い錐体形で，細胞質は好塩基性を示す。細胞には明確な極性がある。核は円形で基底部に位置し，その周辺の細胞質は好塩基性であるが，**腺腔に面した頂部には分泌顆粒が貯蔵されているため好酸性を示す**。電子顕微鏡で観察すると，よく発達した粗面小胞体やゴルジ装置が細胞の中心から基底部にかけてみられる。**分泌顆粒** secretory granule はゴルジ装置で生成され細胞の頂部へ運ばれるが，この間にさまざまな成熟段階の顆粒が認められる。

◆ 腺房細胞はアミラーゼ，トリプシン，キモトリプシン，リパーゼ，ヌクレアーゼなどの**消化酵素** digestive enzyme を産生する。それらは別々の細胞で産生されるのでは

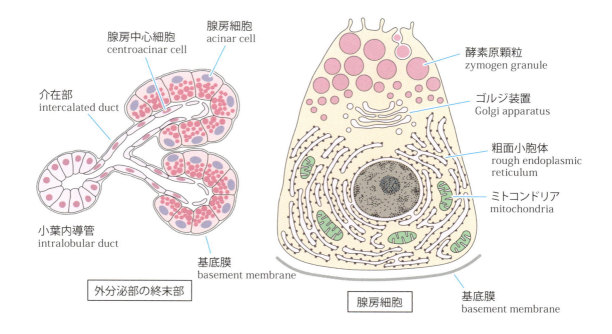

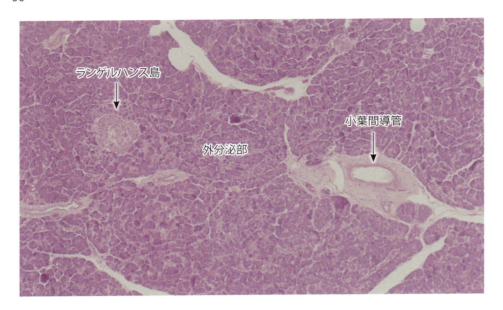

なく，単一の腺房細胞が複数の酵素（実際にはその前駆体）を産生する。分泌顆粒は多種類の酵素を含むため酵素原顆粒 zymogen granule とも呼ばれる。

◆ 膵臓の消化酵素は不活性な前駆体として分泌される。膵液中のトリプシノーゲン（トリプシンの前駆体）は，小腸上皮の微絨毛膜にあるエンテロキナーゼという酵素の働きで活性型のトリプシンに変換される。トリプシンはさらに他の酵素前駆体を加水分解し，活性型に変える。

2) 導管系

◆ 終末部にみられる腺房中心細胞 centroacinar cell は，形態的には腺房に続く介在部の細胞と類似しており明調の細胞質を持つ。このため好塩基性で暗調の腺房細胞とは容易に区別できる。この細胞は介在部の上皮が腺房内に陥入したものと考えられ，分泌機能はない。

◆ 分泌液は終末から介在部 intercalated duct，小葉内導管 intralobular duct，小葉間導管 interlobular duct を経て主膵管 main pancreatic duct に注ぐ。線条部は存在しない。導管系の上皮は明調の立方上皮細胞からなり，多量の重炭酸塩を含むアルカリ性の液体を分泌する。これは十二指腸腺の分泌物とともに，胃から送り込まれた強酸性の食塊を中和し，膵液中の消化酵素が十分に活性を発揮できるpH環境を作り出す。

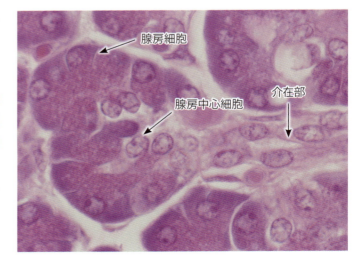

- 主膵管は総胆管と合流し，大十二指腸乳頭に開口する。ここには**オッディ括約筋** Oddi's sphincter があり，膵液の十二指腸への流出を調節するとともに，十二指腸の内容物が膵管に逆流するのを防いでいる。副膵管は主膵管の開口部よりも上部に開口する。

3) 消化液の分泌調節

- 胃や小腸の上皮には，**消化管ホルモン** gastrointestinal hormone と呼ばれる一群のペプチドホルモンあるいはアミンを分泌する内分泌細胞が散在する。以前，**基底顆粒細胞** basal-granulated cell あるいは**腸クロム親和性細胞** enterochromaffin cell と呼ばれていた細胞に相当する。細胞の基底部に分泌顆粒を含み，消化管への食物の移送，pH の変化などの刺激に反応してホルモンを基底側に放出する。ホルモンは固有層の毛細血管に入り，血行性に標的器官に至る。
- 胃粘膜から分泌される**ガストリン** gastrin は胃酸分泌を刺激し，十二指腸から分泌される**セクレチン** secretin は胃酸分泌を抑制すると同時に，膵臓の導管の上皮に作用して，酵素含量が低く重炭酸塩に富む膵液の大量分泌を起こす。さらには重炭酸塩に富み，胆汁酸濃度の薄い胆汁の分泌を刺激する。
- **コレシストキニン** cholecystokinin（別に発見されたパンクレオザイミンと同一物質）は小腸への脂肪の移送に反応して分泌され，セクレチンと同様に胃酸分泌を抑制，膵臓の腺房細胞からの消化酵素分泌を刺激，さらに胆嚢を収縮させ蓄えられた胆汁を放出させる。**GIP**（gastric inhibitory peptide）は膵臓からのインスリン分泌を刺激し，モチリンは胃や小腸の運動を亢進させる。消化管ホルモンの多くは神経細胞でも合成され，伝達物質として使われている。
- 膵液分泌は副交感神経刺激により促進される。交感神経線維は膵臓の血流調節に関与する。

4 各論 呼吸器

Q62 鼻粘膜の呼吸部と嗅部

- 呼吸部は多列線毛上皮からなる。
- 嗅部は多列上皮であるが，杯細胞を欠き，線毛も少ない。

◆ 鼻腔は鼻中隔により左右に隔てられ，さらに鼻甲介(びこう)が突出して構造を複雑にしている。吸気はここを通過する間に，一定の湿度と温度に整えられる。また吸気中の異物は鼻粘膜にとらえられ，清浄な空気を肺に供給する。

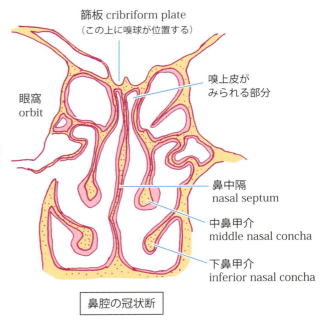

鼻腔の冠状断

1）呼吸部
◆ 粘膜上皮は杯細胞(さかずき)を含む多列線毛上皮であり，線毛 cilia の運動は後鼻孔に向かう。粘膜固有層には鼻腺 nasal gland がある。鼻腺は混合腺であり，その分泌物により鼻腔は常に湿潤している。
◆ 鼻中隔軟骨の前下部は鼻腔の粘膜が表皮に移行する部分であり，キーゼルバッハ部位 Kiesselbach's area と呼ばれる。ここは粘膜固有層に静脈叢がよく発達しており，鼻出血を起こしやすい。

2）嗅部
◆ 鼻腔上部の限られた部位に存在する。粘膜上皮は多列上皮であり，嗅上皮 olfactory epithelium という。神経細胞である嗅細胞のほか，支持細胞，基底細胞の3種の上皮細胞で構成される。光学顕微鏡でこれらの細胞を区別することは困難であるが，通常，基底細胞の核は底部にあり，支持細胞の核は最上層に位置する。呼吸部と異なり，杯細胞はない。
◆ 嗅細胞 olfactory cell は双極性の神経細胞で，細胞の表面には樹状突起に相当する突起がある。その先端には小さなふくらみがあり，嗅小胞 olfactory vesicle という。嗅小胞から運動性のない線毛（嗅線毛 olfactory cilia）が10本ほど出ており，ここに臭いの受容体があると考えられている。
◆ 嗅細胞の軸索は基底膜を通過し，有髄線維となって嗅神経 olfactory nerve を作る。これは嗅部の直上にある篩板(しばん)を通過し，嗅球 olfactory bulb に至る。嗅球からの線維

は**嗅索** olfactory tract となり，嗅皮質のほか扁桃体などに投射する。

◆ **支持細胞** supporting cell は嗅上皮の中で最も多い細胞で，表面に微絨毛が発達し，細胞質にはミトコンドリアや滑面小胞体が多いという特徴がある。中枢神経系のグリア細胞に当たる働きをすると考えられている。

◆ **基底細胞** basal cell は嗅細胞と支持細胞を供給する幹細胞を含んでいる。基底細胞は成人でも分裂し，嗅上皮に細胞を供給し続ける。オートラジオグラフィーによる研究によると，実験動物の嗅細胞の寿命はおよそ1ヵ月である。一般に神経細胞は生後再生することはないとされているが，例外がいくつか見つかっている。嗅細胞が細胞分裂により再生することは，半世紀以上前に確認されている。

◆ 嗅部の固有層には**嗅腺** olfactory gland（**ボウマン腺** Bowman's gland）という漿液性の分岐管状胞状腺がある。その分泌物は嗅上皮を覆い，その中に臭い物質が溶け，嗅線毛に捕捉される。嗅腺と嗅上皮の支持細胞にはリポフスチン顆粒が多く，そのため嗅部は肉眼的に黄色あるいは褐色に見える。

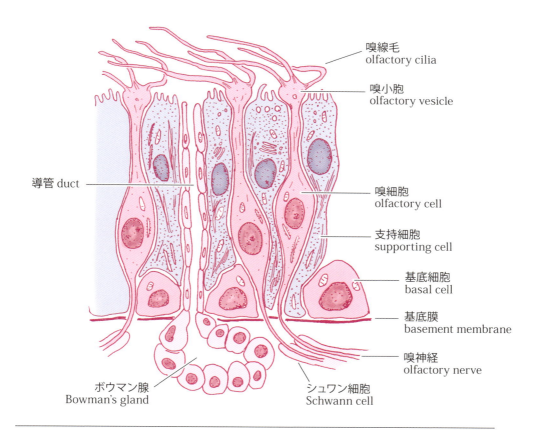

気道の扁平上皮化生　鼻粘膜や気管の粘膜上皮は本来多列線毛上皮であるが，慢性気管支炎やその他の理由で特に鼻甲介や声帯の上皮が重層扁平上皮に変わることがある。これは局所的な気流の変化によるらしい。喫煙者においても同様な変化が起こる。喫煙により線毛上皮の線毛運動が同調性を失い，粘液の排出が困難になる。すると粘液を排出しようと咳をするようになり，これがさらに線毛上皮を傷害し扁平上皮化させる。このような現象は「化生」であり，線毛上皮が扁平上皮に変化するのではなく，新たに扁平上皮が作られることによる。

Q63 喉頭

- ◉ 喉頭蓋軟骨のみ弾性軟骨からなり，他は硝子軟骨。
- ◉ 重層扁平上皮と多列線毛上皮が混在する。

◆ 咽頭の下端は前方の喉頭と後方の食道に接続する。気管の入り口に位置する**喉頭** larynx は，多数の軟骨で形づくられる管状の器官である。甲状軟骨，輪状軟骨などほとんどの軟骨は硝子軟骨であるが，喉頭蓋軟骨は弾性線維を多く含む弾性軟骨である。喉頭の軟骨は加齢に伴い石灰化が起こるが，喉頭蓋軟骨は例外である。

◆ 喉頭の粘膜上皮は重層扁平上皮と多列線毛上皮が混在する。喉頭の粘膜には**喉頭腺** laryngeal gland という混合腺がある。

◆ 喉頭の上端の前壁から，**喉頭蓋** epiglottis という扁平な構造が突出している。これは食物を飲み込むときに反射的に喉頭の入り口を塞ぎ，食物が気管に入るのを防いでいる。喉頭蓋の上皮は，上方（咽頭面）は重層扁平上皮，下方（喉頭面）は多列線毛上皮である。喉頭蓋軟骨の下に**喉頭蓋腺** epiglottic gland という混合腺がある。

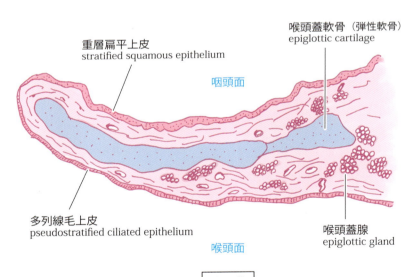

喉頭蓋

Q64 声帯

- 喉頭蓋に続いて室ヒダ，その下方に声帯ヒダがある。
- 室ヒダには喉頭腺，声帯ヒダには声帯筋と声帯靱帯がある。

◆ **声帯** vocal cord は喉頭腔の中央にある発声器で，前後に走る2条のヒダからなる。上方が**室ヒダ** ventricular fold または**前庭ヒダ** vestibular fold，下方が**声帯ヒダ** vocal fold であり，左右の声帯ヒダの間が**声門裂** rima glottidis である。ここを呼気が通り抜けることで音声を発する。

◆ 上皮は重層扁平上皮と多列線毛上皮が混在する。室ヒダには**喉頭腺** laryngeal gland （混合腺）があり粘液を分泌する。声帯ヒダの中には甲状軟骨と披裂軟骨の間に張る**声帯筋** vocal muscle（骨格筋）があり，ヒダの最も内側に**声帯靱帯** vocal ligament と呼ばれる弾性線維束が前後に走る。声帯筋をはじめとする喉頭の筋が，声門裂の間隔や声帯靱帯の緊張度を変えることにより音声を調節している。

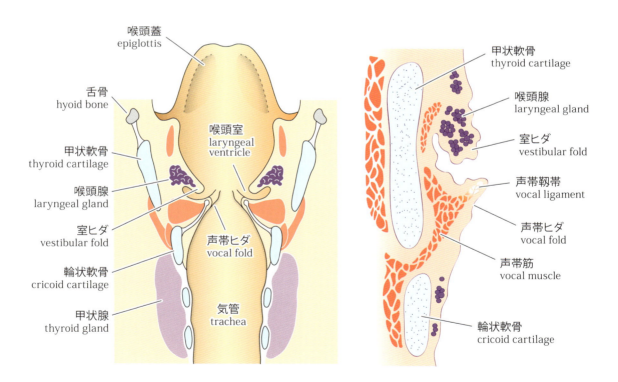

Q65 気管

- 気管軟骨は硝子軟骨である。
- 粘膜は多列線毛上皮で覆われ，固有層には気管腺が存在する。
- 気管軟骨はC字型で，食道に面した部位は軟骨を欠き平滑筋が発達している。

◆ 気管 trachea は喉頭から気管支までのおよそ10 cmの中空性器官である。

◆ 気管の上皮は多列線毛上皮で，杯細胞を含む。線毛細胞 ciliated cell は，気道粘液に咽頭に向かう流れをつくり，異物とともに痰を排出する。基底側にある基底細胞は小型，三角形の細胞で，線毛細胞に分化しうる未分化細胞と考えられている。固有層には弾性線維が多く含まれる。ここに存在する気管腺 tracheal gland は混合腺である。

◆ 気管軟骨 tracheal cartilage は硝子軟骨で，気管の全長にわたって節状に存在する。上下の気管軟骨の間には輪状靱帯 annular ligament が張る。気管軟骨は気管を円周状に取り囲むのではなく，C字型である。気管の背側は軟骨を欠き，かわりに平滑筋層が発達している。ここを膜性部 membrane portion と呼ぶ。外膜は疎性結合組織からなる。

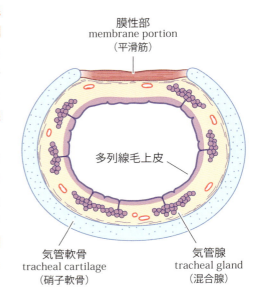

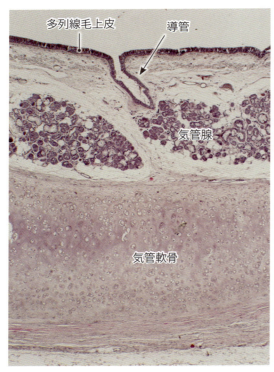

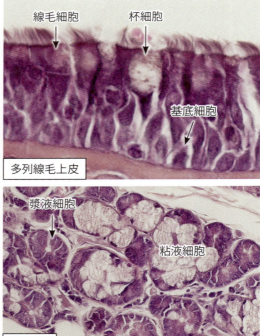

Q66 気管支から肺胞まで

- ◉ 気管の基本構造は直径1mmほどの細い気管支まで保たれる。
- ◉ 細気管支から先は上皮組織の構成が変化してゆくことに注意。

◆ 気管は左右に二分し**気管支** bronchus となる。気管支は肺門から肺に入り，分岐して次第に細い気管支となる。径の大小にかかわらず，肺内気管支の組織構築は気管と似ている。上皮は多列線毛上皮であり，固有層には粘液腺あるいは混合腺がみられる。

◆ 肺内気管支が気管と異なる点は，①C字型の軟骨が次第に分断され不整形となって気管支を取り巻く，②上皮がヒダをつくる，③平滑筋が管壁を取り巻くように上皮と軟骨の間にみられるようになる，などである。

◆ 気管支は必ず二分しながら枝を増してゆくが，分岐が何回起こるかについては報告によって異なる。ある報告では十数回の分岐後，直径1mmほどになるという。直径1mm以下になると，軟骨や腺がみられなくなる。上皮も多列線毛上皮の形態をとらなくなり，杯細胞と単層の線毛円柱上皮からなる。このような部分を**細気管支** bronchiole と呼ぶ。細気管支の上皮下には平滑筋層がみられる。

◆ 細気管支は直径0.2mm前後の5～6本の**終末細気管支** terminal bronchiole に分かれ，さらに数本の**呼吸細気管支** respiratory bronchiole となる。終末細気管支の上皮は，背の低い単層の線毛細胞と，線毛を持たない大型の**クララ細胞** Clara cell からなる。クララ細胞は電子顕微鏡で高電子密度の分泌顆粒が見られ，**サーファクタント**（表面活性物質）を分泌する。

◆ 呼吸細気管支では線毛を持たない立方上皮となり，ところどころに**肺胞** alveolus が開口する。呼吸細気管支は多数の肺胞からなる**肺胞管** alveolar duct に続く。肺胞管の先は，肺胞が開口する**肺胞嚢** alveolar sac と呼ばれる袋状の空間で終わる。

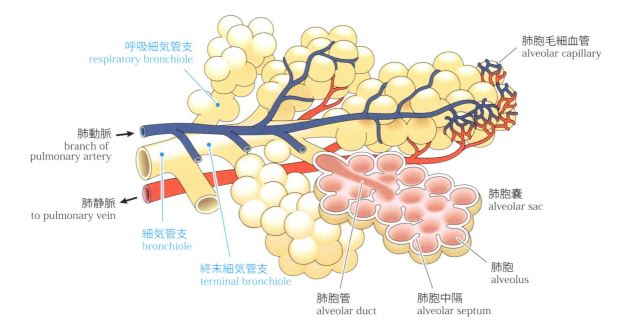

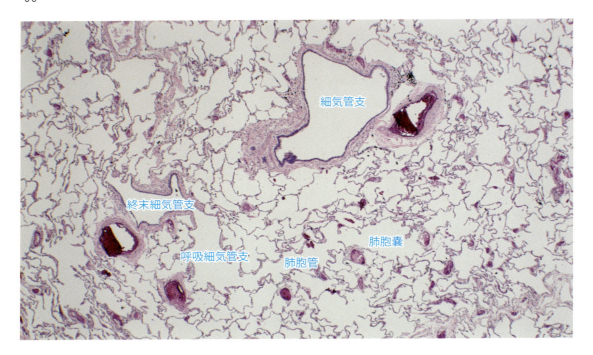

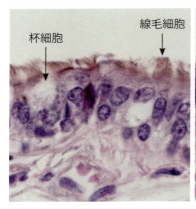

細気管支
bronchiole

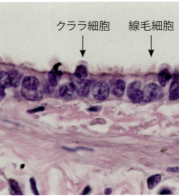

終末細気管支
terminal bronchiole

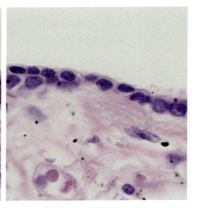

呼吸細気管支
respiratory bronchiole

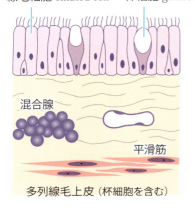

多列線毛上皮（杯細胞を含む）

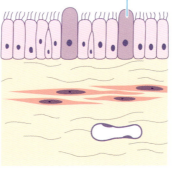

線毛細胞とクララ細胞

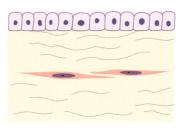

単層立方上皮（線毛を欠く）

Q67 肺胞壁の構造

- 肺胞内の空気と毛細血管との間に存在する構造は，扁平肺胞上皮（Ⅰ型）と基底膜および内皮細胞である。
- Ⅱ型肺胞上皮は表面活性物質を分泌する。

◆ 肺胞壁は2種類の**肺胞上皮細胞** alveolar epithelial cell と毛細血管，少量の結合組織（弾性線維を含む）からなる。

①**Ⅰ型肺胞上皮細胞**

小型の核と非常に薄く伸展した細胞質を持つ。細胞質の厚さは 0.2〜0.5 μm といわれ，この部分でガス交換が行われる。電子顕微鏡で観察しても細胞内小器官の発達が悪い。肺胞は1つの呼吸細気管支に連絡するだけではなく，肺胞どうしが**肺胞孔** alveolar pore（コーン孔 Kohn pore）という小孔で互いに連絡している。したがって，細気管支などに閉塞が起きても肺胞は別のルートを使って呼吸を行うことができる。

②**Ⅱ型肺胞上皮細胞**

大型で明調の細胞である。扁平肺胞上皮細胞のように細胞質を伸ばすことはなく，ガス交換には直接関与しない。この細胞は**サーファクタント** surfactant（表面活性物質）を分泌し，これによって肺胞は表面張力による収縮をまぬがれている。電顕的には多くの**層板小体** lamellar body を持つことが特徴である。

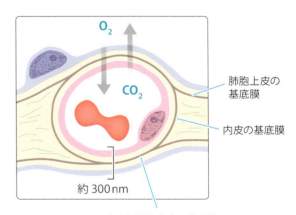

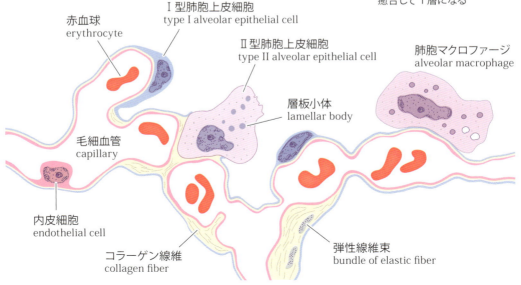

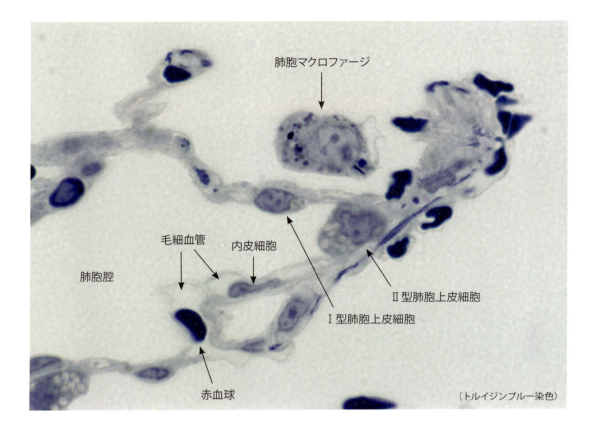

（トルイジンブルー染色）

- 上皮細胞の下には基底膜があるが，これは血管内皮細胞の基底膜と融合して1層の基底膜となっている．したがって，血液は内皮細胞の壁，基底膜および薄い扁平肺胞上皮細胞を介して外気とガス交換することになる．この3層からなる障壁を血液-空気関門 blood-air barrier と呼ぶ．その厚さは約 0.3 μm で，酸素や二酸化炭素は自由に透過する．
- このほか，肺胞壁内の結合組織あるいは肺胞壁に付着するように肺胞マクロファージ alveolar macrophage が存在する．この細胞は貪食作用を持ち，外気中のほこりや異物の処理を行う．

肺胞表面活性物質　Ⅱ型肺胞上皮細胞が分泌する表面活性物質の主なものは dipalmitoylphosphatidylcholine であり，不足すると呼吸ができなくなる．胎生35週以降に産生が開始されるので，未熟児では人工的に表面活性物質を補う必要がある．この物質の産生はコルチゾール，インスリン，プロラクチン，甲状腺ホルモンなどにより調節される．特にコルチゾールの働きは重要で，腎臓や小腸の機能的成熟とともに，胎児が子宮外生活に適応するための重要なステップである．

5 各論 泌尿器

Q68 腎臓の構成

- ●皮質と髄質は肉眼でも区別できる。
- ●腎小葉は腎臓の肉眼的な構造単位である。

◆ 腎臓 kidney は長さ約 10 cm，幅約 6 cm，厚さ約 4 cm のソラマメ形の器官で，左右に 1 対存在する。左腎は第 11 胸椎から第 2 腰椎に位置し，右腎は肝右葉が存在するためにやや下方にある。

◆ 内側の中心部に腎動・静脈が出入りする**腎門** hilus があり，ここから尿の排泄管である**尿管** ureter が出て，膀胱に至る。尿管は腎門付近で拡大し，漏斗状の**腎盤** renal pelvis に移行，次いで 2 〜 3 の**大腎杯** major calyx，多数の**小腎杯** minor calyx へとさかのぼることができる。

◆ 腎臓の冠状断を見ると，被膜直下の暗調に見える**皮質** cortex と，その内側のやや明調の**髄質** medulla が区別できる。皮質には，**腎小体** renal corpuscle がみられる。皮質の一部は細く髄質内へ入り込む突出を作り，**腎柱** renal column と呼ばれる。腎柱

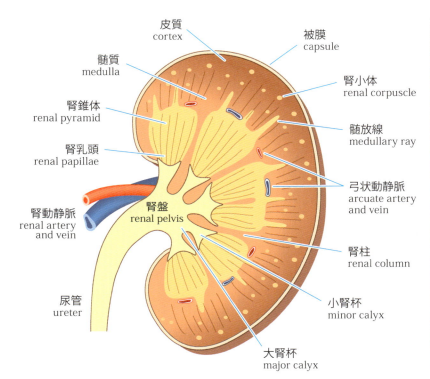
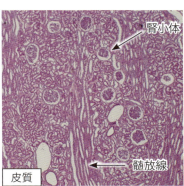
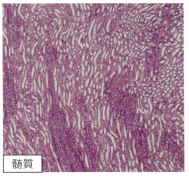

により区分される髄質の各部を**腎錐体** renal pyramid といい，その底部（**腎乳頭** renal papillae）は 1 個の小腎杯に集束する。

◆ 弱拡大の顕微鏡で観察すると，腎錐体の放射状に配列する細管が一部細い束となって皮質中に突出しているのが観察できる。これは**髄放線** medullary ray と呼ばれる**髄質の一部である**。腎錐体とその近傍の皮質をあわせて**腎小葉** renal lobule という。

◆ 腎臓の主な機能は，尿の生成，電解質バランス，血漿 pH の調節である。そのほか，造血系を促進するエリスロポエチンの分泌，アンギオテンシンを生成するレニンの分泌，ビタミン D_3 の活性化などの働きがある。

Q69 腎臓の血流

● 腎動脈は葉間動脈，弓状動脈，小葉間動脈へと分岐する。
● 弓状動脈は皮質と髄質の境界を横走する。

◆ 腎動脈は腎門に入ると前後 2 本に分岐し，腎門部の脂肪組織中を通過するうちにさらに多数の分岐を生じる。これらは髄質中を放射状に上行し（**葉間動脈** interlober artery），皮質との境界で被膜に平行に走る**弓状動脈** arcuate artery となる。弓状動脈からの枝は再び皮質を上行し（**小葉間動脈** interlobular artery），多数の**輸入細動脈** afferent arteriole を生ずる。**輸入細動脈は腎小体に入り，糸球体を形成する。**

◆ 糸球体の毛細血管は合流して 1 本の**輸出細動脈** efferent arteriole となり，腎小体を出る。輸出細動脈は，①再び毛細血管に分かれ皮質に分布する**毛細血管網** capillary plexus と，②髄質で尿細管に平行に走るループ状の**直細動静脈** vasa recta となる。前者は小葉間静脈に，後者は直接弓状静脈に注ぐ。弓状静脈は髄質に入り，葉間静脈を経て腎静脈となる。

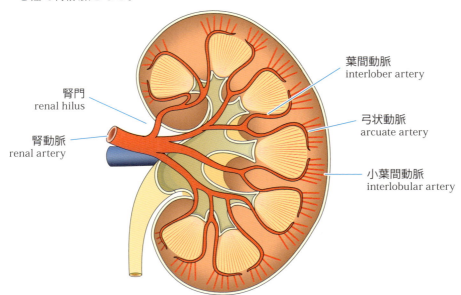

腎門 renal hilus
腎動脈 renal artery
葉間動脈 interlober artery
弓状動脈 arcuate artery
小葉間動脈 interlobular artery

Q70 腎小体の構造

- 糸球体を構成する細胞は内皮細胞, 足細胞, メサンギウム細胞である。
- 糸球体における選択的濾過を可能にする微細構造を理解する。

◆ **腎小体** renal corpuscle は, **糸球体** glomerulus と**ボウマン囊** Bowman's capsule からなる。腎小体に分布する1本の輸入細動脈はボウマン囊内で複雑に分岐し, 多数の毛細血管からなる塊を作る。これが糸球体である。その遠位端は1本の輸出細動脈となり腎小体から出てゆく。

1) 糸球体

◆ **糸球体を構成する毛細血管は有窓性**であり, その外側には厚い基底膜を伴っている。毛細血管の間にはメサンギウム細胞という一種の血管周囲細胞があり, 膠原線維を分泌して毛細血管どうしを固定する疎性結合組織を作る。基底膜の外側は足細胞の突起によって, すき間なく覆われている。このように, 糸球体は毛細血管, メサンギウム細胞, 足細胞で構成される。

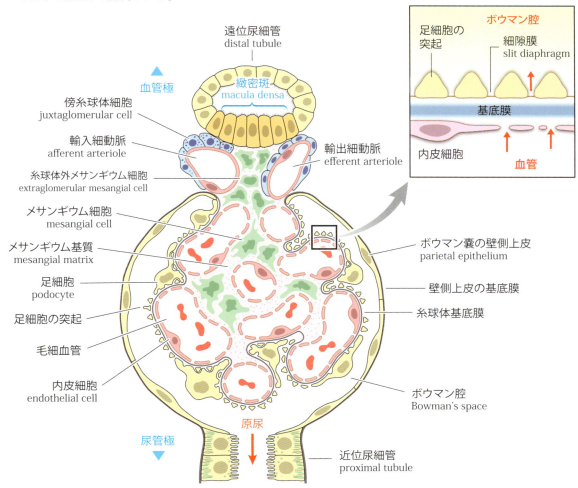

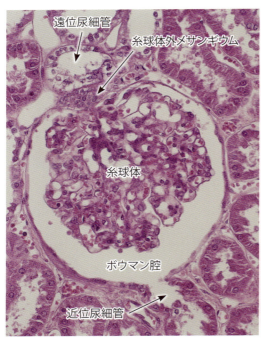
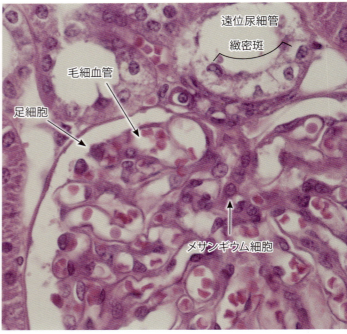

① 毛細血管
- 糸球体毛細血管は，直径70〜90 nmという大きな窓を多数備えた内皮細胞で作られる。他の組織の有窓性の内皮にみられる横隔もなく，物質の透過に適した構造となっている。しかし，血球がここを通過することはない。

② 糸球体基底膜 glomerular basement membrane
- 足細胞の基底膜と内皮細胞の基底膜が合わさったものである。電子顕微鏡では，内皮に接する内透明層と緻密層，および足細胞に接する外透明層が区別できる。内透明層はヘパラン硫酸などのプロテオグリカンを多く含み，荷電の強い血漿分子の透過に対する障壁となっている。緻密層は他の基底膜と同様Ⅳ型コラーゲンを主体とする。
- 基底膜は，分子量約6万以上または3.6 nm以上の分子を透過させない。したがって，血中のアルブミン（分子量約67000）は，原尿中にはほとんど含まれない。

③ メサンギウム細胞 measangial cell
- 線維芽細胞のように膠原線維を分泌して間質（メサンギウム基質 mesangial matrix）を作る。この領域はH-E染色でははっきりしないが，アザン染色では青に染まる。
- メサンギウム細胞は細胞質中に収縮タンパクを持ち，糸球体濾過率の調節に関与している。アンギオテンシンⅡはメサンギウム細胞を収縮させ，心房性ナトリウム利尿ペプチドは弛緩させる。メサンギウム細胞の増殖やメサンギウム基質の増加は，糸球体機能障害の指標となる。

④ 足細胞 podocyte
- ボウマン嚢の2層の上皮のうち，臓側の上皮細胞である。足細胞は多数の一次細胞質突起およびこれからさらに分岐する無数の二次突起を出し，これによって実際はすべての毛細血管を覆っていると考えられる。

- 足細胞の突起の細胞膜には陰性荷電の強い糖タンパクが備わっており，原尿の選択的濾過に関与している。また突起の間には，スリット膜 slit membrane あるいは細隙膜 slit diaphragm と呼ばれる薄い膜が張っている。
- 糸球体における濾過とは，血漿成分が毛細血管から内皮細胞，基底膜，足細胞の突起の間を通過してボウマン腔（糸球体とボウマン囊壁との間）に至ることである。糸球体濾過は糸球体血圧に依存している。しかし，ボウマン囊内圧と血漿の膠質浸透圧は糸球体濾過に抵抗するので，実際の濾過圧は糸球体血圧からこれらの圧力を差し引いた圧力となる。原尿は1日に180～190ℓ生成される。しかし，その大部分は尿細管と集合管で再吸収され，尿として体外に排泄されるのは1～1.5ℓにすぎない。

2）ボウマン囊

- 糸球体を取り巻く足細胞となる臓側板 visceral epithelium と，尿細管上皮に移行する壁側板 parietal epithelium の2層の扁平上皮からなる。輸入細動脈，輸出細動脈が出入りする部分をボウマン囊の血管極 vascular pole，近位尿細管に移行する部分を尿管極 tubular pole という。ボウマン囊の壁側上皮は血管極のところで反転して足細胞となり毛細血管を覆う。一方，尿管極では近位尿細管上皮に移行する。この構造は尿細管の発生を参考にすると理解しやすい。

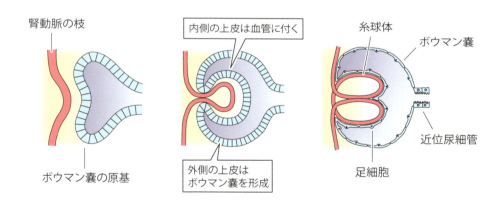

3）傍糸球体装置

- 遠位尿細管は，必ずそれ自身が出発した腎小体の血管極近くを通って集合管に移行する。血管極の特に輸入細動脈近くでは，遠位尿細管の一部の上皮が円柱上皮様となり，核が密集した部分がみられる。これを緻密斑 macula densa といい，尿細管内を流れるNa^+やCl^-濃度を感知する装置である。
- 緻密斑に近接する輸入細動脈の一部では，中膜の平滑筋細胞が肥厚して傍糸球体細胞 juxtaglomerular cell と呼ばれる大型の細胞の集団を作る。これはレニン renin を産生する細胞であり，電子顕微鏡により細胞質に分泌顆粒を観察することができる。
- 傍糸球体細胞とそれに付随する無顆粒性細胞，糸球体外メサンギウム細胞 extraglomerular mesangial cell および緻密斑を合わせて傍糸球体装置 juxtaglomerular apparatus という。これらの要素は互いに協調的に働き，糸球体濾過量を調節している。

Q71 ネフロン

- ネフロンは腎小体と尿細管からなる腎臓の機能単位である。
- 原尿の流れを把握する（近位尿細管⇒ヘンレループ⇒遠位尿細管⇒集合管）。

◆ 糸球体で濾過された原尿は、尿細管に送られ、髄質を通過する間に再吸収を受ける。髄質は外層と内層に大別され、外層はさらに外帯と内帯とに区別される。

◆ 腎小体から遠位尿細管までをネフロン nephron といい、腎臓の基本的機能単位となっている。腎臓1個あたり約100万個のネフロンがあるとされる。

◆ ネフロンは腎小体の位置により尿細管の長さが著しく異なる。皮質ネフロン cortical nephron は腎小体が被膜直下、あるいは髄質から遠い位置にあるネフロンで、ヘンレのループ loop of Henle は短く髄質の外層にまでしか達しない。遠位尿細管の直部が最も深部で反転、上行する。傍髄質ネフロン juxtamedullary nephron は髄質に近い皮質に腎小体が存在するネフロンで、ヘンレのループは長く腎錐体の深部まで下行する。傍髄質ネフロンは全体の10～15％を占める。

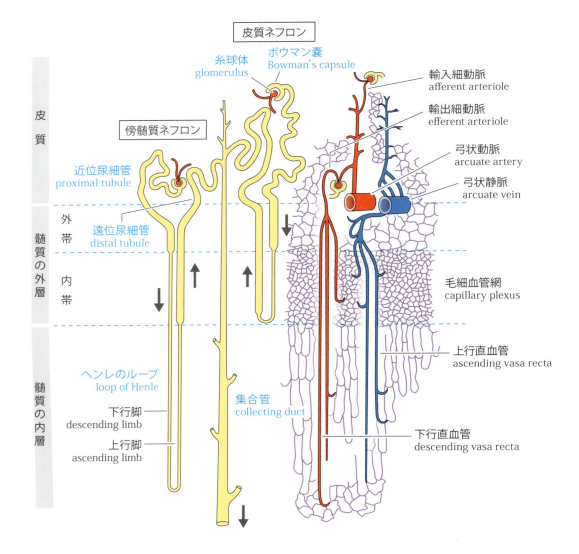

Q72 尿細管各部および集合管の鑑別

- 光学顕微鏡で近位尿細管，ヘンレループ，遠位尿細管，集合管を区別できる。
- 上皮の形態，色素の親和性の違いにより鑑別する。

◆ 尿細管は，腎小体に近い部位で著しく蛇行した**曲部** convoluted tubule と，髄質にみられる直線状に伸びた**直部** straight tubule に分けられる。腎皮質では近位尿細管曲部と遠位尿細管曲部，皮質集合管がみられる。髄質の外帯では近位尿細管直部，遠位尿細管直部，ヘンレのループ，集合管がみられる。髄質の内帯ではヘンレループの細い部分，集合管，乳頭管，直細動静脈がみられる。髄放線は，尿細管の直線部分と集合管からなる。

1) 近位尿細管 proximal tubule

◆ 光学顕微鏡では上皮の構造は均一に見え，円形の核を有し，強い好酸性を示す。基底部には**基底線条** basal striation，管腔側には**刷子縁** brush border がみられる。

◆ 電子顕微鏡で観察すると，刷子縁は長く密な微絨毛からなり，細胞の表面積を著しく増大させている。このことにより，水や小分子の吸収を良くしている。また，細胞質には，取り込んだタンパク質などを分解するためのライソソームが多くみられる。基底部の細胞膜は深く陥入し，ミトコンドリアが多く存在する。光学顕微鏡で見えた基底線条の本体はこれである。

◆ 近位尿細管は電顕的にS1，S2，S3 の3部位に細分類される。腎小体に続くS1 では上皮細胞の背が高くミトコンドリアは大型で数も多いが，S3 ではミトコンドリアが小型化するなど部位により形態学的差異が明らかである。近位尿細管では，原尿からほとんどすべての糖やアミノ酸が再吸収されるが，S1 は特に再吸収能力の高い部位である。Na^+ とこれに伴う Cl^- の再吸収も盛んに行われ，その結果原尿の 65% の水と電解質がここで再吸収される。

2) ヘンレのループ loop of Henle（細い部分）

◆ この部分は皮質ネフロンでは短く，傍髄質ネフロンでは長い。**単層扁平上皮**からなり，細胞質は明るく細胞内小器官の発達はよくないが，部位によって上皮の形態が異なる。傍髄質ネフロンの下行脚では上皮は比較的厚みがあり，細胞内小器官と散在性の短い微絨毛を持つ。上行脚では上皮は扁平で微絨毛はない。

3) 遠位尿細管 distal tubule（直部＝ヘンレループの太い部分，および曲部）

◆ 弱好酸性の明るい細胞質を持つ。ミトコンドリアが豊富で，基底線条は尿細管の中で

ネフロンの発生　ネフロンとそれに続く集合管以下の構造は発生学的に起源が異なる。すなわち，中腎管の排泄腔への開口部近傍に作られる尿管芽が複雑に分岐し尿管から集合管までを形成するのに対し，ネフロンは分岐した集合管の先端を取り囲む造後腎組織塊（造後腎中胚葉）に由来する。

最も発達している。管腔側には刷子縁を欠く。
◆ 副腎皮質から分泌されるアルドステロンは，遠位尿細管と集合管に作用して，Na^+ の再吸収を促すとともに K^+ を排泄する。

4) **集合管** collecting duct
◆ 典型的な単層立方上皮で，**主細胞** principal cell（明調細胞 light cell）と**介在細胞** intercalated cell（暗調細胞 dark cell）からなる。尿細管の他の部分と異なり，細胞境界が明瞭であることが特徴である。
◆ 主細胞は細胞質が明るく，細胞内小器官の発達はよくない。少数の微絨毛と 1 本の一次線毛を持つ。細胞膜に水チャネル分子である**アクアポリン** aquaporin を備えている。管腔側の細胞膜にはアクアポリン 2 が，基底側の細胞膜にはアクアポリン 3 と 4 があり，**抗利尿**

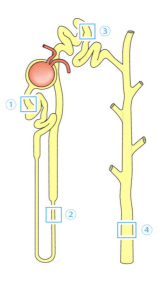

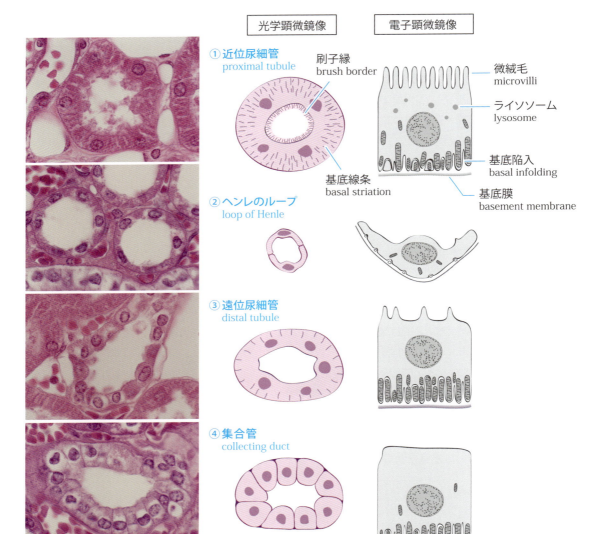

ホルモン（バゾプレッシン）の作用により水を再吸収し，尿量を低下させる。
- 介在細胞は主細胞より少数で，H^+ を分泌する細胞と HCO_3^- を分泌する細胞がある。ともにミトコンドリアに富み，細胞質は暗調である。集合管が腎乳頭に近くなると介在細胞がなくなり，主細胞が円柱状になる。

Q73 尿管，膀胱，尿道

- 尿管，膀胱の上皮は移行上皮である。
- 移行上皮は他の組織にはみられない。

- 尿管 ureter と膀胱 urinary bladder の上皮は移行上皮 transitional epithelium（☞Q20）である。膀胱粘膜が収縮しているときは上皮細胞は約10層に重なっているが，尿が満ちて粘膜が引き伸ばされると上皮細胞は数層となり，上皮の丈は低くなる。移行上皮は腎杯の一部，腎盤，尿管，膀胱および尿道の一部にも分布する。
- 尿管の平滑筋は上2/3では内縦・外輪，下1/3では内縦・中輪・外縦の3層からなり，蠕動運動により尿を膀胱へ運ぶ。膀胱の筋層は尿管に比べよく発達しているが，一定の走行を示さない。筋層には神経細胞が多く認められる。

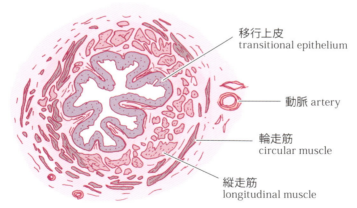

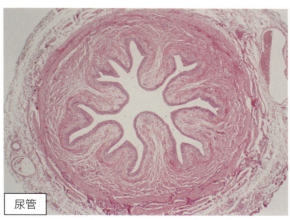

尿管

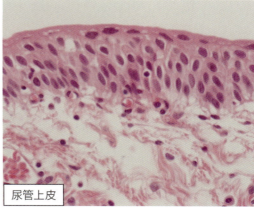

尿管上皮

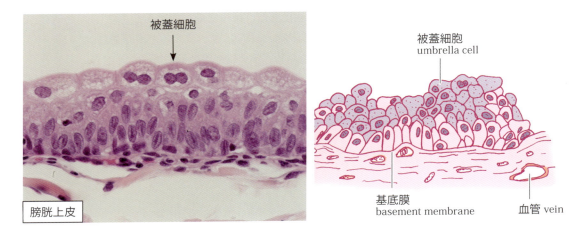

- 男性の尿道は前立腺部，隔膜部，海綿体部に区別される。上皮は膀胱に近い部分（前立腺部）のみ移行上皮，その後は短い多列円柱上皮の部位を経て，隔膜部と海綿体部では重層円柱上皮となる。女性の尿道は約4cmであり，男性に比べ短い。尿生殖隔膜を貫く部位に尿道括約筋がある。尿道の粘膜固有層は神経線維が豊富で，その一部は上皮中にも進入する。

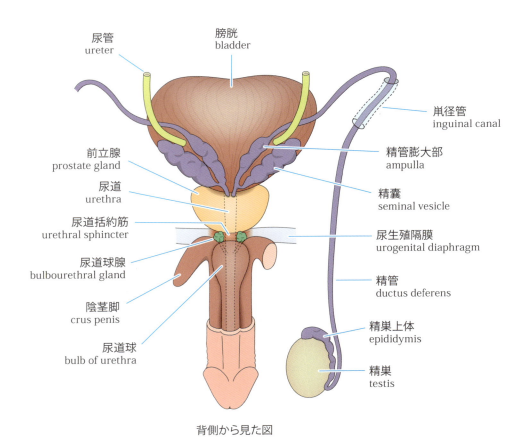

背側から見た図

6 各論 生殖器

Q74 精巣の構造

- セルトリ細胞は精細管内にあり，支持細胞として精子形成を助ける。
- ライディッヒ細胞は間質にあり，男性ホルモンを分泌する。

◆ 精巣 testis の最外層は腹膜の延長である漿膜であり，その直下には緻密な結合組織からなる白膜 tunica albuginea がある。白膜は精巣上部で厚くなり精巣縦隔を形成し，さらに細かく分かれて実質に入り精巣中隔を形成する。

◆ 中隔によって隔てられた小葉内には精細管 seminiferous tubule が密に詰まっており，その間質は疎性結合組織で満たされる。精細管内で形成された精子は，精巣網 rete testis，精巣輸出管 efferent ductules を通って精巣を出る。

◆ 精細管は管壁に平行に配列する数層の線維芽細胞により間質と境されている。その内側には基底膜があり，精祖細胞やセルトリ細胞が接している。精細管内に存在する細胞は，さまざまな発達段階にある生殖細胞とセルトリ細胞である。

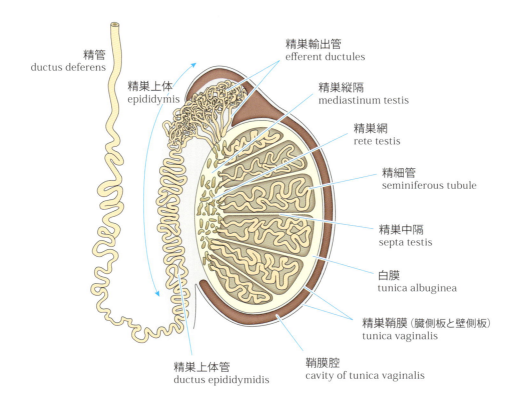

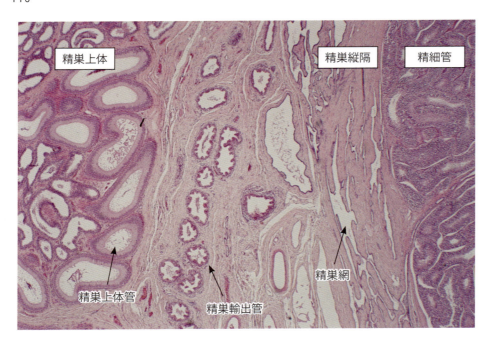

1) **セルトリ細胞** Sertoli cell
- 明るい大きな核と広い明調の細胞質を持つ。核は卵円形で，しばしば深い陥入が認められ，明瞭な核小体を含む。
- セルトリ細胞は発達途上の生殖細胞の支持細胞として働く。セルトリ細胞どうしは，基底膜に近い細胞膜で閉鎖帯とギャップ結合で結合している。この結合により，精細管は基底側の区画と管腔側の区画に分けられる。基底側には精祖細胞と初期の一次精母細胞が，管腔側には一次精母細胞以降の発達段階の細胞が存在する。つまり一次精母細胞は，精祖細胞から分化した直後にセルトリ細胞層を通過して管腔側に移ることになる。このときセルトリ細胞間の閉鎖帯の解体と再構成が起きる。
- セルトリ細胞は下垂体の卵胞刺激ホルモン（FSH）の作用を受け，インヒビン，アンドロゲン結合タンパクなどを分泌する。インヒビンは下垂体に働いてFSHの分泌を抑制する。アンドロゲン結合タンパクは，ライディッヒ細胞が分泌するテストステロンと結合し，精子の形成を促す。セルトリ細胞はまた精子形成の過程で生じた精子細胞の残余体を貪食，処理する。

2) **ライディッヒ細胞** Leydig cell
間質にみられる大型の好酸性細胞で，下垂体の黄体形成ホルモン（LH）の作用を受け，男性ホルモン（テストステロン）を分泌する。電子顕微鏡で観察すると，この細胞には脂肪滴があり滑面小胞体の発達がよく，管状のクリステを持つミトコンドリアが多数みられる。これはステロイドホルモン産生細胞の形態的特徴である。

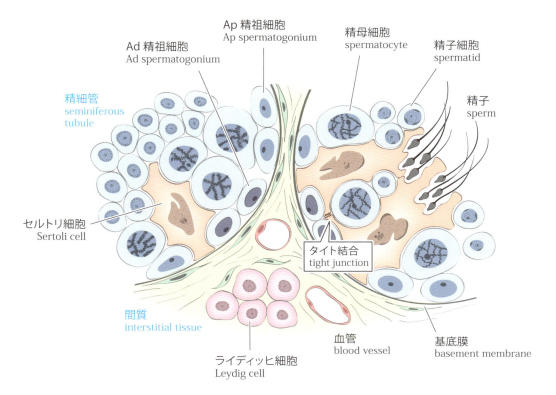

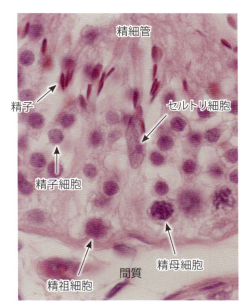

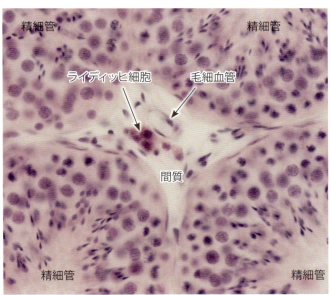

血液-精巣関門 互いに接着したセルトリ細胞層は，血漿成分の精細管への侵入を妨げる。セルトリ細胞は基底側から選択的に物質を吸収し，管腔側に供給する。精子を輸送するための精細管内の液体もセルトリ細胞が分泌する。さらにセルトリ細胞は，精子細胞（遺伝的に抗原性が異なる）が精細管の外に出て免疫系を刺激することを防いでいる。

Q75 精子の発生

- ◉ 精子形成過程における染色体数の変化に注意する。
- ◉ 単一の精祖細胞に由来する細胞は同調して発生が進む。

◆ 精細管内には，精子に至る一連の精子形成過程の細胞が存在する。精祖細胞は分裂して数を増したのち精母細胞となり，減数分裂を経て精子細胞となる。精子細胞は成熟して精子となる。これらの細胞は上記の順に，精細管の基底部から内腔へ向かって位置を変える。

1) 精祖細胞 spermatogonium

◆ 精細管の基底部に存在する細胞で，体細胞分裂によって増殖する。以下の3段階を経て，精母細胞になると考えられている。

① Type A dark（Ad）：卵円形の暗い核を持つ細胞で，幹細胞と考えられている。体細胞分裂を行いAp精祖細胞を生じる。

② Type A pale（Ap）：明るい核を持つ細胞で，頻繁に体細胞分裂を繰り返す。分裂の結果生じた2つのAp精祖細胞は，**細胞質橋** cytoplasmic bridge により互いに連絡している。この細胞間の連絡は精子形成の後期まで保持される。

③ Type B：球形の核を持ち，クロマチンは凝集して核膜に付着したように見える。体細胞分裂で増殖し，一次精母細胞となる。精母細胞になるとすぐにDNAの複製を行い，DNA量は倍増する。

◆ 単一Ad細胞の分裂の結果生じたAp細胞のペアは，その後体細胞分裂を繰り返し，さらに減数分裂によって多数の精子細胞を生み出すが，これらの細胞はすべて細胞質橋によって互いに結ばれており，同調して精子形成の過程を進む。したがって，1つの精細管には，ある発生段階にある細胞集団と，別の段階にある細胞集団を見ることができる。精細管の断面を観察する際には，成熟した精子が見られる場合と見られない場合があるので，いくつかの断面の細胞相を比較してみるとよい。

2) 精母細胞 spermatocyte

◆ 精祖細胞から分化したばかりの**一次精母細胞** primary spermatocyte は，小型で精祖細胞と区別しがたいが，最も基底膜に近い層を離れると，DNAの複製と平行して細胞質も大きくなり，精祖細胞より明調で大型の細胞となる。核には細糸状の染色質がみられるようになるが，これは減数分裂に入ったことを示している。核膜を保ったまま**二価染色体** bivalent chromosome が形成され，厚糸期にはさらに凝縮された染色体の形成が起きる。この減数分裂の第一分裂前期は22〜23日もの長い時間がかかるので，精巣の組織標本では明確な染色体を持つ精母細胞が頻繁に観察される。

◆ 第一分裂後生じた小型の**二次精母細胞** secondary spermatocyte（精娘細胞）は，成長したりDNAの複製を行うことなく第二分裂に入り，短時間でこれを終わり，精子細胞となる。

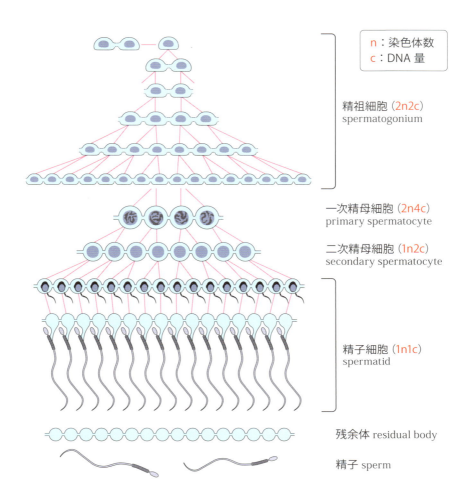

3）精子細胞 spermatid

- 精母細胞は減数分裂の結果，4個の精子細胞を生ずる。ただし，精子細胞は細胞質橋によって互いに連絡したままなので，厳密には1つの細胞に4個の精子細胞の核が生じたことになる。
- 精子細胞は一倍体，すなわち染色体数が23（22＋Xまたは22＋Y）である。X染色体を持つ精子が卵と受精すると，受精卵の染色体は44＋XXとなり女児が生まれる。Y染色体を持つ精子が受精すれば44＋XYとなり男児が生まれる。

4）精子 sperm の形成

- 精子細胞は当初は球形の細胞であるが，特異な形態変化を遂げて精子となる。ゴルジ装置で形成された顆粒が癒合して大きな尖体小胞 acrosomal vesicle となり，将来の精子の先端部分をつくる。鞭毛の形成起点となる中心体は，尖体小胞と反対側の細胞質に移動し，微小管による軸糸複合体 axonemal complex の形成が始まる。
- 成熟期の精子は，不要な細胞質を残余体 residual body として切り離す。この段階で初めて各精子は細胞質橋による相互の連絡がなくなる。精子はセルトリ細胞から解放され，精細管内に遊離する。

Q76 精子の構造

- ◉ 精子は一倍体の細胞である。
- ◉ アクロソームは精子に特異的な構造で，卵膜透明層を溶かす酵素を含む。

◆ 精子 sperm は5μmほどの扁平な楕円形をした頭部と，50μmを超える長い尾部からなる。

◆ 頭部 head は，一倍体の強く凝縮した核とそれを取り囲む尖体 acrosome からなる。尖体はゴルジ装置由来の小胞から作られるライソソーム様の小器官で，PAS反応陽性の分子を含む。これは酸性ホスファターゼ，ヒアルロニダーゼ，トリプシン様のタンパク分解酵素などであり，受精の際に精子が卵膜を通過するために必要な酵素群である。

◆ 尾部 tail は精子の鞭毛 flagellum にあたる部分で，中間部，主部，終末部からなる。尾の中心には9+2型の軸糸 axoneme が終末部まで伸びており，中間部ではその周囲に9本の緻密線維，さらにその外側をミトコンドリアが取り巻いている。主部ではミトコンドリアはなくなり，7本の緻密線維と線維鞘が軸糸を取り囲む。先端の5μmほどを終末部といい，軸糸だけが含まれる。

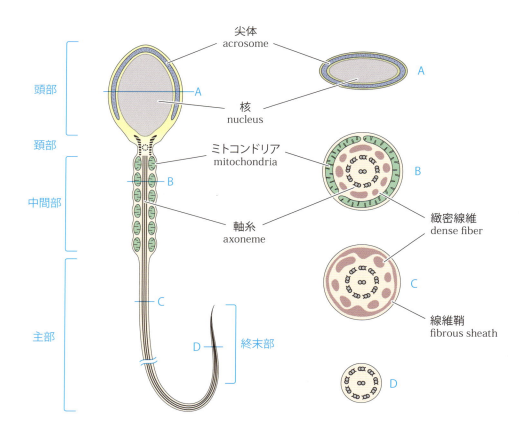

Q77 精子の輸送路

● 十数本の精巣輸出管が合流して1本の精巣上体管となる。
● 精管までは筋の発達がよいことに注意。

①**精巣輸出管** efferent ductules
精巣網から十数本の輸出管が生ずる。管の内腔は波状にみえるが，これは上皮細胞が背の高い線毛細胞と立方形の無線毛細胞からなっているためである。基底膜の外側には輪状に配列する平滑筋があるが，発達はよくない。

②**精巣上体管** ductus epididymidis
◆ 全長6mに達する単一の管である。著しく屈曲しているために，組織標本では多くの断面が観察される。上皮は丈のそろった多列上皮であり，上皮細胞は**不動毛** stereocilia を持つのが特徴である。基底部には小さく丸い核を持つ**基底細胞** basal cell がある。上皮下には輪走する平滑筋層があるが，精管に近づくと，その内側と外

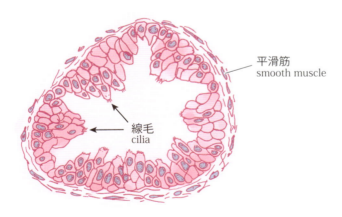

精巣輸出管

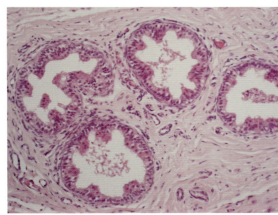
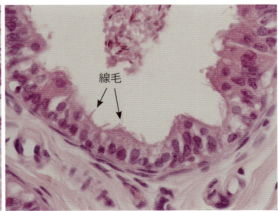

側に縦走筋層が加わり厚さを増す．平滑筋の収縮は蠕動運動を起こし，精子を輸送する．また精巣から分泌された液体の90%を吸収し，精子を濃縮する．

◆ この段階の精子は運動能がない．精子の運動能や受精能（卵と受精する能力）の獲得（capacitation）は，射精後に起こると考えられている．

③ **精管** ductus deferens

◆ 精巣上体管に続く精子の輸送路の一部で，径はおよそ5 mm，全長約30 cmである．精巣動静脈，精巣挙筋などとともに精索をつくり，鼠径管を通って腹腔内に入ると，精管は前方に進み前立腺に向かう．前立腺に入る直前に精管は膨大部をつくり，また精嚢と連絡する．

◆ 精管は上皮層，筋層，および外膜からなる．内腔は広がり粘膜はヒダをつくる．上皮は丈の低い多列上皮で，不動毛を持つ．筋層は内縦・中輪・外縦で，精巣上体管よりもさらに発達している．

◆ 発達した筋層の蠕動運動で精子を輸送するとともに，精子を貯蔵する働きもある．

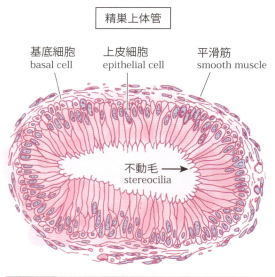

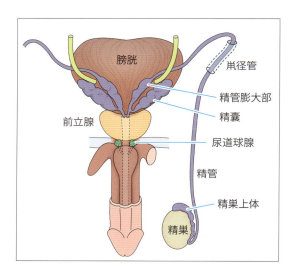

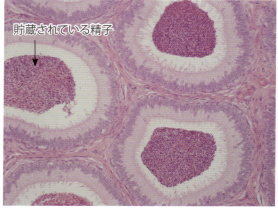

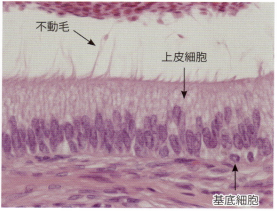

④ **射精管** ejaculatory duct
- 精管に続く短い直線状の管で前立腺を貫く。上皮は多列または単層円柱上皮である。

⑤ **精囊**(のう) seminal vesicle と **前立腺** prostate gland
- ともに**生殖管の付属腺**である。精液の液体成分（精漿）を分泌する。
- 精囊は精管によく似た構造を持つが，内腔のヒダが発達し，多数の憩室に分かれている。上皮は多列円柱上皮であり，分泌細胞は明るい細胞質でしばしば黄色い色素顆粒であるリポフスチン顆粒がみられる。精囊壁は発達した平滑筋層で覆われている。
- 前立腺は，膀胱の下面で尿道起始部を取り囲む**複合管状腺**の集合で，その分泌物は前立腺管を介して尿道に分泌される。分泌物が濃縮され石灰化し，前立腺石となることがある。これは加齢により増加する。上皮は多列円柱状である。腺の周囲は膠原線維と多数の平滑筋細胞が混在している。

⑥ **尿道球腺** bulbourethral gland と **尿道腺** urethral gland
尿道球腺は**カウパー腺** Cowper gland とも呼ばれる。どちらも粘液腺で，分泌物は尿道の内面を潤滑にする。尿道球腺は尿生殖隔膜に存在する1対のエンドウ豆大の複合管状胞状腺で，尿道腺は尿道海綿体の尿道上皮下に分布する小粘液腺である。

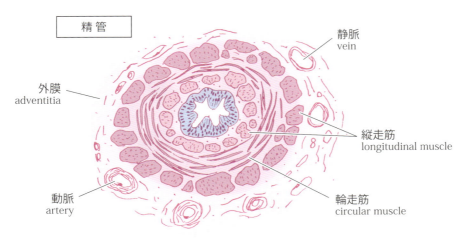

精管

- 外膜 adventitia
- 静脈 vein
- 縦走筋 longitudinal muscle
- 輪走筋 circular muscle
- 動脈 artery

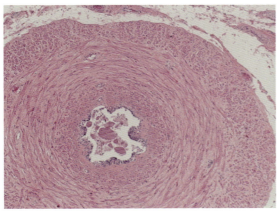
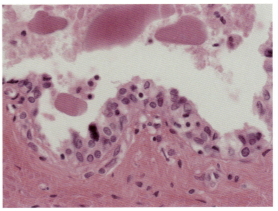

Q78 陰茎

● 陰茎は2種類の海綿体組織を含む。
● 海綿体洞では動静脈吻合がみられる。

◆ 陰茎は，薄い皮膚と平滑筋を豊富に含む皮下組織，および陰茎海綿体と尿道海綿体という2種類の勃起組織からなる。

◆ 陰茎海綿体 corpus cavernosum penis は，厚く硬い線維性の被膜である白膜 tunica albuginea で覆われている。白膜は正中部で海綿体組織に入り込み，これを二分する中隔となる。

◆ 海綿体は，弾性線維を含む線維成分と平滑筋からなる海綿体小柱 trabeculae によって作られる網目状の構造と，それによって区切られた静脈叢である海綿体洞 cavernous space からなる。小柱は海綿体の中央部では比較的疎で，したがって洞が広いが，周辺部では密な網目を作る。海綿体洞には海綿体小柱の中に進入したラセン動脈から血液が流入し，陰茎の勃起が起こる。

◆ 尿道海綿体 corpus spongiosum penis は陰茎海綿体に比べて薄い白膜に覆われ，小柱は細く密である。尿道海綿体の中心を尿道が通る。尿道上皮下には粘液腺である尿道腺が多数分布する。

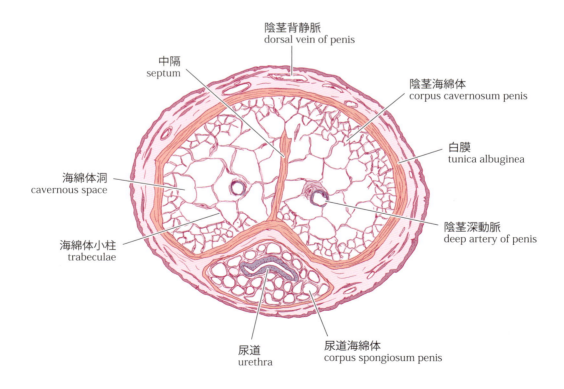

Q79 卵巣の構造

- 種々の発達段階の卵胞がみられ，減数分裂の途上にある卵細胞を含んでいる。
- 卵巣は卵を成育させ排卵するとともに，女性ホルモン（卵胞ホルモンと黄体ホルモン）の分泌器官でもある。

◆ 卵巣 ovary は，血管や神経が出入りする門 hilus と，皮質および髄質からなる。卵巣の最表層は胚上皮 germinal epithelium と呼ばれる単層立方上皮であり，その下に緻密結合組織である白膜 tunica albuginea がある。胚上皮はかつて生殖細胞を生み出すと考えられていたのでこの名が残っているが，実際は立方上皮細胞からなる中皮である。

◆ 皮質と髄質の境界は不明瞭である。皮質には種々の発達段階の卵胞 follicle があり，髄質と門は血管が豊富である。門には門細胞 hilus cell と呼ばれる細胞がみられる。この細胞は精巣のライディッヒ細胞に類似した構造を持ち，アンドロゲンを分泌するらしい。卵巣のテストステロン産生腫瘍はこの細胞に由来することが多い。

◆ 卵細胞の起源となる始原生殖細胞は，卵黄嚢から分裂をしながら移動し，卵巣原基に侵入する。その後，始原生殖細胞は卵祖細胞 oogonium となり，さらに体細胞分裂によって数を増やす。胎生 8 週以降，一部の卵祖細胞は減数分裂に入り卵母細胞 oocyte となるが，卵祖細胞の盛んな分裂は続き，胎生 20 週で卵祖細胞の数はピークを迎え 600 ～ 700 万個になる。その後，卵胞の閉鎖と卵祖細胞の分裂能の低下に伴い卵細胞の数は急速に減少し，出生時には 100 ～ 200 万個に，出生後さらに減少して思春期には約 30 万個になる。

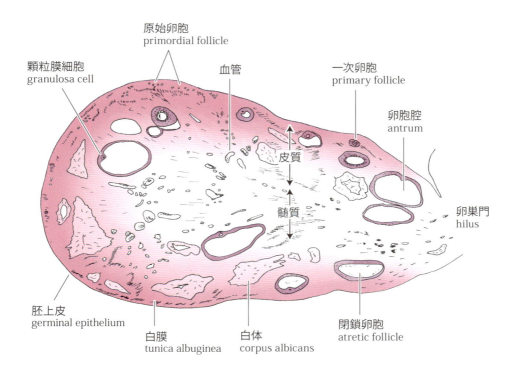

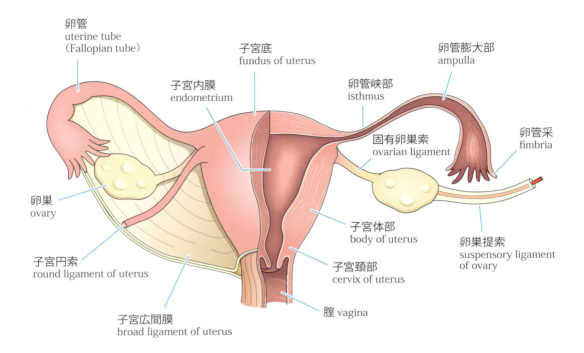

◆ 卵細胞は出生時までに減数分裂の第一分裂の前期に入る。しかし，この減数分裂が完了するのは排卵された後である。つまり，成人の卵巣には卵祖細胞は存在せず，減数分裂の途上にある卵細胞を含んでいる。卵細胞の減数分裂の進行が阻害された状態（meiotic arrest）は，最も長いものでは50年余り続くことになる。

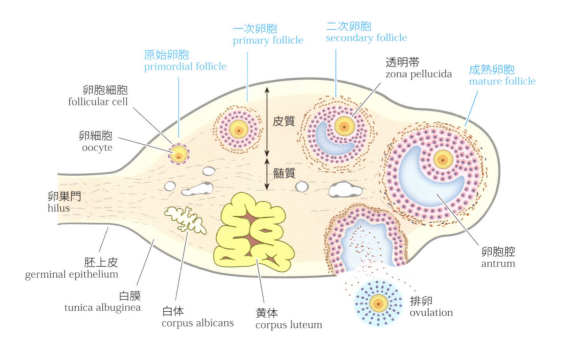

Q80 卵胞の成熟過程

● 複数の卵胞が成長するが，大半は途中で成長を停止し（卵胞閉鎖），白体化する。
● 卵胞ホルモン分泌における卵胞膜細胞と顆粒膜細胞の働きに注意。

◆ 卵胞は**卵細胞** oocyte と**卵胞細胞** follicular cell からなる卵巣の機能単位であり，卵細胞の発達とステロイドホルモンの分泌を行う。

◆ 90％以上の卵胞は生涯発達期に入ることなく終わるが，一部の卵胞は以下に述べる発達期に入り，そのうち1個が選択されて成熟卵胞となり排卵に至る。卵胞の成熟が始まってから排卵までは約85日かかる。これは卵巣周期の約3回分に相当する。

1）**原始卵胞** primordial follicle

◆ 1層の扁平な卵胞細胞により卵細胞が取り囲まれている。発達過程に入る前の卵胞である。人為的に卵胞細胞を取り除くと，卵細胞は自然に減数分裂を終了するので，卵細胞の減数分裂の進行を妨げているのは卵胞細胞であると考えられている。原始卵胞は白膜直下の皮質内に多く認められる。

2）**一次卵胞** primary follicle

◆ 卵胞細胞が立方形に変化し，増殖・重層して**顆粒膜細胞** granulosa cell となる。これは下垂体前葉から分泌される卵胞刺激ホルモン（FSH）の働きによる。顆粒膜細胞層を囲む基底膜のさらに外側には，間質細胞から**卵胞膜細胞** theca cell（莢膜細胞）が分化する。

◆ 卵胞膜細胞層には血管が豊富であるが，基底膜の内側の顆粒膜には血管がない。顆粒膜細胞は相互にギャップ結合で密に結合されており，全体として一種の機能的合胞体細胞となっている。

◆ 卵細胞は糖タンパクを含む粘液様の物質を分泌する。これは卵細胞の周辺に蓄積されて**透明帯** zona pellucida となり，卵と顆粒膜細胞を隔てる。

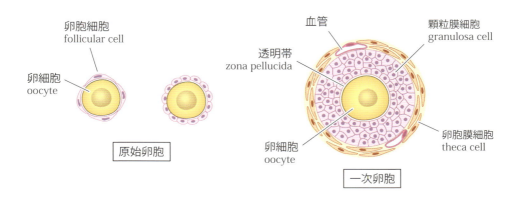

3）二次卵胞 secondary follicle

- 顆粒膜細胞層が6～12層くらいまで増殖すると卵胞液 follicular fluid を分泌し始め，顆粒膜細胞層の中に新たな空間を作って貯留する。この空間を卵胞腔 antrum と呼び，卵胞腔を持つ卵胞を二次卵胞と呼ぶ。この頃までに卵細胞は完成した大きさ（約100～120μm）に達し，成長を止める。

- 卵細胞を取り囲む顆粒膜細胞は卵丘 cumulus oophorus と呼ばれる高まりを示す。卵丘を構成する顆粒膜細胞はホルモン産生能が低いが分裂能が高く，顆粒膜細胞層へ細胞を供給する。この中で卵細胞に隣接する顆粒膜細胞は卵細胞に対して放射状に配列するようになり，放線冠 corona radiata と呼ばれる構造を作る。放線冠の細胞は細胞質突起を透明帯内に伸ばし，卵細胞との間にギャップ結合を作る。これを通して卵細胞の減数分裂の進行を制御しているらしい。

- 内分泌機能を有する立方形の内卵胞膜細胞は数を増し，細胞内に脂肪滴を蓄える。内卵胞膜細胞はLHの受容体を持ち，その作用によりテストステロンやアンドロステンジオンを合成し細胞外へ放出する。顆粒膜細胞はこれを取り込み，芳香化酵素によりエストロゲンに転換する。エストロゲンは血中に放出されるほか，顆粒膜細胞を自己刺激してその分裂を促す。結合組織性の外卵胞膜細胞は卵胞の最外層に分布する。

4）成熟卵胞 mature follicle（グラーフ卵胞 Graafian follicle）

- 黄体期の後期から卵胞期の初めにかけて多数存在する二次卵胞の中から1個が選択される。この卵胞が10～14日かけてさらに成長し成熟卵胞となる。成熟卵胞は大きな卵胞腔を有するが，基本的な組織構築は二次卵胞とあまり変わりがない。

- 排卵は下垂体前葉からの黄体形成ホルモン（LH）の一過性大量放出（LHサージ）により引き起こされる。LHは顆粒膜細胞に作用してプロゲステロンの分泌を増加させ，コラゲナーゼ活性を高める。また，LHはプロスタグランジンEの分泌を促し，プラスミノーゲンアクチベーターの活性化を引き起こす。その結果，成熟卵胞の卵胞膜とそれに隣接する卵巣壁が溶解され，卵胞は破裂する。そして，卵胞液の流出とともに卵細胞とそれを取り巻く卵胞細胞が腹腔へ放出される。

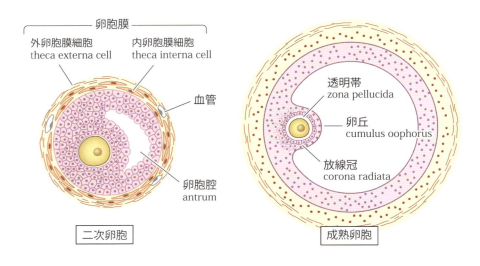

Q81 黄体と白体

- 排卵後の卵胞は黄体となり，主としてプロゲステロンを分泌する。
- 妊娠が起こると黄体はさらに肥大する。
- 妊娠が起こらなければ黄体は約2週間で退縮する。

◆ 排卵後，顆粒膜細胞層と卵胞膜細胞層を境していた基底膜が消失し，両者が肥大して黄体細胞となる。**黄体** corpus luteum はこのようにしてできた黄体細胞の集まりである。黄体細胞は黄体ホルモン（**プロゲステロン** progesterone）を分泌する。

◆ 顆粒膜細胞由来の**顆粒膜黄体細胞** granulosa lutein cell は大型の細胞で，黄体の内部に位置する。卵胞膜細胞由来の**卵胞膜黄体細胞** theca lutein cell は小型の細胞で，黄体の周辺部にある。どちらの細胞も脂肪滴や滑面小胞体が豊富で，管状の内膜を持つミトコンドリアを有するなど，ステロイドホルモン分泌細胞としての特徴を示す。顆粒膜黄体細胞の周辺には排卵前と異なり血管が豊富に分布するので，ホルモンの前駆物質であるコレステロールを直接取り入れることができる。

◆ 黄体はおよそ14日間維持され，その後アポトーシスを起こし退縮する。黄体の維持に最も重要なのはLHであり，黄体のホルモン分泌を刺激するとともに黄体細胞のアポトーシスを抑制していると考えられている。

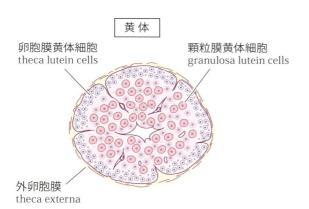

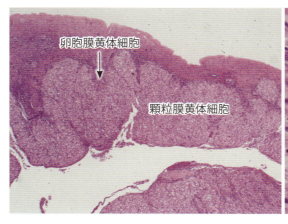

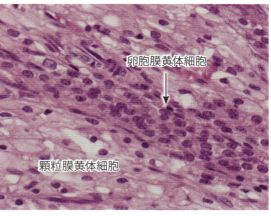

- 受精が起こると黄体はさらに成長し，妊娠黄体 corpus luteum of pregnancy となる。顆粒膜黄体細胞，卵胞膜黄体細胞ともに肥大し，さらに間質と血管の増生のため妊娠黄体のサイズは受精後6週には通常の2倍ほどになるが，妊娠後半に入ると縮小する。妊娠黄体の機能は，胎盤の栄養膜合胞体細胞が分泌する絨毛性ゴナドトロピン human chorionic gonadotropin；hCG により維持される。☞Q85
- 受精が起きない場合，黄体は崩壊し，結合組織に置き換わる。これを白体 corpus albicans といい，結合組織細胞の核がみられるのみで，細胞成分は少ない。
- 多数の原始卵胞が成熟過程に入るが，排卵に至る卵胞は通常1個である。多くの卵胞は種々の段階で成長を止め，退縮してゆく。退縮した卵胞では卵細胞が変性消失する。これを閉鎖卵胞 atretic follicle という。

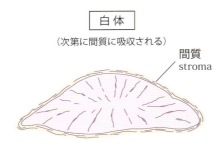

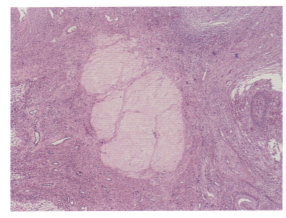
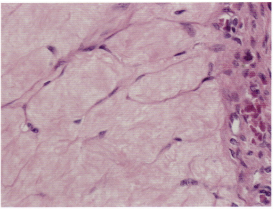

黄体でのステロイドホルモン産生 排卵後の黄体においては，顆粒膜黄体細胞は直接コレステロールを取り込みプロゲステロンを分泌する。卵胞膜黄体細胞はアンドロステンジオンを分泌し，これは顆粒膜黄体細胞に取り込まれ芳香化されてエストロゲンに変換される。

Q82 卵管

- ● 卵管の上皮は単層上皮で，線毛細胞と分泌細胞がある。
- ● 線毛による粘液の流れと平滑筋による蠕動運動が卵子を輸送する。
- ● 卵管膨大部は受精が起こる場所で，粘膜のヒダが発達している。

◆ 卵管 uretine tube（Fallopian tube）は排卵された卵子を子宮に運ぶ管であり，また受精が起こる場所でもある。卵管の外側端は広がって卵管漏斗を作り，その先端に卵巣を包むように伸びる指状の突起（卵管采 fimbria）がある。排卵時に腹腔内に放出された卵子は，卵管采によって捕捉され，卵管内に導かれる。

◆ 粘膜はヒダを有し，特に中央部の卵管膨大部 ampulla で発達している。腟から子宮腔，さらに卵管を遡上してきた精子は，卵管膨大部で卵子と出会い，受精が起こる。子宮に近い卵管峡部 isthmus では粘膜ヒダは少ない。

◆ 上皮は単層円柱上皮であるが，膨大部で最も丈が高く，子宮に近づくにつれ立方状となる。上皮細胞には線毛 cilia を有するものと，線毛を欠き分泌機能を有すると考えられる細胞とがある。卵管の外側部の粘膜には線毛細胞が多く，反対に子宮に近づくと分泌細胞が増える。線毛の動きは子宮に向かう粘液の流れを作り，卵子の輸送に貢

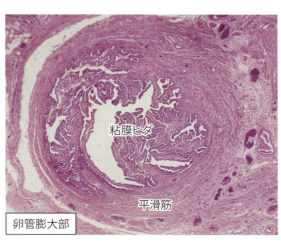

卵管膨大部

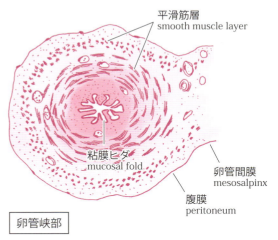

卵管峡部

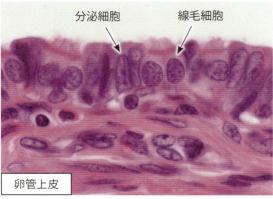

卵管上皮

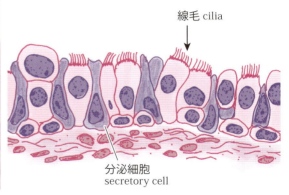

献している。

- 筋層は2層の平滑筋からなり，内層は輪走筋，外層は縦走筋である。卵管は蠕動運動を行い，線毛の動きと協力して卵子を子宮に運ぶ。卵管の周囲は子宮広間膜に続く腹膜で覆われている。

Q83 子宮内膜の周期的変化

- 標本を観察する際，まず子宮内膜の機能層と基底層を区別すること。
- 子宮内膜の構造と機能は，子宮体部と頸部で異なる。
- 子宮内膜の形態は性周期に伴って大きく変化する。

- 子宮壁は**子宮内膜** endometrium，**子宮筋層** myometrium，**子宮外膜** perimetrium に分けられるが，その構造と機能は子宮体部と頸部で異なっている。
- 体部の内膜は性周期に伴って変化するが，頸部の内膜は大きな変化を示さない。筋層は平滑筋からなり，体部でよく発達している。粘膜側から粘膜下層，血管層，漿膜下層に分けられるが，その境界は必ずしも明瞭ではない。
- 子宮は左右の骨盤壁から伸び出した子宮広間膜の中にあるが，前壁は前に位置する膀胱の後壁に癒着している。したがって，外膜は周囲の疎性結合組織，あるいは腹膜である。

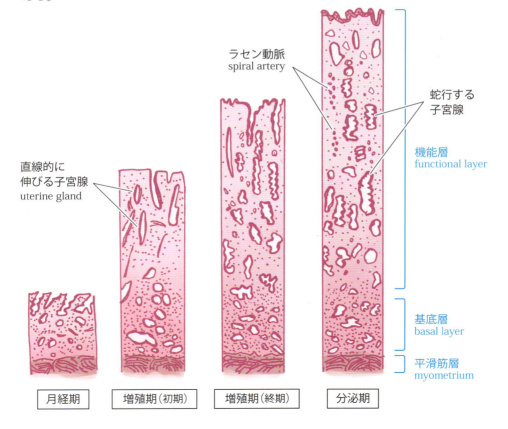

1) 子宮体部 body of uterus
- 内膜は子宮腺 uterine gland と呼ばれる単一管状腺を有する。子宮腺は単層円柱上皮で，上皮細胞は粘液を分泌する。内膜は，性周期に伴って増殖と脱落を繰り返す機能層 functional layer と，周期的変化を示さない基底層 basal layer に区別できる。月経によって失われた機能層は，次の周期の前半に基底層の細胞分裂によって再生される。
- 性周期に伴う子宮内膜の変化は次の3期に分けられる。これらの変化は，卵巣から分泌されるエストロゲンとプロゲステロンに支配されている。したがって，卵巣周期と内膜の変化は同調していることに注意しなければならない。☞Q84

①月経期 menstrual phase
内膜表層は脱落し，血液とともに体外へ排出される。その結果，機能層は失われ，内膜には基底層のみが残る。この状態が2～3日続く。

②増殖期 proliferative phase
上皮が修復され，機能層の伸長がみられる。これは主に卵巣から分泌されるエストロゲンの働きによる。この時期，子宮腺は直線的に伸びるのが特徴である。間質の増殖が粘膜を肥厚させる。その中にラセン動脈 spiral artery が進入するが，まだ表層までは達しない。

③分泌期 secretory phase
排卵後約2週間続く。この時期の卵巣は黄体機能が活発で，その分泌するプロゲステロンが子宮腺の粘液分泌を促す。子宮腺は弯曲・蛇行し，ラセン動脈が表層近くまで達する。分泌期の最後の数日は虚血期 ischemic phase といわれ，白血球を含む粘膜は浮腫状を呈する。

2) 子宮頸部 cervix of uterus
- 体部では単一管状腺であった子宮腺は，頸部では複雑に分岐し，子宮頸腺 cervical gland を形成する。この部位の内膜は性周期に依存した変動を示さず，月経において剥離することはないが，粘液の分泌量と性状が変化する。
- 頸部の粘液は粘稠で，粘液によって子宮頸部の内腔は閉ざされている。排卵期にはエストロゲンの影響で粘液の分泌量が増加するとともに，粘度が低下する。また，よりアルカリ性の粘液となる。これらの変化は，子宮内への精子の侵入を促進すると考えられる。黄体期になるとプロゲステロンの作用により粘液は再び粘稠度を増す。
- 子宮腟部の上皮は重層扁平上皮となる。

Q84 性周期に伴う卵巣と子宮内膜の形態変化

- 卵胞の成熟過程を，下垂体ホルモンの血中濃度変化と関連づけて理解する。
- 卵巣の周期的な機能変化は，子宮内膜の形態変化を引き起こす。

◆ 卵巣は下垂体前葉由来の性腺刺激ホルモン（FSH，LH）の作用を受け，卵胞の成長（**卵胞期** follicular phase）⇒ 排卵 ⇒ 黄体の形成（**黄体期** luteal phase）を周期的に繰り返している。

1）卵胞期 follicular phase

◆ 卵胞期の初めに二次卵胞のうちの1個が選択され，**卵胞刺激ホルモン** follicle stimulating hormone；**FSH** の作用により排卵に向かって成長を始める。この卵胞の発達に伴い増加した卵胞細胞からエストロゲンの分泌が次第に増加する。

◆ **エストロゲン** estrogen は，月経により機能層が脱落した子宮内膜を修復し再生させると同時に，子宮内膜のプロゲステロン受容体の産生を促す。エストロゲンは子宮内膜の間質細胞に作用し，間質細胞が二次的に上皮の増殖を引き起こすとされている。

2）排卵 ovulation

◆ エストロゲンの血中濃度上昇は，ポジティブフィードバックにより視床下部からの**性腺刺激ホルモン放出ホルモン** gonadotropin-releasing hormone；**GnRH**（luteinizing hormone releasing hormone；**LHRH** とも呼ばれる）の分泌を引き起こし，さらには下垂体からの**黄体形成ホルモン** luteinizing hormone；**LH** の一過性の大量放出を引き起こす。これが刺激となって排卵が起き，黄体が形成される。

3）黄体期 luteal phase

◆ 黄体期に入ると卵巣から**プロゲステロン** progesterone の分泌が高まり，エストロゲンの働きにより感受性が高まった子宮内膜に作用して上皮の粘液分泌を高め，間質細胞の一部を脱落膜化させる。卵胞期に直線状に成長した子宮腺は，黄体期には大きく蛇行するようになる。

◆ 排卵後7〜8日経過すると黄体期能が次第に低下し，プロゲステロンレベルも低下する。その結果，月経直前にはラセン動脈が攣縮することで血行が滞り，**虚血期** ischemic phase を迎える。さらに動脈の崩壊により粘膜の破壊が起き，**月経** menstruation を迎える。

腟上皮の周期的変化　腟の上皮は厚い重層扁平上皮であるが，上皮の厚さや角化の程度は性周期に伴い変化する。卵胞期にはエストロゲンの作用により上皮層が厚くなり最表部は角化するが，排卵後黄体期に入るとエストロゲンの濃度が低下するため上皮は薄くなり角化しなくなる。腟粘液の塗抹標本を光学顕微鏡で観察すると，このような上皮の変化を知ることができる。これにより月経周期を判定したり，卵巣機能を推測することが可能である。

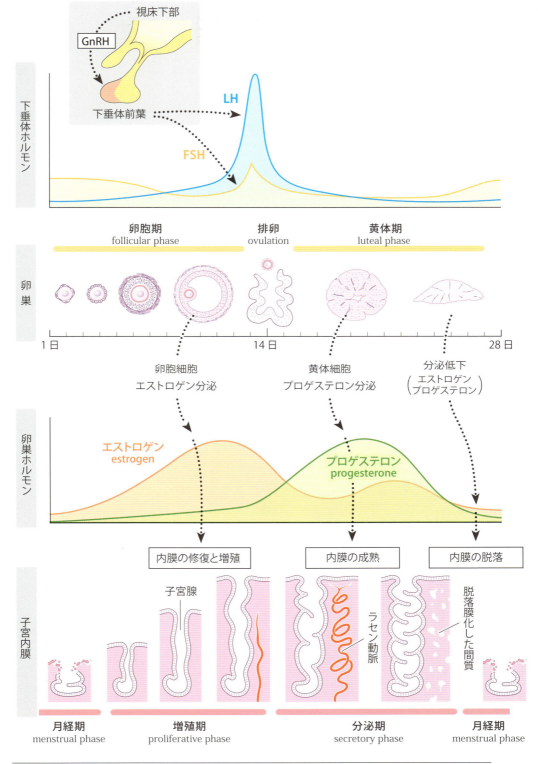

アクチビンとインヒビン 顆粒膜細胞が分泌するペプチドホルモンで，卵胞液中に蓄えられている。ともに血行性に下垂体前葉に作用し，アクチビンはFSHの分泌を促進，インヒビンは抑制する。しかし，同じ性腺刺激ホルモン細胞から分泌されるLHの分泌には影響しない。視床下部からのGnRH刺激だけでは説明のできないFSHの分泌を制御するホルモンであると考えられている。

Q85 胎盤

- 母体側と胎児側の組織を区別する。
- 絨毛の微細構造は，妊娠の初期と後期では異なる。
- 妊娠維持に必要なホルモンを分泌する。

◆ 胎盤 placenta は，①羊膜に覆われ臍帯に連絡する**絨毛膜板** chorionic plate，これから出る多数の**胎盤絨毛** placental villi からなる胎児由来の組織と，②**基底脱落膜** decidua basalis と**胎盤中隔** placental septum からなる母体側の組織とで構成される。複雑に分岐した胎盤絨毛と母体側組織とで囲まれる空間を**絨毛間腔** intervillous space といい，母体の血液はこの空間に流入し，胎児組織とのガス交換・栄養供給・老廃物の排泄を行う。

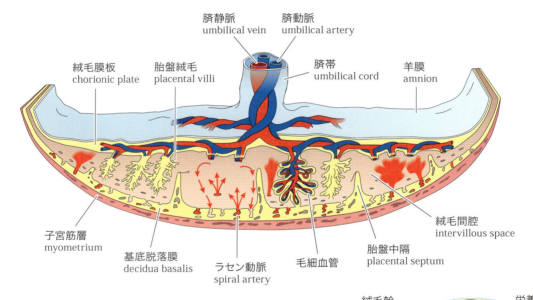

1) 胎児側の組織

◆ 絨毛膜板から生じる胎盤絨毛を特に**絨毛幹** stem villi といい，絨毛間腔に突出する多数の枝を持つ。このため胎盤の組織標本を見ると，絨毛間腔は絨毛の断面で満たされているように見える。妊娠後期の胎盤では絨毛の表面は**栄養膜合胞体細胞層** syncytiotrophoblast layer で覆われており，その内側には胎児側の血管がほとんど間質を介することなく接している。したがって，胎盤における物質輸送は，薄く伸展した栄養膜合胞体細胞層と内皮細胞を経由して行われる。

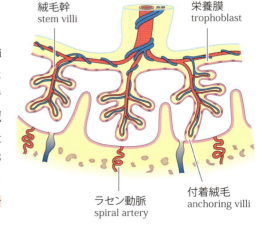

◆ 母体血中からの物質吸収の場である栄養膜合胞体細胞層の外表面には電子顕微鏡で観察すると微絨毛があり，吸収に適した構造となっている。糖やアミノ酸は能動輸送ま

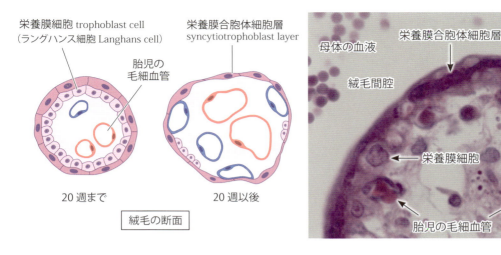

絨毛の断面

たは促進拡散によって取り込まれるが、ガス交換は単なる拡散による。免疫グロブリンのうち少なくとも IgG は飲作用によって取り込まれる。

- 妊娠前期（20週くらいまで）は合胞体細胞の内側に1層の栄養膜細胞（**ラングハンス細胞** Langhans cell）が存在し、これは合胞体ではない。栄養膜細胞は次第に小グループ化し、代わって合胞体細胞層の内側には毛細血管が接するようになる。絨毛の一部はやがて母体側に達し、脱落膜と融合する。これを**付着絨毛** anchoring villi と呼ぶ。

2）母体側の組織

- 胎盤絨毛の形成に伴い、母体側の子宮内膜の間質細胞は分裂・分化して**脱落膜細胞** decidual cell となる。脱落膜は胚の全周を取り囲むが、完成した胎盤に属する部分を**基底脱落膜** decidua basalis、その他の部位を**被包脱落膜** decidua capsularis（羊膜・絨毛膜の外側）、**壁脱落膜** decidua parietalis（その他の子宮壁）と呼ぶ。

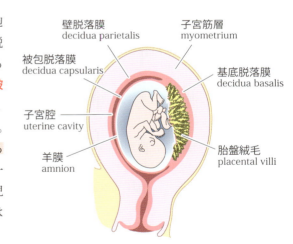

- **脱落膜細胞は大型明調の細胞で、それらの間にあるフィブリノイドは強い好酸性を示す。**基底脱落膜の一部は絨毛間腔に突出して胎盤中隔を形成するが、胎児側の絨毛膜板に達することはない。胎盤中隔の表面は栄養膜合胞体細胞層で覆われる。

3）内分泌機能

- 胎盤は、妊娠維持に必要な多種類のホルモンを産生・分泌する。**ヒト絨毛性ゴナドトロピン** human chorionic gonadotropin；**hCG**、胎盤性ラクトゲン、エストロゲン、プロゲステロンなどである。エストロゲンやプロゲステロンは妊娠時に卵巣に代わって胎盤が主に分泌する。**hCG は栄養膜合胞体細胞層で合成される糖タンパク質ホルモン**で、受精後2週すぎ、すなわち着床後まもなく分泌が始まり、母体血液中に入り尿中に排泄される。そのため、**尿中 hCG の検出は妊娠判定に有効**な方法である。

7 各論 内分泌腺

Q86 細胞間の化学的情報伝達機構

◉化学伝達物質による細胞間の情報伝達様式には次の4通りの方法がある。

①**自己分泌（オートクリン** autocrine）：情報の送り手と受け手が同じ細胞の場合。たとえば，発生過程の細胞は，自ら分泌した分化誘導シグナルにより自身および同種の細胞の分化の方向を決める。また，多くの癌細胞は細胞増殖因子を産生・分泌し，自らそれを受容することで細胞増殖する。

②**傍分泌（パラクリン** paracrine）：受け手の細胞が送り手の細胞の近隣である場合。膵臓のランゲルハンス島のD細胞から分泌されるソマトスタチンは，同じ島内のA細胞やB細胞に作用してグルカゴンやインスリンの分泌を抑制する。また，骨髄の間質細胞は種々のサイトカインを産生し，局所的に造血細胞に作用することで血液細胞の分化が制御されている。

③**内分泌（エンドクリン** endocrine）：送り手と受け手の細胞が遠く離れており，情報伝達物質が血流を介して送られる場合。たとえば下垂体前葉ホルモンと全身の標的組織の関係がこれにあたる。

④**シナプス** synapse：神経細胞の軸索突起終末部が他の神経細胞の樹状突起や細胞体との間に形成するシナプス結合や，筋線維との間に形成する運動終板などに認められる。情報伝達物質（神経伝達物質という）は狭いシナプス間隙の間を伝わる。

◆一般に内分泌における情報伝達物質を「ホルモン」と呼ぶが，オートクリンやパラクリンでの情報伝達物質を「局所ホルモン」と呼ぶことがある。細胞間情報伝達物質は化学的にペプチド，アミン，アミノ酸誘導体，ステロイドなどに分類される。

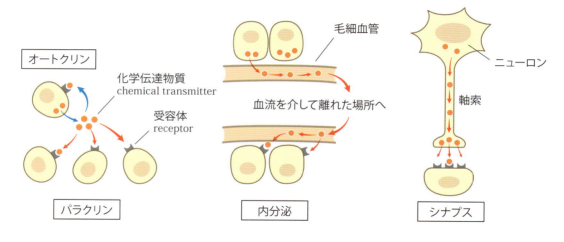

Q87 粘膜上皮内の内分泌細胞

- 胃腸の粘膜上皮内に内分泌細胞が散在する。
- 分泌されるホルモンはペプチドホルモンやアミンであり，消化管ホルモンと呼ばれる。
- 分泌顆粒は細胞の基底側で開口分泌される。

◆ 胃腸の粘膜上皮内には，基底部の細胞質に顆粒を持つ基底顆粒細胞 basal granulated cell と呼ばれる一群の細胞が散在する。基底顆粒細胞は上皮細胞の間に主に散在性に分布する内分泌細胞であり，特殊な鍍銀染色や顆粒内のホルモン分子に対する免疫染色により，他の上皮細胞と染め分けることができる。

◆ 電子顕微鏡では，ペプチドホルモンやアミン産生細胞の特徴である発達したゴルジ装置と粗面小胞体，電子密度の高い内容物を入れた分泌顆粒が観察される。同じ種類の細胞でも，細胞の頂部が管腔面に届いており微絨毛を伸ばしているものと，管腔面に達していないように見えるものとがある。

◆ 分泌に関わるゴルジ装置と分泌顆粒は基底側の細胞質に存在し，分泌顆粒は基底部の細胞膜で開口分泌される。分泌されたホルモンは基底膜を越えて結合組織を拡散し，周囲の細胞に作用したり（パラクリン），近傍の毛細血管に入り血流を介して離れた場所にある標的細胞に作用したりする（内分泌）。

◆ 胃の G 細胞（ガストリン分泌），十二指腸の S 細胞（セクレチン分泌），腸クロム親和性細胞 enterochromaffin cell；EC 細胞（セロトニン分泌）などが有名である。

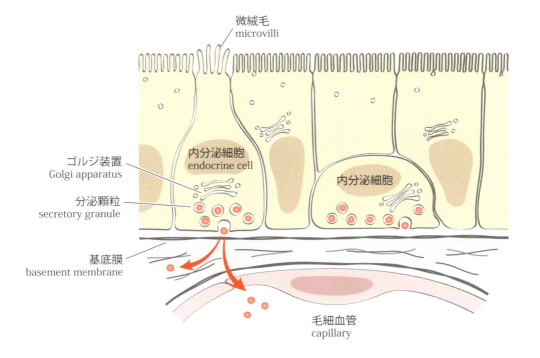

Q88 甲状腺

- 甲状腺のホルモン分泌細胞には濾胞上皮細胞と傍濾胞細胞がある。
- 濾胞上皮細胞はアミノ酸誘導体ホルモンである T_3, T_4 を分泌する。
- 濾胞内に蓄えられたサイログロブリンは T_3, T_4 の前駆物質である。
- 傍濾胞細胞はペプチドホルモンであるカルシトニンを分泌する。

◆ 甲状腺 thyroid gland の表層を包む結合組織の被膜は，血管，リンパ管，神経線維を伴って内部に進入し，小葉間結合組織として実質を小葉に分ける。小葉組織は大小多数の濾胞 follicle の集合であり，濾胞どうしは毛細血管網の発達した少量の濾胞間結合組織で隔てられている。

◆ 濾胞は単層扁平ないし立方上皮（濾胞上皮）と基底膜で構成されており，コロイド colloid を入れた濾胞腔を囲んでいる。コロイドは糖タンパク質であるサイログロブリン thyroglobulin を含み，PAS 陽性に染まる。

1）濾胞上皮細胞

◆ 濾胞上皮細胞 follicular epithelial cell は電顕的には外分泌腺の上皮細胞の特徴を備えている。すなわち，細胞どうしは頂部で接着複合体により結合し，基底部は基底膜に接する。濾胞腔側の自由表面には多数の微絨毛が存在する。細胞質には発達した粗面小胞体，ゴルジ装置のほかに，ライソソーム，分泌顆粒，飲小胞，食胞などが観察される。

◆ 濾胞上皮細胞は血管から取り入れたアミノ酸をもとにサイログロブリンを合成し，濾胞に分泌する。また，ヨウ素輸送体を介して血中からヨウ素イオンを取り入れ，濾胞に放出する。濾胞内ではサイログロブリンのチロシン残基がペルオキシダーゼによりヨウ素化され，さらにヨウ素化チロシンの重合が起こる。

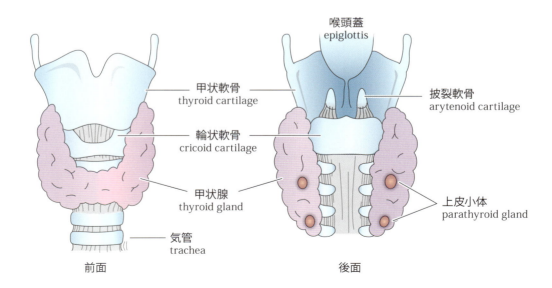

- 上記の段階を経たサイログロブリンを上皮細胞は再び飲作用により吸収し，ライソソーム内の酵素で消化して遊離の T_3（**トリヨードサイロニン** triiodothyronine），T_4（**サイロキシン** thyroxine，**テトラヨードサイロニン** tetraiodothyronine）を産生する。甲状腺から分泌される T_3 と T_4 の比はおよそ 1：20 である。これらの甲状腺ホルモンは小分子で疎水性のため拡散により分泌され，血中ではサイロキシン結合タンパクなどと結合して全身に運ばれる。
- 濾胞間の結合組織には有窓性の内皮からなる毛細血管網が発達している。毛細血管の内腔の太さや小孔の大きさは，甲状腺の機能状態に伴って変化する。また，胸管内の甲状腺ホルモンの濃度が高いことから，甲状腺のリンパ管はホルモンの流出路としても重要であると考えられている。
- 甲状腺ホルモンは，ヒトの正常な発達と成長に必須である。胎生期には胎盤を経由して母親から供給されるほか，14 週以降は胎児性のホルモンが産生される。甲状腺ホルモン欠損はニューロン数の減少，ミエリン形成不全を伴う精神発達遅滞を引き起こす。

2）傍濾胞細胞
- 濾胞上皮の基底側には，**傍濾胞細胞** parafollicular cell（**C 細胞**）と呼ばれる別の内分泌細胞が存在する。この細胞は H-E 染色では明るい細胞質を持つ細胞として認められる。電顕的にはゴルジ装置，粗面小胞体が発達し，分泌顆粒を有している。傍濾胞細胞はペプチドホルモンである**カルシトニン** calcitonin を分泌する。カルシトニンは骨形成を促進し，血中カルシウム濃度を低下させる。

Q89 上皮小体

- ◉ 上皮小体の実質細胞には主細胞と酸好性細胞がある。
- ◉ パラトルモンを分泌するのは主細胞。

◆ **上皮小体** parathyroid gland は甲状腺の背側に存在する小型の内分泌腺で，**副甲状腺**とも呼ばれる。上下左右の計4個であることが多いが，まれに3個以下あるいは5個以上みられることがある。また，位置の異常がみられることも多い。

◆ 外側は線維性被膜に包まれ，そこから血管，神経，リンパ管を伴う梁柱が入り込んで実質を小葉に分ける。実質細胞は細胞索，細胞塊，まれに小型の濾胞構造を形成し，その周囲を毛細血管網が取り巻いている。高齢者の標本では脂肪細胞の浸潤が認められることが多い。

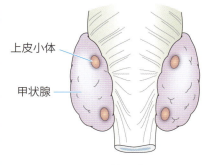

気管の背側面

◆ 実質細胞には主細胞と酸好性細胞の2種類がある。**主細胞** chief cell は**弱好酸性の明るい細胞質を持ち**，ゴルジ装置や粗面小胞体が発達し，多数の分泌顆粒を持つ。ペプチドホルモンであるパラトルモンを分泌する。

◆ **酸好性細胞** oxyphil cell は主細胞に比べ出現頻度は低い。大型の細胞で，しばしば小集団をなす傾向がある。**細胞質は強い好酸性を示し**，電顕的には豊富なミトコンドリアを持つが，その機能は不明である。

◆ **パラトルモン** parathormone は骨吸収を促進する一方，腎臓におけるカルシウム排泄を抑制する。また，腎臓での1α-hydroxylase の合成を促進し，25-OH ビタミン D_3 から活性型の 1,25-$(OH)_2$-ビタミン D_3 への転換を促進する。活性型ビタミン D_3 は小腸からのカルシウムの吸収を促進する。このようにしてパラトルモンは血中のカルシウム濃度を上昇させる。**甲状腺から分泌されるカルシトニンはパラトルモンの作用に拮抗する**。

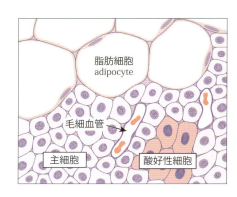

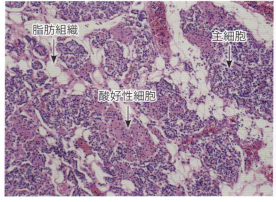

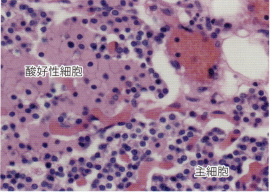

Q90 副腎皮質と副腎髄質

- ● 副腎は発生,機能の異なる皮質と髄質からなる。
- ● 皮質はステロイドホルモン,髄質はカテコールアミンおよびペプチドホルモンを産生する。

1) 皮質 cortex

- ◆ **中胚葉由来で,ステロイドホルモン産生組織**である。皮質細胞はステロイドホルモン産生細胞としての形態的特徴を持つ。すなわち滑面小胞体,ミトコンドリア(小管状,小胞状のクリスタを持つ),脂肪小滴(ステロイドホルモンの原料となるコレステロールを含む)の発達が認められる。
- ◆ 副腎皮質は,細胞の配列状態から次の3層に区別される。

① **球状帯** zona glomerulosa

被膜直下。皮質細胞が球状の細胞塊を形成している。皮質のおよそ15%を占める。細胞は多くの滑面小胞体,複数のゴルジ装置,大型のミトコンドリアを含む。球状帯は**電解質コルチコイド** mineralocorticoid(アルドステロン aldosterone)を分泌する。アルドステロンは腎臓の遠位尿細管,胃腺,唾液腺などで Na^+ の再吸収を促進する。アルドステロンの分泌は主にアンギオテンシンⅡにより促進される。

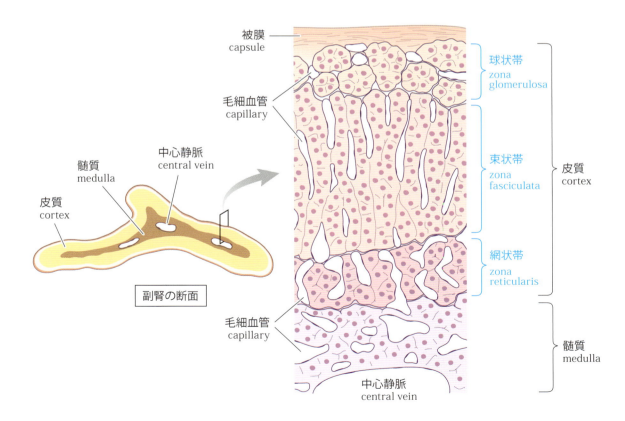

②**束状帯** zona fasciculata

球状帯の内側の層。比較的大型の皮質細胞が髄質に向かう有窓型毛細血管にはさまれた細胞索を形成している。束状帯は，下垂体から分泌される副腎皮質刺激ホルモンの制御下に，**糖質コルチコイド** glucocorticoid（コルチゾール cortisol）を分泌する。糖質コルチコイドは脂肪分解を促進し，糖新生を刺激する。また免疫系を抑制し，炎症反応を抑える。

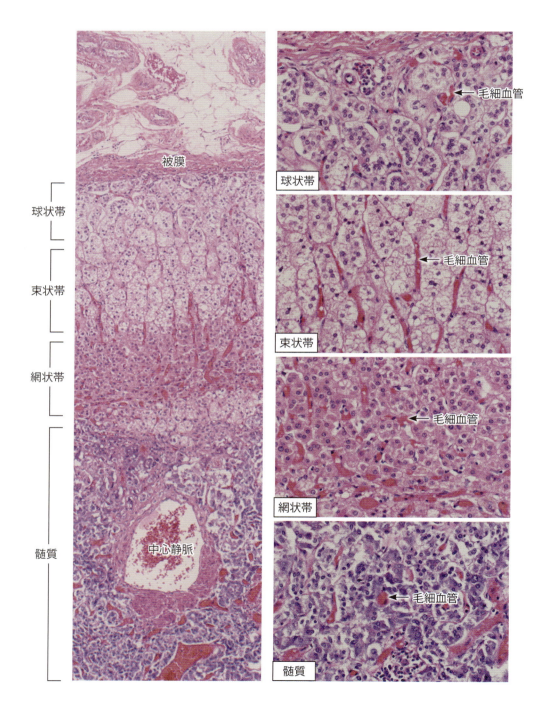

③**網状帯** zona reticularis
　髄質に接した皮質最内層。皮質細胞索は複雑に交叉する網状配列をとっている。男性ホルモン（**アンドロゲン** androgen）を分泌する。網状帯から分泌されるアンドロゲンは主にデヒドロエピアンドロステロンであり，精巣から分泌されるテストステロンの約 1/5 の活性を持つ。網状帯細胞にはしばしばリポフスチン顆粒の集積が認められる。

2）髄質 medulla

- 神経外胚葉（神経堤）由来で，カテコールアミンおよびペプチドホルモン産生組織である。髄質では 2 種類の細胞すなわち**アドレナリン細胞** adrenaline cell（**A 細胞**）と**ノルアドレナリン細胞** noradrenaline cell（**NA 細胞**）が，有窓型毛細血管の周囲に細胞索を形成している。副腎を重クロム酸を含んだ固定液で固定すると，髄質細胞の細胞質は褐色を呈する（**クロム親和性細胞** chromaffin cell）。通常の H-E 染色では A 細胞と NA 細胞を区別することはできない。

- 髄質細胞はアミンおよびペプチドホルモン産生細胞としての形態的特徴を持つ。すなわち粗面小胞体，ゴルジ装置が発達し，分泌顆粒が認められる。分泌顆粒内にはカテコールアミン（アドレナリン，ノルアドレナリン）以外に，エンケファリンなどのペプチドホルモンやクロモグラニン，ATP の存在が確認されている。

- 髄質には豊富な交感神経線維がみられ，その神経終末は髄質細胞との間にシナプスを形成している。すなわち，髄質細胞は発生学的に交感神経の節後ニューロンに相当する細胞で，交感神経刺激により髄質ホルモンを分泌する（交感神経の節後ニューロンの伝達物質はノルアドレナリンである）。また，髄質中には交感神経節細胞もしばしば認められる。

3）副腎の血流

- 被膜の細動脈網は有窓型毛細血管となり皮質を経て髄質に至るが，一部の動脈はそのまま皮質を貫通し（**髄質動脈** medullary arteriole），髄質に達した後に洞様毛細血管となる。前者の血流は多量の皮質ホルモンを，後者の血流は豊富な酸素を髄質に供給する。糖質コルチコイドには，髄質においてノルアドレナリンをアドレナリンに転換するのに必要なフェニルエタノラミン-N-メチル転換酵素を誘導する働きがある。

- 髄質の血流は**中心静脈** central vein に集まる。中心静脈では，髄質ホルモンの作用により静脈が過度に収縮し狭窄を起こさないように，縦走筋が発達していると考えられている。リンパ管は被膜，梁柱，静脈周囲に存在する。

パラガングリオン paraganglion　副腎髄質と同様に神経堤から発生し，交感・副交感神経節や副腎の近傍に分布する小体。頸動脈小体や大動脈小体はパラガングリオンの一種である。組織学的には豊富な毛細血管網に取り巻かれた円形ないし多形細胞の細胞索からなる。実質細胞はクロム親和性で，カテコールアミンを分泌する。

Q91 松果体

- ◉ 松果体実質は松果体細胞とグリア細胞からなる。
- ◉ 松果体細胞はアミノ酸誘導体ホルモンのメラトニンを分泌する。
- ◉ 松果体には石灰化巣を認めることが多い。

◆ 松果体 pineal gland は第三脳室の後端，間脳の後上壁に存在する内分泌腺である。松果体を包む脳軟膜からは内方に結合組織の中隔が伸び，松果体実質を細胞群に分割し，小葉構造を形づくる。

◆ **松果体細胞** pinealocyte は上皮様で，大型の核と明瞭な核小体，比較的豊かな細胞質を有する。細い細胞突起を血管周囲に伸ばしているが，通常の染色標本では観察し難い。電顕的には，松果体細胞の周囲は間質細胞の突起と多数の無髄神経終末に取り巻かれている。松果体細胞はアミノ酸のトリプトファンから段階的な酵素反応により**メラトニン** melatonin を合成し分泌する。

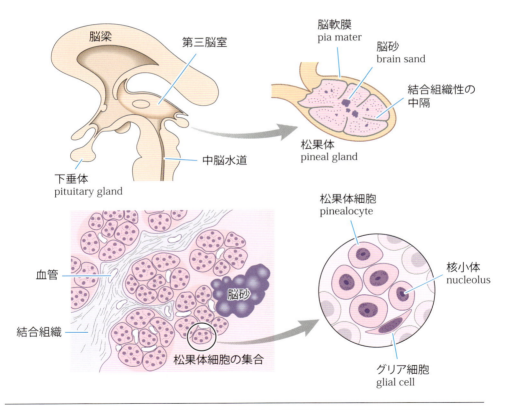

メラトニンの働き 松果体からのメラトニン分泌は日照時間により制御されており，日周リズムを示す。魚類，両生類，爬虫類，鳥類の松果体は網膜の外節様の構造を持ち，直接光を感受する能力がある。哺乳類では，網膜で感受された光刺激の情報がニューロン（網膜視床下部路）を介して視交叉上核，交感神経節を経て松果体に伝わり，メラトニンの分泌に抑制的に作用する。メラトニンには性腺機能抑制作用があり，暗所におかれた動物ではメラトニンの分泌が促進するため，性腺機能が抑制される。ヒトでも松果体の破壊により思春期早発症が起こることが知られている。

- **グリア細胞** glial cell は実質細胞の5％を占める細胞で，松果体細胞を支持する神経膠細胞の一種である。核は細長く濃染し，細胞質は少ない。
- 松果体組織内にはしばしば**脳砂** brain sand と呼ばれるカルシウム塩が沈着した石灰化巣が認められる。脳砂はX線検査で確認でき，松果体の位置異常から頭蓋内の出血，脳腫瘍の存在を間接的に知ることができる。

Q92　腺性下垂体

- 腺性下垂体はラトケ嚢由来の上皮性組織である。
- 前葉の実質細胞は酸好性細胞，塩基好性細胞，色素嫌性細胞からなる。
- 中間葉はヒトでは発達が悪い。

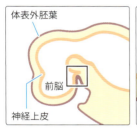
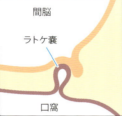
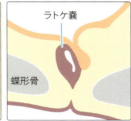
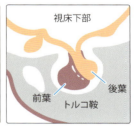

- 下垂体 pituitary gland；hypophysis は発生学的に由来の異なる2つの部分からなる。前葉・中間葉・隆起部は口窩上皮が陥凹してできた**ラトケ嚢** Rathke's pouch に由来し，**腺性下垂体** adenohypophysis という。後葉は視床下部の続きであり**神経性下垂体** neurohypophysis という。

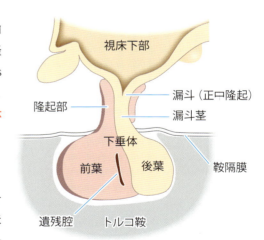

1）前葉 anterior lobe

- 下垂体前葉は，実質細胞（前葉細胞）の細胞索とその間を走る有窓型毛細血管からなる。実質細胞はほとんどがホルモン産生細胞であり，分泌するホルモンの種類によって分類される。切片上でそれぞれの細胞を区別するには，免疫組織化学を用いねばならない。
- H-E染色など通常の染色標本では，**酸好性細胞** acidophil，**塩基好性細胞** basophil，**色素嫌性細胞** chromophobe の3種類に分類される。酸好性細胞と塩基好性細胞は**ペプチドホルモン分泌細胞**であり，電顕的に多数の分泌顆粒と発達したゴルジ装置や粗面小胞体を持つ。各前葉ホルモンは基本的に別々の細胞から分泌されるが，性腺刺激ホルモン分泌細胞はFSHとLHの両方を分泌する。

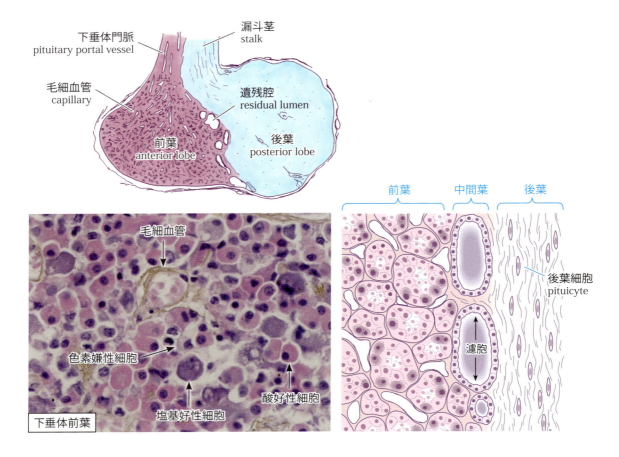

下垂体前葉ホルモン産生細胞の分類

	ホルモン産生細胞	分泌されるホルモン	主な放出促進／抑制ホルモン（視床下部）
酸好性細胞	ソマトトロフ somatotroph	成長ホルモン growth hormone（GH）	↑ GH-releasing hormone（GRH/GHRH） ↓ somatostatin
	ラクトトロフ lactotroph	プロラクチン prolactin（PRL）	↓ dopamine ↑ thyrotropin-releasing hormone（TRH）
塩基好性細胞	サイロトロフ thyrotroph	甲状腺刺激ホルモン thyroid stimulating hormone（TSH）	↑ TRH
	コルチコトロフ corticotroph	副腎皮質刺激ホルモン adrenocorticotropic hormone（ACTH）	↑ corticotropin-releasing hormone（CRH）
	ゴナドトロフ gonadotroph	性腺刺激ホルモン gonadotropins ①黄体形成ホルモン luteinizing hormone（LH） ②卵胞刺激ホルモン follicle-stimulating hormone（FSH）	↑ gonadotropin-releasing hormone（GnRH） 注）GnRH は LHRH とも呼ばれる

gonadotroph と mammosomatotroph　前葉ホルモンの FSH と LH は同一の細胞（gonadotroph）が分泌することが知られている。また，ヒト下垂体腫瘍には GH と PRL を同時に産生するものが多く，両ホルモンを同時に分泌する腫瘍細胞が存在することが知られていたが，正常の前葉組織にも GH と PRL の両者を分泌する細胞（mammosomatotroph）が存在するという報告がある。

- 前葉細胞の分泌機能は，視床下部の神経細胞が産生する視床下部ホルモンが血行性に前葉に至り調節している。これを視床下部−下垂体門脈系という。すなわち，視床下部の諸核に細胞体を有する神経細胞の軸索突起は，漏斗 infundibulum（正中隆起 median eminence）に到達して神経終末を形成し，種々の前葉ホルモン放出促進／抑制ホルモン（releasing hormone/inhibitory hormone）を毛細血管に放出する。
- 正中隆起の毛細血管網は合流し数本の下垂体門脈 pituitary portal vessel となって前葉に至り，前葉の毛細血管網となる。正中隆起で血中に放出された視床下部ホルモンは，下垂体門脈血を介して前葉細胞に作用する。前葉の毛細血管の一部は他の部位の毛細血管と連絡するが，多くは集合して静脈となり，周囲の海綿静脈洞に流れ込む。
- 色素嫌性細胞には，①細胞質にホルモンを貯留していない未熟細胞や脱顆粒状態の細胞，②濾胞星細胞のほか，③未分化細胞が含まれると考えられている。濾胞星細胞 folliculo-stellate cell は分泌顆粒を持たない細胞で，ホルモン産生細胞の支持および代謝調節に関与すると考えられている。

2) 中間葉 intermediate lobe
- ヒヒ以下の哺乳動物の腺性下垂体では，プロオピオメラノコルチン proopiomelanocortin；POMC を発現する細胞集団が葉を構成しており中間葉と呼ばれる。POMC は前葉では酵素的分解により ACTH となり分泌されるが，中間葉細胞では ACTH を経由して，さらに melanocyte stimulating hormone；MSH までプロセッシングされる。
- ヒトでは，MSH 細胞はラトケの遺残腔 residual lumen of Rathke's pouch を取り巻く1層の上皮として残っているだけで，葉は形成しない。しかし，習慣的にラトケの遺残腔がある領域をヒトの中間葉と呼ぶことがある。

3) 隆起部 pars tuberalis
- 前葉組織が下垂体茎を取り巻くように上に伸び出た部分をいう。性腺刺激ホルモン細胞が多く分布し，生殖機能との関わりが示唆されているが不明な点が多い。
- 他の動物では，松果体ホルモンであるメラトニンの受容体が隆起部の細胞に証明される。このことは，同じ前葉組織でありながら，隆起部は生体リズムに関連した役割を担っていることを示している。

4) 下垂体の血管系
- 内頸動脈は脳底に出ると複数の上下垂体動脈を出す。これは視床下部に入り漏斗部で特殊な毛細血管網を作り，その近傍に視床下部ニューロンが終末を作る。その後，下垂体門脈となり前葉に至り，再び毛細血管網を構成する。
- 内頸動脈は海綿静脈洞を通過する際，主に後葉に分布する下下垂体動脈を出す。

> 下垂体門脈　2つの毛細血管網の間を結ぶ血管を「門脈」という。一般には，消化管の毛細血管の血液を集めて肝臓の有窓型毛細血管へ送る血管をさす。下垂体門脈は，上下垂体動脈が正中隆起の部位でつくる毛細血管網と，下垂体前葉の毛細血管網を結んでいる。

Q93 神経性下垂体

- ● 神経性下垂体は神経外胚葉由来で，視床下部に連続した無髄神経組織である。
- ● 内分泌組織であるが，分泌細胞の細胞体はない。

◆ **神経性下垂体** neurohypophysis すなわち**後葉** posterior lobe は，中枢神経系である視床下部の一部であり，無髄神経線維と後葉細胞 pituicyte からなる。後葉細胞はグリア細胞の一種で食作用があり，リポフスチン顆粒に富む。

◆ 後葉には視床下部の**視索上核** supraoptic nucleus，**室傍核** paraventricular nucleus に存在する神経細胞の軸索突起が入り込んでおり，細胞体で作られた分泌顆粒が軸索輸送によって後葉に運ばれる。神経線維のところどころで輸送中の分泌顆粒によるふくらみ（軸索瘤）がみられ，**ヘリング小体** Herring's body と呼ばれる。

◆ 分泌顆粒は神経終末で開口分泌され，ペプチドホルモンの**オキシトシン** oxytocin（子宮筋収縮，乳汁分泌作用），**バゾプレッシン** vasopressin（抗利尿作用）が後葉の毛細血管中に放出される。バゾプレッシンはアルギニンバゾプレッシン arginine vasopressin；AVP，**抗利尿ホルモン** antidiuretic hormone；ADH とも呼ばれる。オキシトシンとバゾプレッシンは視床下部に存在する別々の神経細胞で産生される。

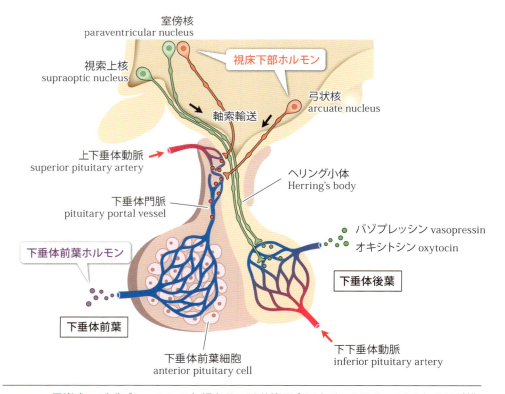

尿崩症 バゾプレッシンの欠損あるいは分泌不全により，1日5〜20ℓもの尿が排泄される。原因の多くは腫瘍や外傷による視床下部や下垂体後葉の損傷である。尿崩症患者には合成のバゾプレッシン誘導体が投与される。視床下部の腫瘍によりバゾプレッシンが過剰分泌されることがある。この場合は高濃度の尿が排泄される。

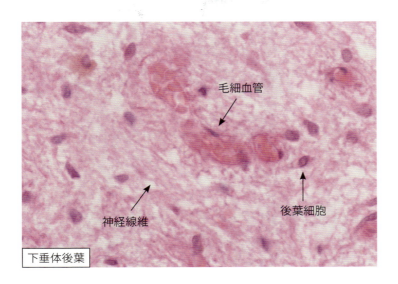

下垂体後葉

Q94 膵臓のランゲルハンス島

◉ インスリンを分泌するB細胞，グルカゴンを分泌するA細胞のほか，数種類のホルモン産生細胞が混在している。

- ランゲルハンス島 islets of Langerhans は膵臓の外分泌部（☞ Q61）の中に島状に浮かんで見える内分泌組織で，膵島 pancreatic islets とも呼ばれる。外分泌部とは狭い細網線維の層により境されている。膵臓の全容積の1〜2%を占め，膵頭部よりも膵尾部に多く分布する。
- 膵島は豊富な毛細血管網とそれを取り巻く実質細胞からなり，実質細胞はほとんどがホルモン産生細胞である。膵島を構成する主な内分泌細胞は次の3種類である。

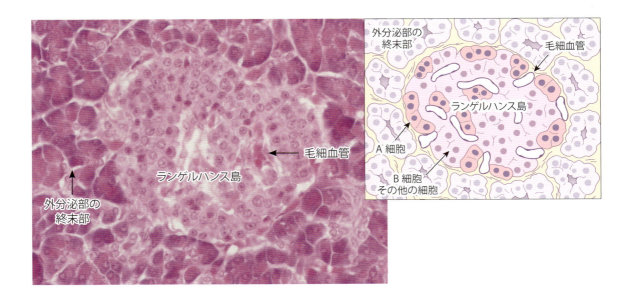

1）A 細胞（α 細胞）

- 好酸性の顆粒を持ち，膵島細胞全体の 10 ～ 15％を占める。島の辺縁部に分布し，グルカゴン glucagon を分泌する。グルカゴンは肝臓のグリコーゲンの分解を促進し，血糖値を上昇させる。
- 電子顕微鏡では扁平な層板状の粗面小胞体とゴルジ装置が発達しており，直径 150 ～ 300 nm の球形の分泌顆粒がみられる。分泌顆粒の限界膜直下は電子密度の低い層があり，中心に暗い芯がある。

2）B 細胞（β 細胞）

- 最も数が多く，膵島細胞全体の 70 ～ 80％を占める。島の中心部に分布し，血糖降下作用を持つインスリン insulin を分泌する。
- クロムヘマトキシリンなどの塩基性色素に親和性を示す好塩基性細胞である。電顕的には粗面小胞体とゴルジ装置が発達し，多数の分泌顆粒を蓄えている。分泌顆粒は直径 150 ～ 250 nm の球形で，内部に電子密度の高い丸や四角などさまざまな形の芯を含む。芯と限界膜の間は電子密度が低く，白く見える。
- 血糖値の上昇は B 細胞内でのグルコース代謝を促進し，ATP 濃度を上昇させる。これが ATP 感受性 K チャネルを閉じ，膜が脱分極する。すると，電位依存性 Ca チャネルが開き Ca^{2+} が流入し，インスリンの分泌が起きる。
- グルコースを静注するよりも経口投与したほうが，インスリン分泌がより亢進する。これは，消化管の L 細胞が分泌する GLP-1 や，十二指腸や上部空腸の K 細胞が分泌する GIP の作用であると考えられている。GIP はもともと gastric inhibitory polypeptide の略であったが，グルコース依存性インスリン分泌促進作用があることから glucose-dependent insulinotrophic polypeptide とも呼ばれている。これらの消化管ホルモンは消化活動に伴って分泌され，インスリン分泌を増強することで食後の高血糖を抑えていると考えられる。

3）D 細胞（δ 細胞）

- A 細胞と B 細胞の間に散在し，数は少ない。ソマトスタチン somatostatin を分泌する。ソマトスタチンは A 細胞，B 細胞の機能を抑制する働きを持つ。D 細胞は銀好性なので，鍍銀法により同定されてきた。電顕的には球形の電子密度の低い分泌顆粒を持つとされている。

- 通常の H-E 染色やアザン染色では A 細胞は酸性色素で赤く染め出されるが，他の細胞を鑑別することは困難である。上記 3 種類の細胞が分泌するホルモンはさまざまな方法で同定されていたが，現在は免疫組織化学により同定することが一般的である。
- 免疫組織化学的には上記のほかに膵ポリペプチド pancreatic polypeptide を分泌する PP 細胞，VIP（vasoactive intestinal polypeptide）を分泌する D1 細胞，セクレチン，モチリンなどを分泌する腸クロム親和性細胞 enterochromaffin cell など数種のホル

モン産生細胞の存在が知られている。
- 膵島のホルモン分泌は，血糖以外に自律神経の調節も受けている。膵島細胞の約10％は細胞膜上に神経終末を持っており，神経刺激は細胞間に発達したギャップ結合を介して周辺の細胞に伝えられる。交感神経刺激はA細胞とB細胞の分泌を刺激し，副交感神経刺激はA細胞を刺激するがB細胞からのインスリン分泌は抑制する。

血糖値の調節に関わるホルモン

食事をすると一過性に血糖値が基準値を超えて上昇するが，数時間後には元に戻る。これは血糖値の上昇に刺激されて分泌が亢進したインスリンの作用である。インスリンはさまざまな組織の細胞膜上でグルコース輸送体の数を増加させ，血中のグルコースを取り込ませる。この作用を持つホルモンはインスリンだけであり，そのためインスリンが不足すると血糖値を下げることができなくなり糖尿病を発症する。

これに対し血糖上昇作用を持つホルモンは，アドレナリン，グルカゴン，コルチゾール，成長ホルモンなど複数存在する。低血糖による意識の喪失は生命を脅かすことになるので，血糖値の維持は個体・種の維持の上で重要である。このため血糖上昇ホルモンは複数発達したが，血糖降下作用のあるホルモンはインスリン以外発達しなかったと考えられている。

8 各論 心臓・血管

Q95 　心臓壁の層構造

- ◉ 心臓壁は心内膜，心筋層，心外膜の3層構造からなる。
- ◉ 心内膜下には特殊心筋線維からなる刺激伝達系が存在する。

1）**心内膜** endocardium
- ◆ 単層扁平上皮の**内皮** endothelium と内皮下の結合組織からなる。弁は，心内膜組織がヒダ状に突出したものである。
- ◆ 心内膜下には特殊心筋線維が**刺激伝導系** conducting system を形成している〔洞房結節－房室結節－ヒス束－プルキンエ線維 Purkinje's fiber〕。**特殊心筋線維** specialized myocardial fiber は筋原線維に乏しく横紋の形成は不明瞭であるが，グリコーゲンに富み PAS 染色に強陽性を示す。刺激伝導系には特殊心筋線維とともに多数の無髄神経線維が走っている。

2）**心筋層** myocardium
- ◆ 心筋線維よりなる。心室壁が心房壁に比べてはるかに厚いのは，心筋層が発達しているからである。筋線維間には毛細血管網が発達しているほか，特に心外膜側では栄養血管である動・静脈がよく認められる。

3）**心外膜** epicardium
- ◆ 脂肪細胞を含む疎性結合組織からなり，最外層を単層扁平上皮である中皮が覆っている。心外膜の結合組織内には心臓の栄養血管や，心筋を支配する豊富な神経線維が観察される。

- ◆ 心筋細胞は，利尿・降圧作用を有するペプチドホルモンを分泌する。**心房性ナトリウム利尿ペプチド**（atrial natriuretic peptide；ANP）は，心房の心筋細胞の分泌顆粒に含まれている。**脳性ナトリウム利尿ペプチド**（brain natriuretic peptide；BNP）は，主に心室の心筋細胞（分泌顆粒はない）から分泌される。両者とも心臓以外に脳にも含まれている。心不全の際には両者の分泌が増加する。

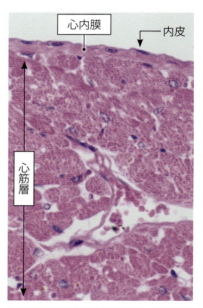

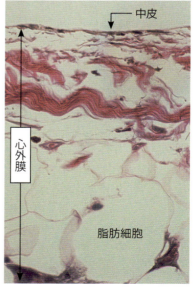

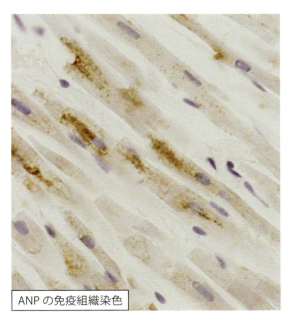

ANPの免疫組織染色

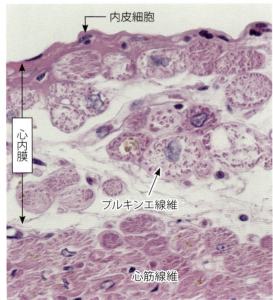

内皮細胞
心内膜
プルキンエ線維
心筋線維

Q96 動脈と静脈の鑑別点

- 血管の基本構造は内膜，中膜，外膜の3層構造。
- 動脈の機能的・形態的特徴は中膜にあり，弾性型と筋型に区別される。
- 静脈は縦走筋が発達している場合がある。

1）動脈の基本構造

◆ 動脈 artery は径の大きさによって分類されるが，大型の動脈は弾性型，中等大以下の動脈は筋型と考えてよい。弾性型動脈 elastic artery には上行大動脈，肺動脈，胸大動脈，腹大動脈，腕頭動脈，鎖骨下動脈，総腸骨動脈など，心臓近くで受動的に高い血圧に耐える必要がある太い動脈が含まれる。筋型動脈 muscular artery は，中膜の平滑筋の収縮により内径の大きさが変化し，能動的に血圧の調節を行う。

① 内膜 tunica intima

単層扁平上皮の内皮 endothelium と，内皮下の薄い結合組織層よりなる。

② 中膜 tunica media

◆ 輪走する平滑筋 smooth muscle とその間に介在する弾性板 elastic lamina からなる。筋型動脈では平滑筋が，弾性型動脈では弾性板が発達している。切片上では弾性板は平滑筋層をはさんで重層する線状の構造にしか見えないが，立体的には弾性線維によ

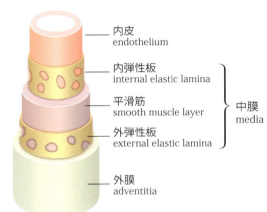

内皮 endothelium
内弾性板 internal elastic lamina
平滑筋 smooth muscle layer
外弾性板 external elastic lamina
中膜 media
外膜 adventitia

り構成された板状の構造で，ところどころに穴があいており**有窓弾性板** fenestrated elastic lamina とも呼ばれる。つまり，弾性型動脈の中膜は弾性板と平滑筋層を交互に積み重ね，丸めて管状にしたものと考えればよい。上下異なる2層の平滑筋は，有窓弾性板の穴を介して連絡している。

◆ 筋型動脈では内膜，外膜との境界部の有窓弾性板が特に発達し，それぞれ**内弾性板** internal elastic lamina，**外弾性板** external elastic lamina を形成している。これらは切片上では平滑筋の収縮に伴う内腔の狭小化のために，波状の走行を呈することが多い。

◆ 弾性型動脈では弾性板は中膜全体に分布しており，内・外弾性板を区別しがたい。細動脈では中膜は数層の平滑筋のみからなり，弾性板はみられなくなる。

◆ 筋型動脈の中膜最外層の平滑筋は神経支配を受けているが，内側の平滑筋には神経支配がみられない。しかしながら，中膜の平滑筋どうしの間にはギャップ結合が発達しており，神経からの興奮を他の細胞に伝え，中膜の平滑筋全体が収縮すると考えられる。なかでも毛細血管の直前に位置する**細動脈** arteriole の平滑筋が収縮・弛緩することで，血流量が調節されている。

③ **外膜** tunica adventitia

中膜の外側の疎性結合組織である。血管を支配する神経線維，栄養血管（大型の血管の場合）を含む。

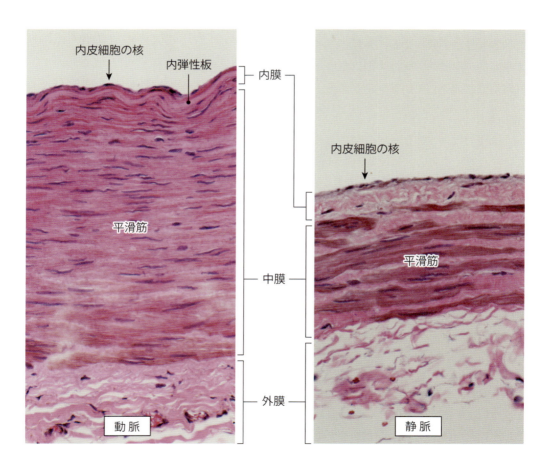

2) 静脈の基本構造
- ◆ 静脈 vein の組織像は動脈よりも多彩で，血管の存在部位による形態差が大きい。
① 内膜：内皮と内皮下の結合組織からなり，縦走する平滑筋線維が存在する場合が多い。大型の静脈に認められる 弁 valve は，内膜が特殊に分化したものである。
② 中膜：輪走する平滑筋層とその間の結合組織層からなる。動脈におけるような 弾性板の発達はない。
③ 外膜：中膜の輪走筋の外側の結合組織層である。太い静脈では豊富な結合組織の中に 平滑筋の縦走筋層が発達していることがある。

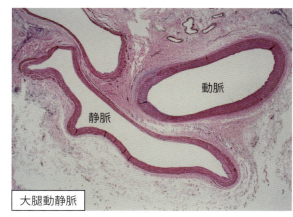

大腿動静脈

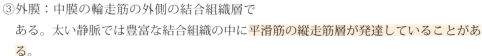

動脈 / 静脈

横断面における動脈と静脈の鑑別点

	動 脈	静 脈
血管の大きさ	小さい	大きい
内腔の広さ	狭い	広い
血管壁の輪郭	丸い	不整形
血管腔の内容物	何もないことが多い	血球を含むことが多い
血管壁の厚さ	厚い	薄い
血管壁の構造	中膜の輪走筋が発達	中膜の発達は弱く，内膜・外膜に縦走筋が発達している場合がある
特殊な構造	弾性板の発達	弁の存在

Q97 毛細血管の基本構造と特殊型

- 毛細血管は内皮細胞，基底膜，周皮細胞からなる。
- 毛細血管の内皮細胞や周囲組織の形態は，その組織・器官の種類に応じて多彩な変化を示す。

◆ 毛細血管 blood capillary は赤血球 1 個が通るくらいの太さで，内皮細胞 endothelial cell，基底膜 basement membrane，周皮細胞 pericyte のみで構成されている。

◆ 周皮細胞は一種の未分化細胞で，損傷組織の再生の際に増殖し，筋線維芽細胞様の細胞に分化するとの説がある。筋線維芽細胞 myofibroblast は，コラーゲンを分泌する線維芽細胞に形態的に類似し，平滑筋のアクチンやデスミンを含んでいる細胞である。普段は不活性な状態で支持組織内に散在しているが，組織に損傷が生じると活性化し盛んにコラーゲンを分泌するとともに，その収縮能によって修復組織を引き締める働きがあると考えられている。

◆ 毛細血管の透過性は，形態的には①内皮細胞間の結合装置の種類・強さ，②物質輸送のための小胞の存在，③有窓性（fenestrated）か否かなどで決まる。たとえば，脳の毛細血管では内皮細胞間に強固なタイト結合が発達しており，物質の自由な通過を阻止するとともに，内皮細胞内には小胞はほとんど存在しない。したがって，タンパク質のような大型の親水性分子は内皮を通過できず，ブドウ糖，脂溶性物質，電解質などは通過できるという選択的な透過性を示す。このような性質を血液-脳関門 blood-brain barrier；BBB と呼ぶ。同様の関門は眼球や精巣にも存在する。

◆ これに対し，筋など一般組織の毛細血管では内皮細胞間の結合はさほど強固でなく，小胞の存在が観察される。また，内分泌組織の毛細血管では内皮に多数の小孔が存在し，小孔を通して活発な物質交換が行われる。一般に有窓性内皮の小孔には隔膜 diaphragm が張っているが，腎臓の糸球体や肝臓の類洞にみられる有窓性内皮の小孔には隔膜は存在しない。

各部の毛細血管の比較

種類	径	内皮細胞	小孔	基底膜	周皮細胞	特殊構造
通常の毛細血管	小	単層扁平	−	+	+	
脳の毛細血管	小	単層扁平	−	+	+	
肺胞の毛細血管	小	単層扁平	−	+	+	肺胞
糸球体の毛細血管	小	単層扁平	+（隔膜−）	+	−	足細胞 メサンギウム
内分泌腺の毛細血管	小〜大	単層扁平	+（隔膜+）	+	+	
肝臓の類洞	大	単層扁平	+（隔膜−）	−	−	ディッセ腔 星細胞 クッパー細胞
脾臓の脾洞	大	細長い紡錘形 細胞間に間隙	+（隔膜−）			タガ線維 脾索

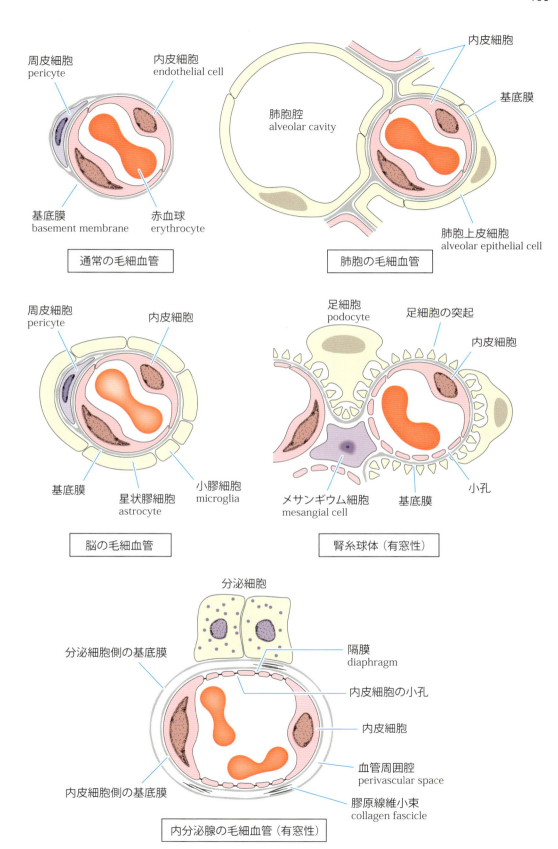

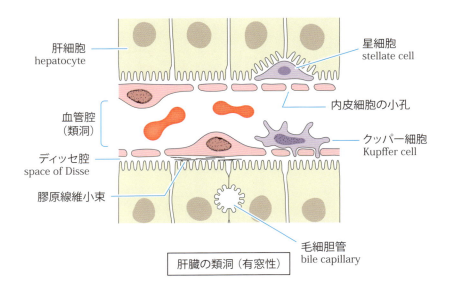

肝臓の類洞（有窓性）

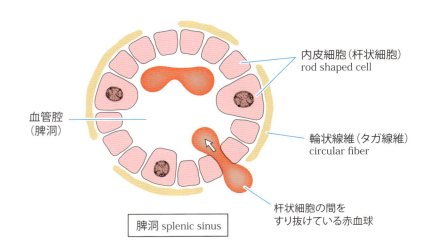

脾洞 splenic sinus

動静脈吻合　手足の指先の皮膚や消化管では，毛細血管を介さずに動脈血を直接静脈へ送る短絡路が存在する．吻合部血管あるいは吻合部直前の動脈には，血流量を調節するために平滑筋が発達している．これらの平滑筋は豊富な自律神経の支配を受けており，その収縮・弛緩は神経により調節される．

分泌細胞としての内皮細胞　血管内皮細胞は，強力な血管収縮作用を持つペプチドであるエンドセリンをはじめ，血管拡張作用を持つプロスタサイクリン，血小板凝集促進／阻止因子，血小板活性化因子などを分泌し，局所循環の調節を行っている．

9 各論 リンパ系

Q98 リンパ管の構造

- リンパ管は静脈に似た構造を持ち，弁を有する。
- 毛細リンパ管壁はほぼ内皮細胞だけで構成されている。

◆ リンパ管 lymphatic vessel は静脈に比べ，その内腔の広さに比して壁の相対的厚さはさらに薄く，平滑筋の発達も乏しい。細いリンパ管では，管壁は内皮とその外側を取り巻く少量の線維束のみからなる。内径が大きくなるにつれ平滑筋や，その外側を縦走する線維束が現れ，内膜・中膜・外膜の3層構造が形成される。しかし，平滑筋の走行は静脈よりもさらに変化に富み，層構造は不明瞭なことが多い。

◆ リンパ管の内腔には内膜がヒダ状に伸び，弁が形成される。弁の出現頻度は静脈よりも多い。胸管 thoracic duct のように大きなリンパ管では，管壁に栄養血管や神経の分布がみられる。

◆ 毛細血管が動脈と静脈の間をつないでいるのに対して，毛細リンパ管 lymphatic capillary は組織の中の盲管として始まる。内皮細胞間の結合は弱く，基底膜の発達も乏しい。周皮細胞は存在しない。

◆ 毛細リンパ管の内皮細胞の基底側の細胞膜からは，周囲の結合組織へ細い線維が伸びている。繋留フィラメント anchoring filament と呼ばれ，毛細リンパ管が周囲組織の圧迫で閉塞してしまわないための装置であると考えられている。

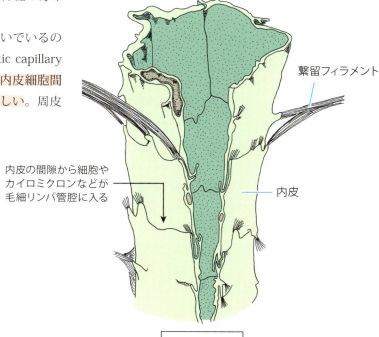

繋留フィラメント
内皮の間隙から細胞やカイロミクロンなどが毛細リンパ管腔に入る
内皮
毛細リンパ管

毛細リンパ管における物質吸収 毛細リンパ管では，結合装置の発達が乏しい内皮細胞間が離開することにより物質が吸収される。これにより，毛細血管では吸収できないような大型の粒子も吸収することができる。

Q99 リンパ性組織の分類

◉ リンパ球の産生・分化を行う一次リンパ性組織と，特異的免疫応答の場である二次リンパ性組織がある。

1) **一次リンパ性組織**＝抗原に依存しないリンパ球の産生・分化の場
① **骨髄** bone marrow
　骨の栄養血管から枝分かれした洞様毛細血管網と，その間を満たす細網組織（**髄索** medullary cord）からなる。**髄索は造血細胞で充満している**。リンパ球の前駆細胞は骨髄で産生される。造血が盛んな骨髄は肉眼的に赤色（**赤色骨髄** red marrow）を呈する。髄索にはしばしば脂肪細胞がみられるが，造血能力が低下した骨髄では脂肪細胞が増加し，肉眼的に黄色を呈するため，**黄色骨髄** yellow marrow と呼ばれる。
② 胸腺　☞Q102

2) **二次リンパ性組織**＝抗原と免疫担当細胞との接触後に起こる特異的免疫反応の場
① **リンパ浸潤** lymphocyte infiltration
　粘膜固有層などの結合組織内に局所的にリンパ球が集合した部分をリンパ浸潤と呼ぶ。リンパ小節に比べて輪郭は不明瞭であり，胚中心はみられない。
② **リンパ小節** lymph nodule
　リンパ球が球状に密集したもので，消化管や気道の粘膜，リンパ節，脾臓に存在する。リンパ浸潤に比べ輪郭が明瞭で，中心部にはしばしば**胚中心** germinal center が形成される。胚中心を持たないリンパ小節を一次リンパ小節，胚中心を持つリンパ小節を二次リンパ小節と呼ぶことがある。リンパ小節内部には毛細血管や毛細血管後細静脈が分布し，周囲には毛細リンパ管網が発達している。単独で存在するものを**孤立リンパ小節** solitary lymphatic nodule，多数のリンパ小節が集合しているものを**集合リンパ小節** aggregated lymphatic nodules（集合リンパ組織）と呼ぶ。
③ **粘膜関連リンパ組織** mucosa associated lymphoid tissue；**MALT**
　気道や消化管などの粘膜に存在する集合リンパ組織を粘膜関連リンパ組織と呼び，リンパ節や脾臓とは独立した局所免疫の中枢と考えられている。腸管の gut associated lymphoid tissue；**GALT** や気管支の bronchus associated lymphoid tissue；**BALT** などがある。**扁桃** tonsil や**パイエル板** Peyer's patch，虫垂は大型の MALT と考えることができる。
④ リンパ節　☞Q100
⑤ 脾臓　☞Q101

　　扁桃　口蓋，舌，咽頭にあり，上皮と粘膜固有層内の集合リンパ小節からなる。上皮には陰窩と呼ばれる深い落ち込みがあり，上皮内にリンパ球が認められる。

　　M 細胞　パイエル板や扁桃を覆う粘膜上皮に存在する特殊な細胞。細胞体は膜状に伸びて洞状の構造を形成し，そこにリンパ球やマクロファージが入り込む。高分子の抗原物質を取り込み，リンパ球やマクロファージに渡す役割を果たしている。

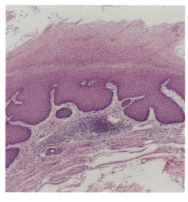
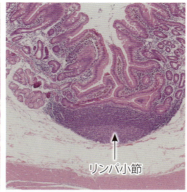
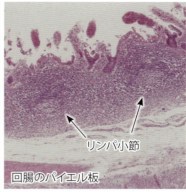
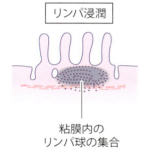
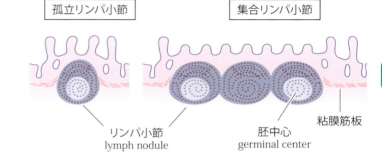

Q100 リンパ節の内部構造

- 皮質には多数のリンパ小節が存在する。
- 胚中心ではBリンパ球の増殖・分化が起こっている。

◆ リンパ節 lymph node はリンパ管の走行に沿って介在する豆形ないし腎形をした器官で，リンパ液の濾過やリンパ球の産生など，生体防御において重要な役割を持つ。

◆ リンパ節の実質は，リンパ小節 lymph nodule が存在する表層の皮質 cortex と，髄洞と髄索が交錯する内部の髄質 medulla に分かれている。また，皮質と髄質との間の境界領域でリンパ球が多数集合している部分を傍皮質 paracortex と呼ぶ。皮質，傍皮質，髄質の境界は必ずしも明瞭ではない。

◆ 表面は膠原線維，弾性線維，平滑筋からなる被膜に覆われ，被膜から分かれた梁柱が皮質を分画する。梁柱から分かれ出た細網線維の網目とそれを覆う細網細胞が，実質の組織骨格をなす。

◆ 皮質の各分画にはそれぞれリンパ小節が存在し，別々の輸入リンパ管 afferent vessel が支配している。リンパ小節には胚中心 germinal center を持つものと持たないものが観察される。胚中心はそのリンパ小節と輸入リンパ管が支配する領域からの抗原刺激に反応して形成され，Bリンパ球の増殖と，抗体産生細胞である形質細胞への分化が起こっている。胚中心を取り巻く小型のリンパ球が集合した層は被膜側で厚く，外套帯 mantle zone（帽状域 corona）と呼ばれる。

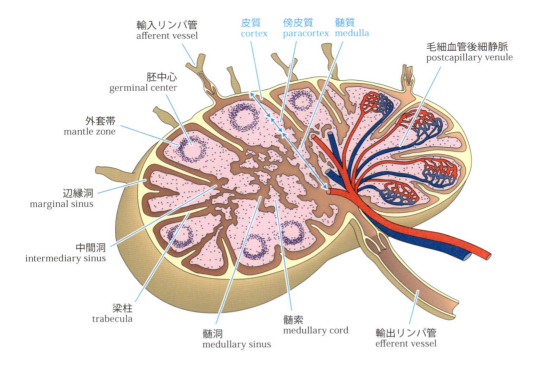

1）リンパ液の流れ

- 輸入リンパ管から被膜直下の**辺縁洞** marginal sinus に入ったリンパ液は，梁柱のわきの**中間洞** intermediary sinus を経て髄質の**髄洞** medullary sinus に流れ込む。髄質は，髄洞とそれに囲まれた索状の実質組織である**髄索** medullary cord からなる。髄洞の内腔には疎な細網線維の網目がみられ，表面は細網細胞が覆っている。洞内皮は1層の扁平な細胞（沿岸細胞）で構成されているが，細網細胞を含めて数種類の細胞からなるという。
- 髄洞のリンパ液は，リンパ節の門にある**輸出リンパ管** efferent vessel を経てリンパ節の外に出る。

2）血液の流れ

- リンパ節の門から入った動脈は細動脈となり，髄質から皮質に至る。リンパ小節の毛細血管は集合して**毛細血管後細静脈** postcapillary venule ; **PCV** となり傍皮質を流れたのち，静脈となって門から出る。
- 毛細血管後細静脈は丈の高い内皮で覆われているのが特徴である。リンパ球はこの内皮細胞の表面に存在する特殊な接着分子を認識することにより，毛細血管後細静脈からリンパ節の実質に入り込む。
- リンパ節に存在するリンパ球の多くは，血行性にリンパ節に入り込んだものである。皮質と髄質にはBリンパ球が，傍皮質にはTリンパ球が多く分布している。

3）リンパ節における抗原提示

- リンパ節内には多数のマクロファージのほか，**樹状細胞** dendritic cell と呼ばれるリ

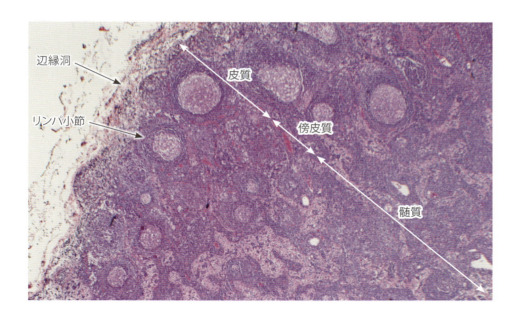

ンパ球の分化・機能調節に重要な働きをする細胞群が存在する。樹状細胞はリンパ組織をはじめ全身の組織に広く分布している**抗原提示細胞** antigen-presenting cell で，組織内で樹状ないし樹枝状の形態を呈することからこの名がある。抗原提示とは，食作用や飲作用によって捕らえた抗原をリンパ球に提示する働きをいう。樹状細胞は抗原提示を主な機能とする細胞であり，食作用を主な機能とするマクロファージとは区別される。

◆ 特殊な領域に認められる樹状細胞として，リンパ小節（リンパ濾胞）の**濾胞樹状細胞** follicular dendritic cell，皮膚の**ランゲルハンス細胞** Langerhans cell，リンパ節や胸腺の**かみ合い細胞** interdigitating cell，リンパ管の**ヴェール細胞** veiled cell などが知られている。これらの多くは骨髄に起源を持つと考えられている。

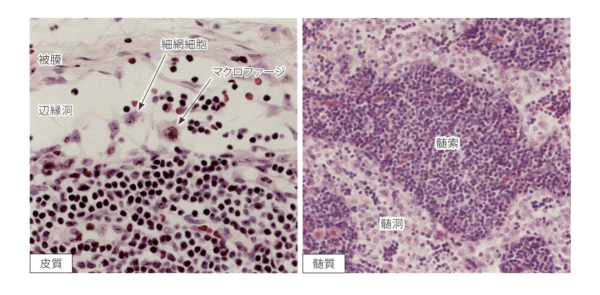

Q101 白脾髄と赤脾髄

- 白脾髄はリンパ小節を含むリンパ性組織であり，赤脾髄は血流に富んだ細網組織である。
- 脾動脈から脾静脈への血流に沿って構造を把握する。

◆ 脾臓 spleen は腹腔内臓器であり，最表層は漿膜に包まれている。漿膜下には多量の弾性線維と平滑筋を含んだ線維性被膜がある。線維性被膜は血管，神経を伴って結合組織性の**脾柱** trabecula となり，内部に向かって伸びている。

◆ 脾臓の機能は，①赤血球の破壊，②血球・血小板の貯蔵，③胎生期の造血，④リンパ球・抗体の産生，⑤血液の濾過である。

1）白脾髄

◆ 脾門から入った脾動脈は枝分かれし，脾柱内を走る**脾柱動脈** trabecular artery となる。動脈が脾柱を出て実質に入ると，周囲をリンパ性組織（**動脈周囲リンパ鞘** peri-arterial lymphoid sheath）すなわち**白脾髄** white pulp によって取り囲まれ，動脈は**中心動脈** central artery と呼ばれるようになる。

◆ 動脈周囲リンパ鞘にはリンパ小節（**脾小節** lymphoid nodule of spleen）および胚中心の形成がみられる。脾小節は中心動脈の走行からややずれた部分に形成されており，中心動脈が脾小節の中心を通るわけではない。脾小節にはBリンパ球が多く，脾小節を取り巻くリンパ組織にはTリンパ球が多い。

◆ 中心動脈からはリンパ小節を栄養する血管が出ているが，一部は**辺縁帯** marginal zone に入る。辺縁帯は脾臓において免疫担当細胞と外来の抗原とが最初に接触する

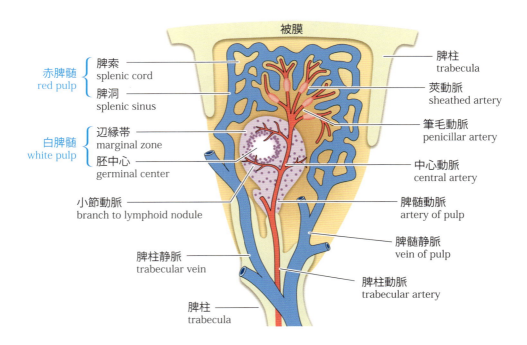

場所で，多数のマクロファージや樹状細胞が存在しており，これらの細胞に捕らえられた抗原は脾小節のBリンパ球に提示される。

2) 赤脾髄
- 中心動脈は動脈周囲リンパ鞘を出る際に枝分かれして**筆毛動脈**（ひつもう）penicillar artery となったのち，**赤脾髄** red pulp において Schweigger-Seidel 鞘に取り巻かれた**莢毛細血管**（きょう）sheathed capillary（**莢動脈**（さや）sheathed artery）となる。
- 赤脾髄の大部分は**脾洞** splenic sinus と**脾索** splenic cord から構成される。脾洞は，細長い紡錘形の内皮細胞（杆状細胞）（かん）と，その外側を取り巻く輪状の細網線維（タガ線維）からなる血管であり（☞Q97），脾索は脾洞の間にある細網組織である。脾洞の内皮細胞間は結合装置が乏しく広いすき間があいている。
- 中心動脈からの血流の大部分は，筆毛動脈と莢毛細血管を介していったん脾索に流れ込んだのち，脾洞に入る（開放循環系）。その際，古くなった赤血球は柔軟性を欠き，新鮮な赤血球のようにタガ線維と杆状細胞のすき間をくぐり抜けて脾洞内に入ることができないため，脾索のマクロファージにより捕食・分解されるのである。
- 一方，中心動脈と脾洞をつなぐ血管系もあり，一部の血流はこの経路を介して直接脾洞に流れ込むと考えられている（閉鎖循環系）。脾洞の血流は脾髄静脈に入り，脾門の脾静脈を経て脾臓外に流れ出る。

Schweigger-Seidel 鞘　莢毛細血管のサヤにあたり，血管を輪状に囲む細網線維と細網細胞，大食細胞からなる。

Q102 胸　腺

- 胸腺はTリンパ球の分化が起こる一次リンパ性器官である。
- 実質は小葉構造をなし，各小葉は皮質と髄質に分かれる。
- 髄質にはハッサル小体が存在する。

1) 胸腺の組織構造
- 胸腺 thymus は，縦隔内で胸骨の後方にある一次リンパ性器官である。全体が線維性被膜に包まれており，被膜には胸腺を支配する血管，神経，輸出リンパ管が観察されるが，輸入リンパ管は存在しない。
- 胸腺実質は，被膜に続く小葉間結合組織によって小葉に分けられている。それぞれの小葉は表層の**皮質** cortex と，内部の**髄質** medulla からなる。H-E 染色標本を観察すると，皮質は小型のリンパ球が密集しているためヘマトキシリンに濃染して暗く見え，髄質は明るく見える。
- 胸腺の組織骨格は，第3咽頭嚢上皮（のう）（内胚葉）由来の細胞が周囲に突起を伸ばし，互いに結合してできる網目状の構造からなる。この細胞は，リンパ節や脾臓にみられる間葉由来の細網細胞と区別するため，「上皮性細網細胞」あるいは単に「上皮細胞」と

呼ばれる。上皮細胞が形成する網目の中にリンパ球が入り込んでおり，これを「胸腺細胞 thymocyte」と呼んでいる。

◆ 胸腺髄質には**ハッサル小体** Hassall's corpuscle と呼ばれる種々の大きさの同心円状の層板構造がみられる。これは上皮細胞が変化して形成されるもので，胎生期に現れ，加齢とともに頻度が増加する。その機能的意義についてはよくわかっていない。

2) 胸腺におけるTリンパ球の分化

◆ 上皮細胞からは胸腺ホルモンと呼ばれるペプチドが分泌され，**Tリンパ球の分化・成熟の調節を行っている**。サイモポイエチン，サイモシン，サイムリン，胸腺液性因子（THF）などが知られている。胸腺実質内にはほかに多数のマクロファージと，**かみ合い細胞** interdigitating cell などの樹状細胞（☞**Q100**）が存在する。

◆ 骨髄で産生されたTリンパ球の前駆細胞は，血行性に胸腺に至り，皮質と髄質の境界に位置する**毛細血管後細静脈** postcapillary venule を通って胸腺内部に入る。この分化段階の細胞は，細胞膜上にT細胞マーカーである **CD4** や **CD8** を発現していない（double negative 細胞）。前駆細胞は皮質表層（外帯）で盛んに分裂増殖し，一部の細胞は皮質深部（内帯）に移動し，胸腺ホルモンなどの上皮細胞の作り出す微小環境の作用により CD4, CD8 および **T細胞受容体**（T-cell receptor；**TCR**）を発現し，Tリンパ球（double positive 細胞）に分化する。

◆ T細胞受容体は，抗原提示細胞の持つ**組織適合複合体** major histocompatibility complex；**MHC** 上に提示された抗原を認識する分子である。個々の胸腺細胞は遺伝子の組み換えによって作られた独自のTCRを発現している。胸腺皮質では胸腺細胞のうち **MHC抗原と相補性のあるTCRを持つ細胞のみが選択され（正の選択）**，MHCとの相補性が強い，あるいは相補性のないTCRを持つ細胞は**アポトーシス** apoptosis を起こして死滅し，マクロファージに処理される。

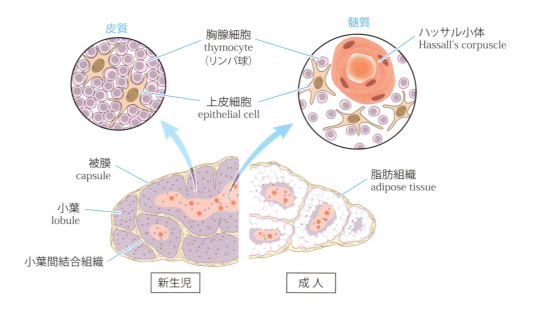

◆ 生き残った double positive 細胞は髄質に移動する。髄質の胸腺上皮細胞や樹状細胞，マクロファージなどの抗原提示細胞はさまざまな組織の組織特異的自己抗原を発現している。正の選択を受けた細胞のうち，これらの自己抗原を認識する細胞は選択的に除去され，<mark>自己抗原と反応性のない細胞のみが生き残る</mark>。これらの細胞は CD4 あるいは CD8 のどちらかを発現する（single positive 細胞）。

◆ 分化を終えた成熟 T リンパ球は再び毛細血管後細静脈を通って血流に入り，全身の諸組織に分布する。胸腺は思春期以降次第に退縮し，皮質の大部分は脂肪組織によって置換されるが，残った実質組織からの T リンパ球の供給は生涯続く。

◆ 胸腺皮質の毛細血管の内皮細胞は密着帯で結合し，周囲の基底膜，毛細血管を取り巻く上皮細胞，マクロファージとともにバリアーを作り，未熟な T リンパ球が血液中の抗原に触れることを防いでいる。これを血液-胸腺関門 blood-thymus barrier という。

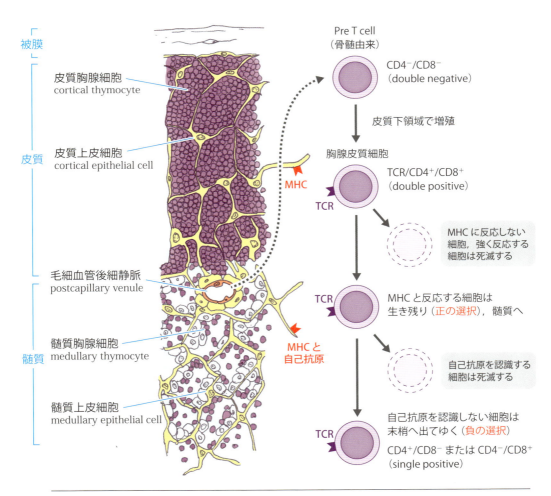

アポトーシス 組織発生の過程で生じた不要な細胞や，免疫細胞に攻撃を受けた病的細胞などにおいて，細胞内部にプログラムされていた機構が作動することによってもたらされる細胞死。細胞の大きさの縮小，核の断裂化，クロマチンの凝集，染色体 DNA の断片化などが生じ，やがて細胞自体も小さく断片化（アポトーシス小体）し，食細胞によって処理される。

10 各論 皮膚

Q103 皮膚の基本構造

- 表皮，真皮，皮下組織の3層構造。
- 表皮にはケラチノサイト，メラノサイト，メルケル細胞，ランゲルハンス細胞が存在する。

1) **表皮** epidermis
- 皮膚の上皮細胞を**表皮細胞** epidermal cell と呼ぶ。重層扁平上皮からなり，深層から表層に向かって次の5層に区別される。

①**基底層** stratum basale, basal layer
- 真皮と基底膜を介して接する1層の立方ないし円柱状の細胞層で，この層における細胞分裂・増殖により新しい表皮細胞が供給される。基底層で新生した表皮細胞は，ケラチンというタンパク質を産生しながら次第に表層に移行する。このため表皮細胞を**ケラチノサイト**（**角化細胞**）keratinocyte とも呼ぶ。表層に進むにつれ，ケラチノサイトは扁平化していく。基底細胞間にはメラノサイトとメルケル細胞が存在する。
- **メラノサイト** melanocyte は多数の突起を備えた細胞で，自己増殖する。メラニン色素を合成し，細胞内の**メラノソーム** melanosome に貯蔵する。メラノソームは細胞質突起の先端に運ばれ，隣接する表皮細胞に周囲の細胞質とともに貪食される。こうしてメラノサイトは周辺の表皮細胞にメラニン色素を供給している。メラニン色素は光の吸収作用を持ち，紫外線から皮膚を守る。メラノサイトは神経外胚葉（神経堤）由来であり，ケラチノサイトとは発生学的に起源が異なる。
- **メルケル細胞** Merkel cell は周辺の表皮細胞とデスモソームで結合し，細胞内にメラニン顆粒やケラチン線維を含むため，表皮細胞に似ているが，約80 nmの有芯小胞を持つのが特徴である。機械的刺激の受容細胞であり，細胞の基底部に求心性線維がシナプスする。そのほか，基底細胞の基底側には**自由神経終末** free nerve ending も認められる。

皮膚の色 ケラチノサイトに取り込まれたメラノソームは，ライソソームにより分解され，表層のケラチノサイトでは次第に消失する。皮膚色の薄い人はこの過程が早い。人種により皮膚色が異なるのはメラノソームの代謝速度の違いであり，メラノサイトの数の違いではない。メラニン色素には暗褐色の eumelanin と赤褐色の pheomelanin があり，皮膚色，特に毛髪の色に大きく影響する。

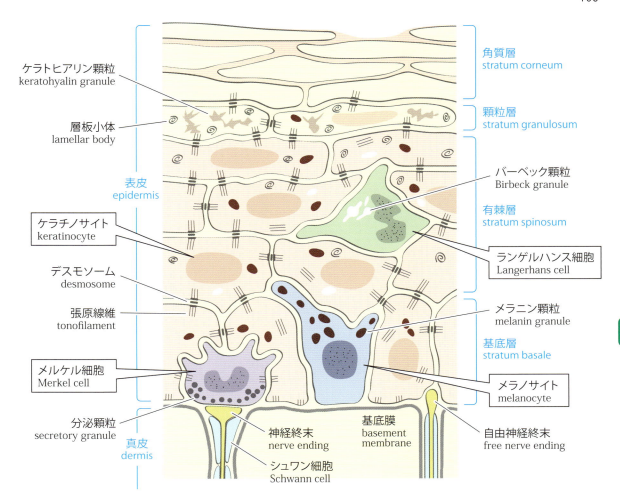

② 有棘層 stratum spinosum, prickle cell layer

- ケラチノサイトが互いに細胞間橋 intercellular bridge（電顕的にはデスモソーム結合）で強固に結合している層。ケラチノサイトの細胞質には張原線維 tonofilament が発達し，張原線維はデスモソームの暗調板に終わっている。
- 電子顕微鏡で見ると，細胞内に層板小体 lamellar body と呼ばれる小顆粒を多数含んでいる。これはゴルジ装置で作られ，内容物はグリコスフィンゴリピッド，ホスホリピッド，セラミドなどの脂質に富んでいる。これらの脂質は，次の顆粒層で細胞外に分泌され細胞間隙を満たすことにより，体表からの水の蒸散を防いでいる。
- 有棘層のケラチノサイトの間にはランゲルハンス細胞 Langerhans cell が存在する。この細胞は樹状の突起を周囲に伸ばし，バーベック顆粒 Birbeck granule という特殊な顆粒を含む。ランゲルハンス細胞は骨髄由来の抗原提示細胞の一種で，表皮内で捕

表皮内のリンパ球 表皮内には Thy-1 分子を表面に持ち，樹状の突起を周囲に伸ばす T リンパ球が存在し，cutaneous intraepithelial lymphocyte あるいは Thy-1 dendritic epidermal cell と呼ばれている。皮膚における防御反応やアレルギー反応において果たす役割が関心を持たれている。

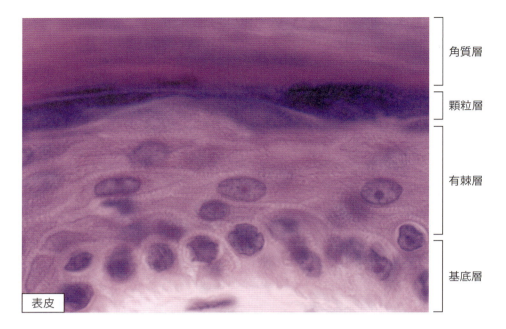

捉した抗原をTリンパ球に提示する働きを持つ。メラニン細胞とランゲルハンス細胞は周辺の細胞との間に結合装置を作らない。

③顆粒層 stratum granulosum, granular layer

ヘマトキシリンに濃染する大型のケラトヒアリン顆粒 keratohyalin granule を有する細胞層（2～3層）。ケラトヒアリン顆粒はケラチンの凝集を助け、表皮細胞の角化を促進する。

④淡明層（透明層）stratum lucidum

手掌や足底の皮膚でみられ、角化する前段階の細胞が存在する。角質層と判別しにくい。

⑤角質層 stratum corneum, horny layer

エオジンに強く染まる無核の扁平な細胞層。角化したケラチノサイトはケラチンで充満し、核や細胞内小器官を失い、死んで最表層より剥離する。

2）真皮 dermis

- 緻密結合組織からなり、真皮乳頭を形成する乳頭層と深部の網状層に区別される。真皮が表皮内に入り込んでいるところを真皮乳頭 dermal papilla という。真皮乳頭には毛細血管のループや神経終末が分布している。網状層 reticular layer には豊富な血管網、リンパ管網、神経網が発達しており、物質の輸送路、情報の伝達路として重要である。

3）皮下組織 subcutaneous tissue

- 疎性結合組織からなり、真皮との境界は明瞭ではない。脂肪細胞に富み、皮下脂肪組織を形成する。皮下脂肪は体のエネルギー貯蔵部位として重要である。

Q104 皮膚にみられる特殊な神経終末

- 皮膚は体表を覆い身体を保護すると同時に，感覚器としての働きも重要。
- 体性感覚の受容器としてメルケル盤，パチニ小体，マイスナー小体，ルフィニ小体などがある。

◆ 体性感覚を伝える神経は，被膜を持たない自由神経終末と，結合組織の被膜に覆われた受容器を持つ終末とがある。後者にはメルケル盤，マイスナー小体，パチニ小体，ルフィニ小体などがある。

1) **自由神経終末** free nerve ending

◆ 皮膚の感覚神経のうち最も多いのは自由神経終末で，真皮に複雑な枝を広げるほか，表皮の顆粒層まで進入する。機械的刺激や温・冷覚を受容する。毛包の外根鞘にも分布し，機械的刺激の受容器として働く。

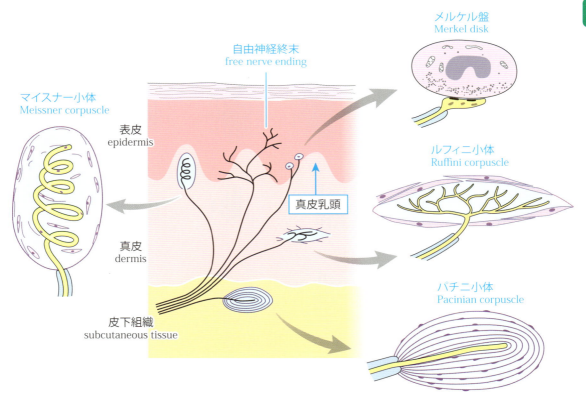

表皮内の神経終末 正常皮膚でも表皮の基底細胞の底部に自由神経終末が存在する。アトピー性皮膚炎などでは，ケラチノサイトから分泌された神経成長因子の働きによって，真皮側からの知覚神経終末が表皮内に深く進入していることが報告されている。このような神経終末は，表皮に加えられた物理的・化学的刺激を感受しやすいと考えられる。刺激を受けると，軸索反射により神経終末からサブスタンスPなどの神経ペプチドが分泌され，肥満細胞を刺激する結果，かゆみを引き起こす。

2）**メルケル盤** Merkel disk
- 表皮の基底層にあるメルケル細胞とこれにシナプスする神経終末。応答は皮膚変位の大きさに比例し，順応が遅い。局所的な持続的接触すなわち圧刺激を感受する。

3）**パチニ小体** Pacinian corpuscle
- 指先などの真皮に多くみられる鋭敏な受容器。密度は低いが，関節，骨膜，さらには内臓にも分布する。シュワン細胞と結合組織が作る層板状の構造を持ち，光学顕微鏡ではタマネギの断面のように見える。層板のずれをもたらす圧覚と振動覚を受容する。

4）**マイスナー小体** Meissner corpuscle
- 皮膚の無毛部の真皮乳頭にあり，特に低周波数の刺激を受容する。全身の皮膚に広く分布するが，特に感覚の鋭敏な指腹，手掌，口唇，外陰部に多い。$100 \sim 150 \mu m$ ほどの楕円形の構造で，皮膚に直角に位置する。
- 小体の内部は扁平なシュワン細胞が不規則な層板を形成し，無髄神経がラセン状に入り込んでいる。H-E 染色標本では，シュワン細胞の層板状の配列が周囲の結合組織と異なるため認めることができる。

5）**ルフィニ小体** Ruffini corpuscle
- 真皮下層や皮下組織にある 1～2 mm の単純な構造の受容器である。被膜の中に液体が満たされており，その中に無髄神経が進入し分枝している。周囲の組織からコラーゲン線維が被膜を貫いて入っており，コラーゲン線維のずれを生じる持続的な機械的刺激を受容する。

Q105 毛とそれを包む構造

- 毛と，毛を包む鞘（外根鞘・内根鞘）からなる。
- 毛の新生は毛母基で行われている。
- 毛の付属器には脂腺と立毛筋がある。

1）毛 hair
①髄質：毛の中心部で，メラニン色素が少なく，角化も弱い。
②皮質：毛の表層の部分で，メラニン色素に富み，角化が強い。
③**毛小皮** hair cuticle：皮質の最表層で，強く角化した細胞が重なっている。

2）毛包 hair follicle
- **毛包** hair follicle は表皮から連続した細胞層で，真皮，皮下組織まで伸びている。毛包の先端部（最深部）の球状に膨らんだ部分を**毛球** hair bulb という。その先端は杯状に内部にくびれ，毛細血管に富む結合組織（**毛乳頭** hair papilla）が入り込み，**毛母基** hair matrix に酸素と栄養を供給する。毛母基（毛乳頭を包む毛包上皮）は盛んに細胞分裂を行い，毛と内根鞘を形成する細胞を産生する。

◆ 内根鞘 inner root sheath は次の3層からなる。
① 根鞘小皮 cuticle of inner root sheath：角化細胞からなり，毛小皮とかみ合うような配列をしている。毛小皮と根鞘小皮の細胞質はH-E染色標本では色素に染まりにくい。
② ハックスレー層 Huxley's layer と ③ ヘンレ層 Henle's layer：前者は球状，後者はやや扁平な細胞からなるが，ともにエオジンに強く染まる粗大な顆粒を持つ。
◆ 内根鞘の外側の層を外根鞘 outer root sheath といい，表皮と類似した構造を持つ。外根鞘の厚い基底膜を硝子膜 hyaline membrane という。

3）結合組織性毛包
内輪・外縦の走行を示す膠原線維束を主とした結合組織からなる。多数の知覚神経終末が毛包を包むように分布しており，毛の傾きを感受する。

4）毛の付属器
脂腺は毛包上部に開口する。立毛筋は結合組織性毛包と真皮表層を結ぶ平滑筋束である。☞ Q107

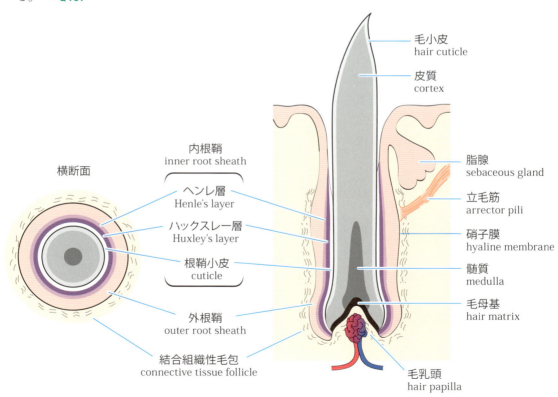

毛髪の色とメラニン　毛母基の上皮細胞間には多数のメラノサイトが介在しており，毛の細胞にメラニン色素を渡している。このメラニン色素の多寡により毛の色が決まる。すなわち黒髪は色素の量が多く，金髪では少ない。メラニンを失った状態が白髪である。

Q106 爪の構造

◎ 爪は皮膚の角質層が特殊な板状の形態をとったものである。
◎ 爪の成長は，爪の基部を覆う上皮組織（爪母基）において行われる。

◆ 爪 nail は**爪体** nail body（爪板）と**爪根** nail root からなる。爪の外から見える部分を爪体という。爪根は爪の付け根で皮膚に埋没した部分をさす。

◆ 爪根はその下部と背側を覆う表皮（**爪母基** nail matrix あるいは爪母床）に連続しており，爪母基の表皮基底層の細胞が分裂増殖し，角化層が供給されることによって爪は成長する。上爪皮が爪体の背側面を形成し，爪床の表皮は爪体の腹側面を形成すると考える者もいる。爪小皮は爪母基を保護し，下爪皮は爪床の保護の役割を持つ。爪を表面から見たときに基部に見える半月は，爪根下部の爪母基に相当する。

◆ 爪体に覆われる表皮と真皮を合わせて**爪床** nail bed と呼ぶ。爪床の表皮は爪母基に連続しているが，顆粒層より表層の構造はなく爪体に移行しており，真皮乳頭も欠いている。爪床の真皮は主に爪に対して垂直方向に走る緻密な膠原線維束からなる。爪床と指の末節骨との間は**シャーピー線維** Sharpey's fiber で強くつながれており，そのため爪は指先に強く固定される。

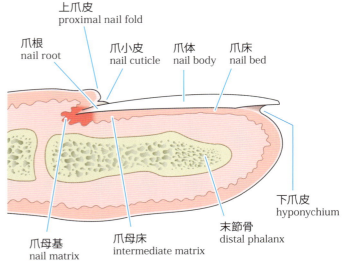

Q107 皮膚の付属腺

◎ 皮膚の付属腺には脂腺，汗腺，乳腺がある。
◎ 汗腺には小汗腺（エックリン汗腺）と大汗腺（アポクリン汗腺）があり，後者は腋窩や外耳道などの特殊な部位にある。

1) **脂腺** sebaceous gland

◆ 通常は毛に付属して存在し，複数の大型胞状の終末部を持ち，導管は毛包上部に開口している。男性の包皮や女性の乳頭の脂腺，あるいは眼瞼の瞼板腺のように毛に付属していない脂腺もあり（導管は体表に開口している），これらは**独立脂腺** independent sebaceous gland と呼ばれる。

◆ 脂腺の終末部は大型の明るい腺細胞で構成され，その細胞質は多数の脂肪小滴で充満し，泡沫状に見える。導管は毛包の外根鞘に似た構造を持つ。

- 脂腺の分泌様式は**ホロクリン分泌** holocrine secretion（**全分泌** ☞ Q24）と呼ばれる。すなわち腺細胞が導管に近づくにつれ核は濃縮し，脂肪小滴は融合して大型化する。やがて自壊した細胞は，その脂肪とともに導管を経て体表に分泌される。脂腺は毛と立毛筋の間にはさまれており，**交感神経の興奮により立毛筋** arrector pili **の収縮が起きると脂腺の内容物が絞り出される**。

2) 汗腺 sweat gland

① エックリン汗腺 eccrine sweat gland

- 大部分の皮膚にみられ，発汗により体温調節を行う。**単一管状腺で，終末部は真皮深部でとぐろを巻いている**。導管は表層に向かって上行し，表皮を貫いて体表に開口する。終末部上皮は表層細胞（暗調細胞）と基底細胞（明調細胞）からなる。表層細胞は分泌顆粒を持ち，粘液多糖類を分泌する。基底細胞には基底陥入の発達や細胞間細管の形成がみられ，水分や電解質の分泌に関与する。

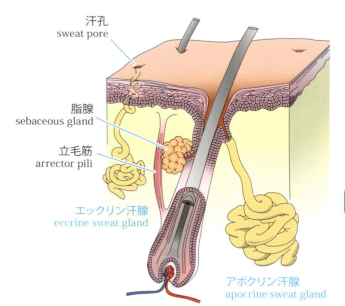

- 基底細胞の外側には**筋上皮細胞** myoepithelial cell が存在する。汗腺の終末部の筋上皮細胞は紡錘形で，腺管に沿って平行にラセン状に配列しており，唾液腺などの外分泌腺にみられる細胞（星状ないしカゴ状に突起を伸ばして終末部を囲む）とは形状が異なる。**筋上皮細胞は平滑筋と同様の収縮タンパクを持つ上皮性の細胞**で，その収縮により汗腺の分泌物が絞り出される。導管は2層の暗調細胞により構成されている。

② アポクリン汗腺 apocrine sweat gland

- 特殊な部位の皮膚にのみ存在する汗腺で，腋窩腺，乳輪腺，耳道腺，睫毛腺などがある。その分泌機能は性ホルモンの影響を強く受け，分泌物は異臭を放つ。
- **終末部はエックリン汗腺に比べ大型で，腺腔も広い**。腺腔の大きさや腺細胞の丈は分泌機能状態に伴って変化する。エックリン汗腺とは異なり腺細胞は1種類で，エオジンに強く染まる細胞質を持ち，**頂部の自由表面には小さな突起状の構造が多数みられる**。これは分泌物を包んだ細胞質が細胞からちぎれて離れようとしているところと

酸外套 acid mantle（**表皮脂肪膜** surface lipid film）　脂腺から分泌された皮脂，エックリン汗腺からの分泌物，角質層の分解産物の混合物は，皮膚の表面で弱酸性の乳液状被膜を形成する。この被膜を酸外套あるいは表皮脂肪膜と呼び，水や毒物に対するバリアーとして働くと同時に，酸性の性状によって，アルカリ性化学物質に対する中和作用や抗細菌・抗真菌作用を発揮する。

考えられたため，大汗腺をアポクリン汗腺と呼ぶことになった．しかしながら，近年はアポクリン汗腺も実は開口分泌を行うことが明らかにされている．
- ◆ 導管は2層の上皮細胞からなり，毛包に開口する．腺細胞の基底側には，エックリン汗腺と同様の形態的特徴を有する筋上皮細胞が存在する．

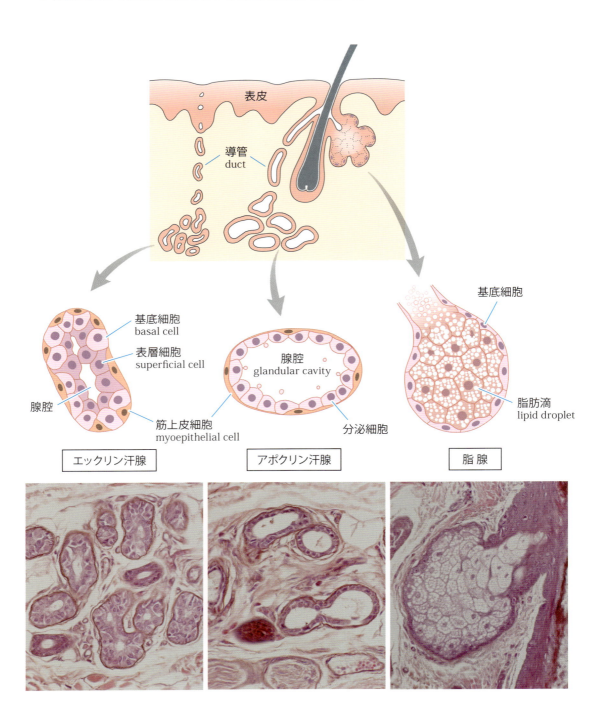

Q108 妊娠に伴う乳腺の形態変化

● 乳腺は休止期，増殖期，授乳期で劇的な形態変化を示す。
● 授乳期の終末部の形態はアポクリン汗腺に類似する。

◆ 休止期の乳腺は，結合組織の中に管状構造（導管系）が島状に散在するだけで，分泌機能を示す終末部は存在しない。

◆ 母体が妊娠すると，管状構造の先端部は盛んに分裂増殖して周囲の結合組織内に広がり終末部を形成する。終末部は腺腔側の立方形の腺細胞と，基底側の筋上皮細胞からなる。腺腔内には免疫グロブリンを豊富に含んだ初乳 colostrum を入れている。終末部は集合して明瞭な小葉を形成し，小葉間結合組織には導管がみられる。

◆ 授乳期の終末部は活発な分泌像を示す。腺細胞の自由表面では多数の細胞突起（アポクリン突起）が形成され，腺腔は分泌物で充満し拡大する。乳汁中には多数の乳球 milk globule がみられる。乳球は，腺細胞内の脂肪滴が，そのまわりを包むわずかな細胞質とともに細胞体からちぎれて分離（アポクリン分泌）したものである。

◆ 一方，カゼイン casein などのタンパク質は，腺細胞の細胞質内では限界膜に包まれた分泌顆粒として存在し，この分泌顆粒が開口分泌することにより腺腔内に放出される。

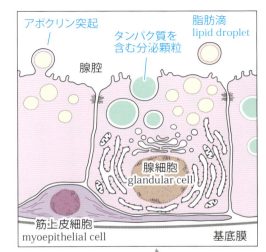

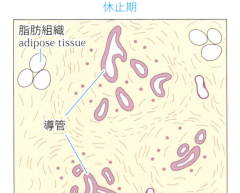

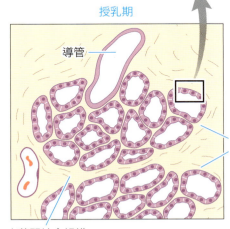

乳頭の構造 乳腺は十数本の導管をもって乳頭に開口している。乳頭の結合組織内ではこれらの導管を取り巻くように，あるいは導管と同方向に多数の平滑筋線維が走っている。平滑筋線維束の間には多数の神経線維が分布している。平滑筋の収縮により乳頭の勃起が起きる。

11 各論 神経系

Q109 脊髄の横断像

- 灰白質は内部にあり，横断面ではH字型を呈する。
- 腹側には運動性，背側には知覚性，中間部には自律神経系の神経核が存在する。
- 白質は神経線維とグリア細胞からなる。

◆ 脊髄 spinal cord の基本構造を下図に示した。脳とは逆に，内部に灰白質，表層に白質がある。各髄節における横断像の違いを次ページの図に示した。

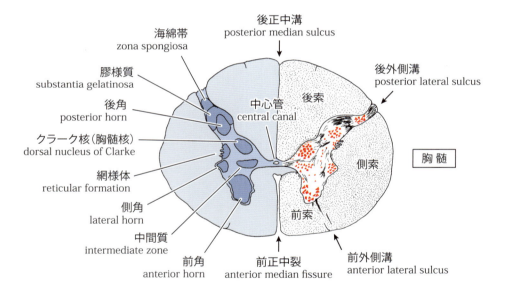

1) **灰白質** grey matter：主に神経細胞体が存在する。
① **前角** anterior horn（**前柱** anterior column）
腹側にあり，体性運動性の大型多極神経細胞が存在する。頸髄や腰髄では四肢の筋を支配する神経細胞が存在するため，胸髄や仙髄に比べて前角が著しく発達し，そのぶん脊髄も太くなっている（**頸膨大** cervical enlargement，**腰膨大** lumbar enlargement）。
② **側角** lateral horn（**側柱** lateral column）
第1胸髄（Th_1）～第2腰髄（L_2）の範囲でみられ，交感神経性の細胞が存在し，内臓運動に関与する。前角と後角の間の灰白質は**中間質** intermediate zone と呼ばれる。中心灰白質や側角は中間質に含まれる。

③**網様体** reticular formation

前柱と後柱の間，中間質の外側に存在する網状の灰白質。頚髄，胸髄で発達している。

④**後角** posterior horn（**後柱** posterior column）

背側にあり，体性知覚性の神経細胞が存在する。中心管側より底，頚，頭，尖に区別される。

底部と頚部には小型の後柱固有細胞が存在する。胸髄の後角底部内側には下半身の深部感覚を中継する背核（**クラーク核** dorsal nucleus of Clarke）が存在する。頭部は**膠様質** substantia gelatinosa と呼ばれ，小型のGierke（ギールケ）細胞が存在する。尖部は海綿帯あるいは縁帯と呼ばれ，縁帯細胞という比較的大型の神経細胞が存在する。

尖部と脊髄後表面の間は終帯と呼ばれ神経線維からなるが，後角に含めて考えられる。

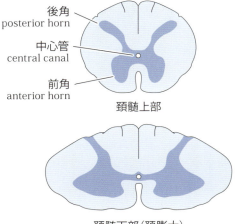
後角 posterior horn
中心管 central canal
前角 anterior horn
頚髄上部

頚髄下部（頚膨大）

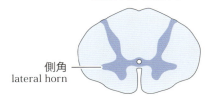
側角 lateral horn
胸髄上部

2) **白質** white matter：主に脊髄を上行あるいは下行する神経線維よりなる（上行性伝導路，下行性伝導路）。

①**前索** anterior funiculus

前正中裂と前外側溝の間の白質。

②**側索** lateral funiculus

前外側溝と後外側溝の間の白質。

以下に示す伝導路が，前索と側索を通る。

錐体路 pyramidal tract の外側皮質脊髄路と前皮質脊髄路，**錐体外路** extrapyramidal tract のオリーブ脊髄路，視蓋脊髄路，前庭脊髄路，網様体脊髄路，内側縦束など。

上行性伝導路には後脊髄小脳路，前脊髄小脳路，脊髄視床路，脊髄視蓋路がある。

③**後索** posterior funiculus

後正中溝と後外側溝の間の白質。

上行性の伝導路からなり，内側の**薄束** gracile fasciculus（Goll 束；主に下半身からの精細な触覚を伝える知覚線維）と外側の**楔状束** cuneate fasciculus（Burdach 束；主に上半身からの触覚を伝える線維）に区別される。

胸髄下部

腰髄（腰膨大）

仙髄

ニューロピル neuropil　灰白質の中で神経細胞や神経膠細胞の細胞体を取り巻く部分は，通常の H-E 染色標本では明瞭な構造を見ることはできない。しかし，この部分を電子顕微鏡で観察すると，神経細胞の軸索突起や樹状突起と神経膠細胞突起で充満した領域であることがわかる。この領域はニューロピルと呼ばれ，神経突起どうしによるシナプス結合の場といえる。

Q110 脳幹の横断像

● 脳幹のそれぞれの高さの横断面の組織像を理解する。

◆ 画像診断法，特にMRIの発達は脳幹各部の構造の観察を可能にし，診断の基礎となっている。したがって，脳幹の横断面で観察される主要な伝導路や神経核の位置については理解しておく必要がある。特に中脳黒質，赤核，線条体，レンズ核，小脳歯状核など，鉄の含量の多い部位は明瞭に描出される。

◆ 延髄，橋，中脳の横断面を図に示した。図の左半分は主要な構造を模式的に示している。濃い青色は灰白質，グレーは白質の範囲を表す。図の右半分は髄鞘染色標本のスケッチである。赤色の点は神経細胞体を示している。

◆ 以下に主要な構造の機能的意義を述べるが，詳細については神経解剖学書で理解しておいて欲しい。

延髄下部

薄束と楔状束は脊髄後索の続きで，それぞれ下半身と上半身（頭部を除く）の識別性触圧覚を伝える。この線維は薄束核 gracile nucleus と楔状束核 cuneate nucleus でニューロンを交代したのち正中で交叉（毛帯交叉）し，対側の内側毛帯 medial lemniscus を上行して視床に至る。

三叉神経脊髄路 trigeminospinal tract は，頭部の温痛覚の伝導に関わる。

随意運動の伝導路（錐体路）はこの部位で対側に移るため，線維の明瞭な交叉が見られ錐体交叉 pyramidal decussation という。交叉した錐体路線維は脊髄の外側皮質脊髄路 lateral corticospinal tract を下行し，脊髄前角に終わる。

外側脊髄視床路 lateral spinothalamic tract は体幹・四肢の温痛覚の上行路で，視床に至る。脊髄小脳路 spinocerebellar tract は筋紡錘などからの深部感覚の上行路で，小脳に至る。

延髄上部

舌下神経核 hypoglossal nucleus は舌の運動に関わる舌下神経 hypoglossal nerve の起始核。

迷走神経背側核 dorsal nucleus of vagus nerve からは迷走神経に含まれる副交感神経の節前線維が出て，消化管の神経叢や心臓に至る。

孤束核 solitary nucleus は延髄から橋下部にかけて存在し，吻側は味覚に，尾側は呼吸，循環，内臓機能に関わる求心性線維を受ける。孤束はその求心性線維束である。

疑核 ambiguus nucleus は，咽頭や喉頭（声帯）の運動に関わる運動線維の起始核。

下オリーブ核 inferior olivary nucleus は，大脳皮質，赤核，脊髄など広範な領域から入力を受け，小脳に線維を送る。運動の出力，タイミングの調節に関わる。

錐体路 pyramidal tract は大脳皮質運動野から発した随意運動の下行性伝導路である。

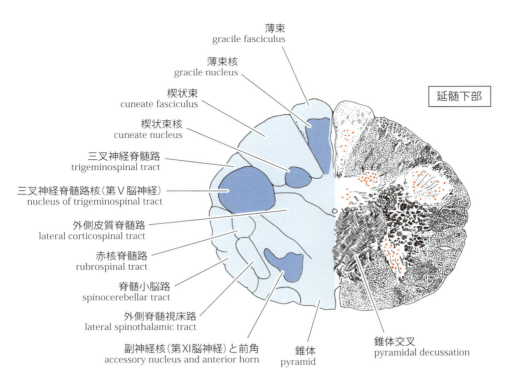

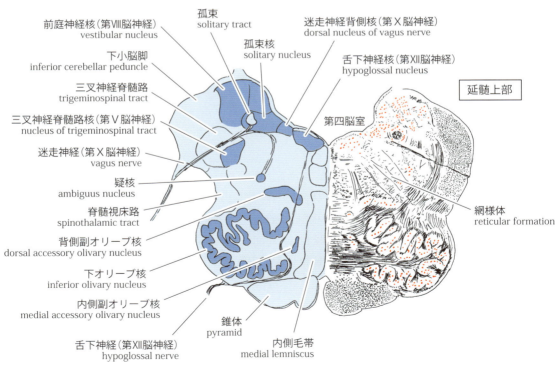

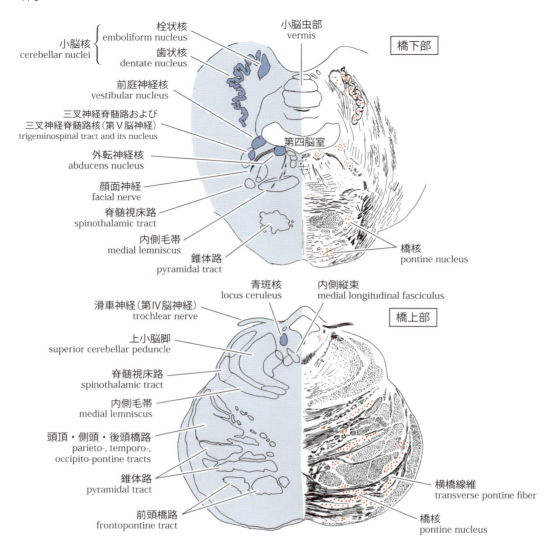

橋下部

図は小脳髄質に存在する小脳核も含んでいる。**小脳核** cerebellar nuclei は小脳のプルキンエ細胞の入力を受けて，上行性の出力線維を出す。**前庭神経核** vestibular nucleus は内耳の前庭器官からの情報を小脳に送り，体平衡を維持する。**外転神経核** abducens nucleus は眼球運動，**顔面神経** facial nucleus は表情筋の運動，唾液分泌，味覚の伝導に関わる。**橋核** pontine nucleus は大脳皮質からの入力を受けて対側の小脳に線維を送り，運動の調節に関与する。

橋上部

青斑核（せいはん）locus ceruleus は睡眠・覚醒などさまざまな脳機能に関わる。後頭側頭橋路，前頭橋路は大脳皮質の各領域から橋核に至る線維束である。**上小脳脚** superior cerebellar peduncle は小脳核から出た上行性の線維束で，中脳下部で交叉したのち，赤核や視床に至る。

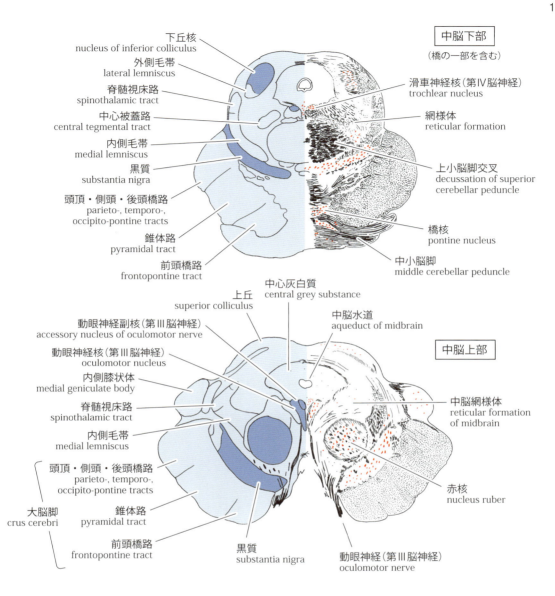

中脳下部

下丘核 nucleus of inferior colliculus と**外側毛帯** lateral lemniscus は聴覚の伝達に関わる。**中心被蓋路** central tegmental tract は赤核から延髄の下オリーブに至る線維束。**滑車神経** trochlear nerve は眼球運動を支配する。**黒質** substantia nigra は神経細胞がメラニンを含むので黒く見える。ドーパミン作動性線維を線条体などに送り，運動の調節を行う。後頭側頭橋路，錐体路，前頭橋路を合わせて**大脳脚** crus cerebri という。

中脳上部

上丘 superior colliculus は視覚の伝達に関わる。**動眼神経核** oculomotor nucleus は外眼筋を支配し，眼球運動に関わる。**動眼神経副核** accessory nucleus of oculomotor nerve は副交感神経性の神経核で，ここから出た線維は眼球の毛様体や瞳孔括約筋の運動を支配する。**赤核** nucleus ruber は運動制御に関わる神経核である。

Q111 大脳皮質の層構造

- ● 大脳の表層（皮質）は灰白質からなり，内部（髄質）は白質からなる。
- ● 新皮質は細胞構築により6層に区別される。

◆ 大脳皮質 cerebral cortex の層構造は，細胞構築と線維構築によって区別される。

1) 細胞構築
◆ 層を構成する神経細胞の形態による分類であり，鍍銀染色が必要である。皮質の中で新しい皮質（等皮質 isocortex）は発生のいずれかの段階で以下に示す6層構造をとる。
① **分子層** molecular layer（**表在層**）：少数の水平細胞，小型顆粒細胞からなる。
② **外顆粒層** external granular layer：多数の顆粒細胞からなる。
③ **外錐体細胞層** external pyramidal layer：主として中等大の錐体細胞からなる。
④ **内顆粒層** internal granular layer：多数の顆粒細胞からなる。
⑤ **内錐体細胞層** internal pyramidal layer：主として中等大から大型の錐体細胞からなる。

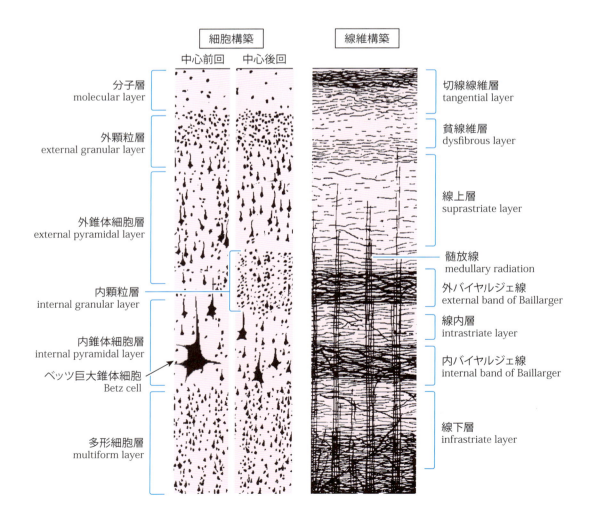

⑥ **多形細胞層** multiform layer：主として紡錘(ぼうすい)細胞からなる。

◆ 各層の発達の程度は皮質の領域ごとに異なる。たとえば，運動領野である中心前回では特に内錐体細胞層が発達しベッツ巨大錐体細胞 Betz cell が観察される一方，顆粒層の発達が悪い。逆に感覚領野である中心後回では顆粒層が発達している。

◆ 嗅脳や海馬などの古い皮質（**不等皮質** allocortex）では，発生のいかなる段階においても上記の6層構造をとらない。

2）線維構築

◆ 髄鞘染色標本では皮質内を走行する有髄神経線維束が観察される。皮質表面に対して垂直に走行し，髄質に入り込む線維群は，髄放線または放線線維束と呼ばれる。

◆ 皮質表面に対して水平に走行する線維束（放線間交織）により，皮質を6層に区別する。①切線線維層，②貧線維層，③線上層，④外バイヤルジェ線 external band of Baillarger，⑤線内層と内バイヤルジェ線 internal band of Baillarger，⑥線下層。

◆ 後頭葉の視覚野にあたる鳥距(ちょうきょこう)溝付近は，内顆粒層内を横走する有髄線維が特に発達しており，肉眼でも灰白質の中の白い線状構造（Gennari 線条(ジェンナリ)または Vicq d'Azyr 線条(ヴィック ダジール)）として観察できるため，**有線領** striate cortex と呼ばれる。

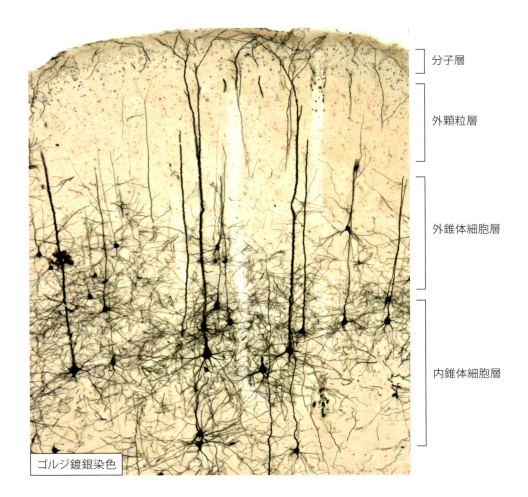

分子層

外顆粒層

外錐体細胞層

内錐体細胞層

ゴルジ鍍銀染色

Q112 小脳の組織構造

- 小脳皮質は分子層，神経細胞層，顆粒層に区別される。
- プルキンエ細胞は大型の神経細胞で，その樹状突起は分子層に，軸索突起は髄質に向かって伸びる。

◆ 小脳 cerebellum も大脳と同様，表層の皮質（灰白質）と内部の髄質（白質）からなり，髄質には小脳核が存在する。

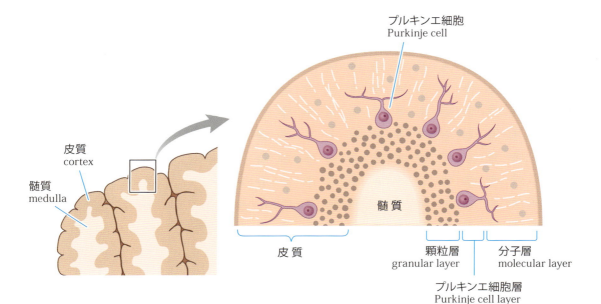

1）皮質

①分子層 molecular layer：星細胞，カゴ細胞などの小型の神経細胞と神経膠細胞が存在する。通常の H-E 染色標本でこれらの細胞を鑑別することはできない。分子層にはプルキンエ細胞の樹状突起，顆粒細胞の神経突起が伸びている。

②プルキンエ細胞層 Purkinje cell layer：大型の神経細胞であるプルキンエ細胞 Purkinje cell の細胞体が存在する。プルキンエ細胞の軸索突起は小脳核まで伸びている。

③顆粒層 granular layer：球状・小型の顆粒細胞 granule cell の細胞体が集合し，H-E染色ではヘマトキシリンに濃染して見える。

2）髄質

有髄神経線維束と，その間に介在する神経膠細胞からなる。歯状核 dentate nucleus，球状核 globose nucleus，栓状核 emboliform nucleus，室頂核 fastigial nucleus の4つの小脳核 cerebellar nuclei が島状に散在する。☞ Q110

Q113 脳室壁を構成する組織

- ● 脳室壁は上衣細胞に覆われ，脈絡叢で髄液が産生される。
- ● 脳室周囲器官の血管は血液-脳関門を欠いている。

1) 脳室
- ◆ 脳室系は，大脳半球の側脳室，間脳の第三脳室，脳幹の中脳水道と第四脳室，脊髄中心管により構成される。脳室壁は基本的に単層の**上衣細胞** ependymal cell により覆われている。
- ◆ 脳室内に**脈絡叢** choroid plexus という絨毛状の構造が突き出ている。脈絡叢は，上衣細胞が特殊に分化した単層立方上皮に覆われ，豊富な血管と少量の疎性結合組織で構成されている。脈絡叢は血液を濾過して脳脊髄液を産生する装置である。

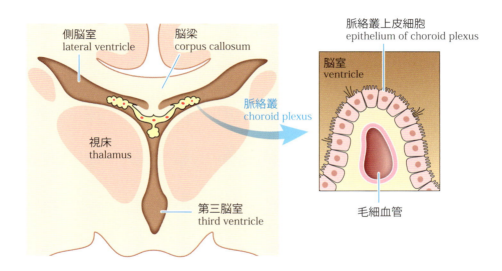

2) 脳室周囲器官
- ◆ 脳室の周囲を取り巻くように**脳室周囲器官** circumventricular organs と呼ばれる組織が点在する。脳室周囲器官としては下垂体後葉や松果体のほかに，終板器官，交連下器官，脳弓下器官，最後野，正中隆起などがあげられる。

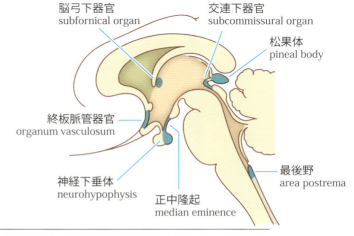

分泌細胞としての脈絡叢上皮 脈絡叢上皮は脳脊髄液を産生するばかりでなく，甲状腺ホルモンの結合タンパクであるトランスサイレチンや，成長因子の1つである IGF-II などを産生して脳脊髄液中に分泌していることがわかった。

- 脳の毛細血管は一般に血液-脳関門を形成しているが，脳室周囲器官では毛細血管内皮は有窓性であり，血液-脳関門を形成していない。したがって，血行性に到達した液性因子は脳室周囲器官の血管壁を通過して組織内に浸透し，脳の実質組織に影響を及ぼしうると考えられている。また，正中隆起や下垂体後葉では神経分泌ニューロンから放出されたホルモンが血中に移行することが可能となっている。

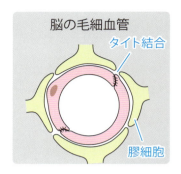

Q114 髄膜の構造

- 硬膜，クモ膜，軟膜の3層からなる。
- クモ膜と軟膜の間にはクモ膜下腔があり，脳脊髄液の通路となる。

1) **硬膜** dura mater
- 髄膜の最外層。膠原線維を中心とした緻密で強靱な結合組織である。多数の血管，神経，リンパ管を含む。毛細血管の内皮は有窓性である。
- クモ膜との間には硬膜辺縁細胞と呼ばれる扁平な細胞からなる層があり，血腫などが形成された際に細胞間が開離して物質が貯留しやすい。いわゆる硬膜下腔は，正常時には存在しないと考えられている。

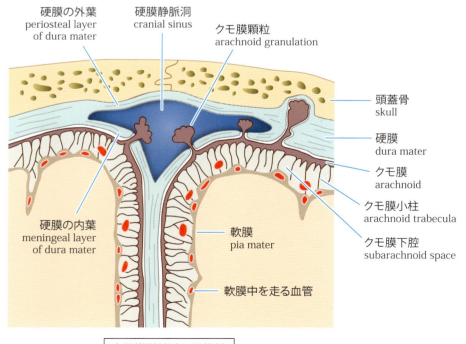

大脳縦裂付近の冠状断

- 頭蓋の硬膜は，髄膜の最外層である本来の硬膜（内葉）と頭蓋の骨膜（外葉）が癒合したもので，両者の間に**硬膜静脈洞** cranial sinus が発達する。

2）クモ膜 arachnoid

- 硬膜の内側にある。硬膜辺縁細胞に接してクモ膜関門細胞と呼ばれる数層の扁平な細胞層があり，細胞間には閉鎖帯が発達している。血管に投与された色素などは，この部分で内層への侵入を阻止される（髄膜−脳関門）。関門細胞層の内側には，突起を伸ばした樹状の細胞による網目状の構造と，その間を走る膠原線維束，弾性線維束が存在する。クモ膜には血管は存在しない。
- 軟膜との間には，脳脊髄液を入れた**クモ膜下腔** subarachnoid space が存在する。クモ膜小柱という突起が多数クモ膜からクモ膜下腔中に伸び出し，脳の実質を覆う軟膜に達している。脳に出入りする神経や血管がクモ膜下腔を通る。
- 矢状静脈洞や脊髄神経根部の神経鞘の静脈内に突出する絨毛状の組織は**クモ膜顆粒** arachnoid granulation（またはクモ膜絨毛）と呼ばれ，脳脊髄液の吸収部位の1つと考えられている。

3）軟膜 pia mater

- 脳表面の実質や血管を覆う疎性結合組織。線維芽細胞様の細胞による網目状の構造と膠原線維，弾性線維からなる。髄膜の炎症の際には，線維芽細胞様の細胞は大食細胞に変化する。軟膜は豊富な血管を含んでおり，毛細血管は脳実質のそれと同様の構造を持つ。
- 硬膜は内葉も外葉も他の結合組織と同様に中胚葉由来であるが，クモ膜と軟膜は外胚葉由来と考えられている。

硬膜の神経と頭痛 硬膜には知覚神経や自律神経が血管周囲に豊富に分布している。知覚神経については，血管周囲以外の膠原線維束内にも終末を有し，ルフィニ小体様の終末を形成しているとの報告もある。硬膜への温熱や化学的・機械的・電気的刺激は痛みの感覚を生じることから，硬膜の神経は頭痛の発生メカニズムに関係が深いと考えられている。

脳脊髄液の吸収 脳脊髄液の吸収経路は不明な点が多く，クモ膜顆粒以外に，脳室上衣細胞，脳軟膜や脳実質の毛細血管，脈絡叢上皮細胞，脳神経および脊髄神経の神経鞘などを介した経路が考えられている。

12 各論 感覚器

Q115 眼球壁の構造

- 眼球の壁は線維膜（角膜，強膜），血管膜（虹彩，毛様体，脈絡膜），内膜（網膜）の3層構造をなす。
- 内部には水晶体と硝子体が存在する。

◆ 眼球の壁は3層構造からなる。
① 最外層は角膜と強膜からなる**線維膜** fibrous layer である。
② 中間層は**血管膜** vascular coat である。メラニン色素に富み血管の通路となる**脈絡膜** choroid からなり，前方では毛様体と虹彩を作る。その色調から**ブドウ膜** uvea とも呼ばれる。
③ 内膜は間脳胞由来の**網膜** retina で，内層の神経網膜と，外層の網膜色素上皮層からなっている。

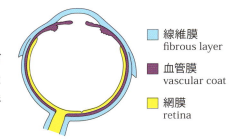

◆ 眼球の水平断を下図に示した。眼球内部にみられる組織の種類と位置関係を正確に把握し，模式図を描けるようにしておくこと。

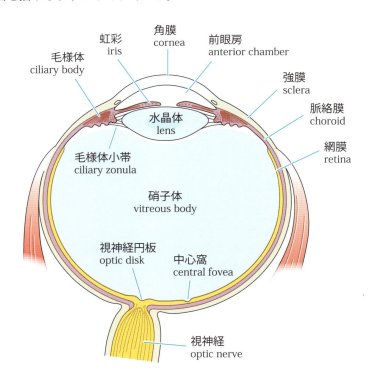

Q116 角膜，強膜

- 角膜と強膜は眼球の外壁をなし，眼球の形状を維持する。
- 角膜は5層構造で透明，強膜は不透明な組織である。

1) 角膜 cornea
前面から後面に向かって，次の5層に区別される。

①角膜上皮 corneal epithelium
重層扁平上皮で，表層より表層細胞，翼細胞，基底細胞に区別される。

②ボウマン膜 Bowman's membrane
不規則な配列を示す膠原線維からなる。感染，外傷により瘢痕化し，不透明となる。

③角膜実質 parenchyma of cornea（角膜固有層 substantia propria cornea）
角膜全層の厚さの90％を占め，層状に規則正しく配列した膠原線維板と実質細胞（角膜細胞）からなる。角膜実質は三叉神経の支配を受けており，炎症や外傷により激しい痛みを感じる。角膜実質には血管がなく，眼房水により栄養されている。

④デスメ膜 Descemet's membrane
角膜内皮細胞の基底膜。全身の組織中で最も厚い基底膜である。

⑤角膜内皮 corneal endothelium
単層扁平上皮で，細胞間にはタイト結合が発達し，物質移動に対するバリアーを形成している。内皮細胞は角膜実質の水分を前眼房へ能動輸送し，実質の水分量を調節することにより，角膜の厚さを調節するとともに透明性を維持している。

2) 強膜 sclera

- 眼球の後方では角膜実質の膠原線維板は規則正しい配列を失い，強膜に移行する。強膜は不規則な配列の膠原線維束からなり，角膜と異なり白色不透明である。
- 強膜の外側は，眼球前面と後極を除いて疎性結合組織に覆われている。眼球前面では結膜に覆われている。いわゆる「しろめ」は，結膜を通して眼球の強膜に覆われた部分を見ているのである。
- 眼球後部では視神経外鞘（硬膜）に移行し，眼球を支配する血管，神経の通路となる。視神経乳頭の後方の部分は篩状となっており，強膜篩板 lamina cribrosa という。ここを視神経が貫いている。
- 前房隅角付近には眼房水の流出路である強膜静脈洞（シュレム管）がある。

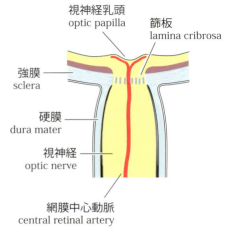

Q117 虹彩, 毛様体

- それぞれの構造と, 対光反射, 眼の遠近調節, 眼房水の産生機能とを関連づけて理解する。
- 上皮細胞は特殊な2列構造であるが, 眼杯の発生を考えれば理解しやすい。

1) 虹彩 iris

中心部（瞳孔）を欠いた厚さ約 0.6 mm の円盤状の構造で, 網膜に至る光の量を調節するカメラの絞りに相当する働きをする組織である。

①虹彩支質

- 前方の前眼房との境界面は前境界層（板）と呼ばれ, 線維芽細胞が内皮様の配列を示すが（虹彩内皮）, 細胞間に結合装置はみられない。したがって, 前眼房からの眼房水は虹彩支質に自由に出入りできる。
- 後方の支質本体は疎性結合組織からなり, 線維芽細胞, 膠原線維, 血管, 神経線維, リンパ球, マクロファージなどがみられる。メラニン細胞 melanocyte が多く, そのメラニン色素量の多寡により虹彩の色調が決まる（多いと暗色, 少ないと青色）。
- 対光反射により瞳孔の大きさを調節するための2種類の平滑筋がある。瞳孔括約筋 sphincter of pupil は瞳孔縁を輪状に取り巻く平滑筋で, 副交感神経の作用で瞳孔を

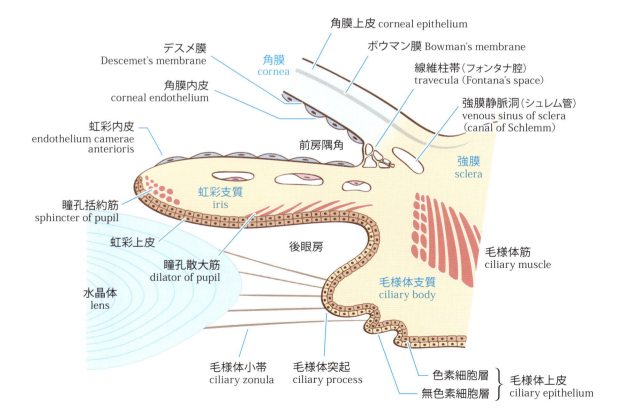

縮める働きを持つ。瞳孔散大筋 dilator of pupil は瞳孔を中心にして放射状に伸びており，交感神経の作用で瞳孔を広げる働きを持つ。

◆ 瞳孔散大筋は，虹彩上皮の前上皮細胞の筋線維を含む細胞突起が支質中に伸び出して形成されたものであり，上皮の基底膜で包まれている。瞳孔括約筋と瞳孔散大筋は神経外胚葉由来の平滑筋と考えられている。

②上皮細胞層（虹彩上皮）

◆ 虹彩の後面を覆う前後2列の上皮（前上皮細胞と後上皮細胞）。2層の単層立方上皮がそれぞれの頂部で向かい合い（細胞間にデスモソーム，ギャップ結合がみられる），外側を基底膜で包まれた構造をとる。どちらの側の上皮も網膜の最も前方の部分に当たる色素上皮細胞 pigment epithelium からなり，豊富なメラニン顆粒を持つ。

2）毛様体 ciliary body

◆ 網脈絡膜と虹彩の間に存在し，毛様体突起 ciliary process のある前方の皺襞部と，後方の扁平部に分かれる。皺襞とは「ひだ」，「しわ」の意味である。

①毛様体上皮

◆ 毛様体上皮も2列であるが，虹彩と異なり内側は無色素細胞層，外側は色素細胞層からなる。皺襞部の無色素上皮細胞は基底陥入，ミトコンドリアが発達し，Na^+-K^+ ATPase 活性を有する。さらに，毛様体突起の上皮下の支質には有窓性の毛細血管からなる豊富な血管網が存在することから，毛様体皺襞部が眼房水 aqueous humor の産生部位であると考えられている。

◆ 眼房水は後眼房から瞳孔を経て前眼房に移行し，前房隅角 angle of anterior chamber（虹彩と角膜・強膜の交叉部）に至る。ここで線維柱帯 travecula（フォンタナ腔

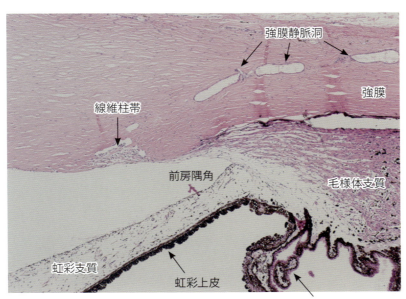

Fontana's space）と呼ばれる脈絡膜，角膜・強膜の線維成分の間に形成された網目状の組織を通過したのち，**強膜静脈洞** venous sinus of sclera（**シュレム管** canal of Schlemm）から吸収され，上強膜静脈を経て大循環に戻る。この際，線維柱帯の内皮細胞は活発な食作用により，眼房水中の異物を取り除く働きを持つ。

◆ 毛様体扁平部からは**毛様体小帯** ciliary zonula（**チン小帯** Zinn's zonule）と呼ばれる線維が起こり，毛様体突起の間を通って後眼房を走り，水晶体に付着している。

②毛様体支質

◆ 眼の遠近調節作用に関与する**毛様体筋** ciliary muscle が存在する。経線状線維（Brücke筋），放線状線維，輪状線維（Müller筋）の3部に分かれ，副交感神経の支配を受ける。

◆ 毛様体筋の収縮により毛様体が前進し（水晶体に近づき），毛様体小帯が弛緩する結果，水晶体は自身の弾性により厚みを増す。

Q118 水晶体，硝子体

- ● 水晶体と硝子体は，角膜とともに光の通路を構成する。血管や神経の分布がなく，透明な組織である。
- ● 硝子体は無細胞性組織。水晶体は細胞で構成された組織。

1) **水晶体** lens
透明で屈曲性を持つ両凸レンズ形の組織で，光の通路を妨げる血管・神経がない。

① **水晶体包** lens capsule：基底膜の特殊型で，水晶体全体を包む。前包と後包からなる。水晶体包は水分と電解質は通過するが，タンパク質は通さない選択的透過性を示す。

② **水晶体上皮** epithelium of lens：単層の立方上皮で，水晶体の赤道面に近い部分に**胚芽帯** germinal layer と呼ばれる細胞の増殖帯があり，ここで絶えず細胞が分裂し，水晶体上皮，水晶体線維の再生が行われている。

③ **水晶体線維** lens fiber（**水晶体上皮細胞** lens epithelial cell）：水晶体上皮細胞は，胚芽帯から水晶体赤道面を

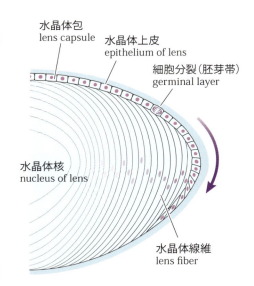

老眼と白内障 加齢に伴い水晶体の可塑性が低下し，遠近調節ができにくくなる。この状態がいわゆる「老眼」である。また，水晶体の透明性が低下した状態が白内障で，一般的にみられる老化現象である。これは水晶体タンパクの架橋や，立体構造の変化によると考えられている。進行した白内障に対しては，白濁した水晶体をプラスチックレンズと置き換える治療が行われる。

経て後方へ移動しつつ，次第に前後に長く伸び，水晶体線維となる。水晶体細胞は水晶体深部で脱核し，無核細胞となって水晶体の核を構成するようになる。水晶体はクリスタリンなどタンパク質の含有量がきわめて多く，全体の35％を占める。

2) **硝子体** vitreous body

- 透明，粘稠なゲル状物質からなり，眼球全体の80％を占める。成分の99％は水で，ほかにコラーゲン，ヒアルロン酸，グルコース，タンパク質，電解質を含む。皮質と髄質に分かれ，前者は後者に比べ膠原線維，ムコ多糖，タンパク質が豊富である。
- 周囲組織との境界部ではマクロファージや線維芽細胞などがみられるが，原則として細胞は存在せず，血管・神経も欠いている。硝子体に含まれる線維成分は硝子体周辺部で多く，**硝子体膜** hyaloid membrane を形成する。これは網膜の最内層である内境界膜と緩く結合している。
- 硝子体は眼球の形状の保持，眼球内の物質移動の場，光の通路としての役割を持つ。

Q119 脈絡膜の層構造

◉ 脈絡膜は4層からなり，豊富な血管網により網膜を栄養している。

- **脈絡膜** choroid は強膜と網膜の間にはさまれた厚さ0.3mmの層で，豊富な血管網が存在し，網膜色素上皮層へ栄養を供給する。メラニン細胞に富み，強膜を剥がす

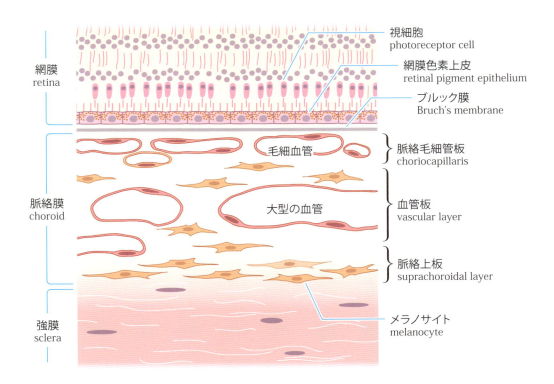

とその外観と色調がブドウの皮のように見えることから**ブドウ膜** uvea と呼ばれることが多い。強膜側より次の4層に区別される。

①**脈絡上板** suprachoroidal layer
メラニン細胞と支質細胞からなる。

②**血管板** vascular layer
脈絡膜の厚さの90％を占め，多数の血管を含む。外側は大型の血管，内側は中等大の血管が分布する。血管周囲には膠原線維，線維芽細胞のほかに，多数のメラニン細胞が存在している。

③**脈絡毛細管板** choriocapillaris
毛細血管とその周囲の結合組織からなる薄い層で，毛細血管以外の細胞成分に乏しい。毛細血管の内皮細胞は有窓性で，周皮細胞は強膜側にのみ存在し，網膜への栄養供給や，網膜からの代謝産物の吸収に有利な形態を持つ。

④**ブルック膜** Bruch's membrane
毛細血管内皮の基底膜と網膜色素上皮の基底膜が合わさったもの。マイナスに荷電した残基を持つムコ多糖が存在することから，陽イオンの通過を制限する性質（血液-網膜関門）を持つ。

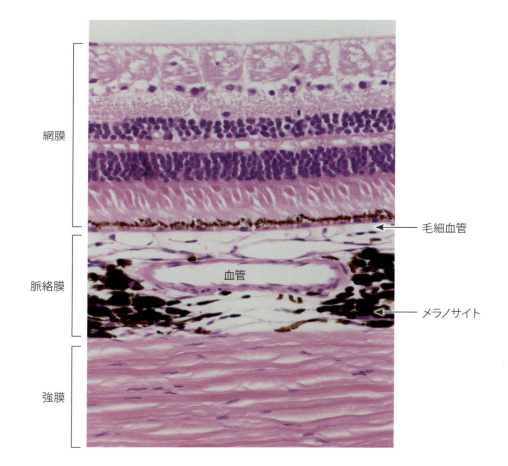

Q120 網膜の層構造

- 視部（神経網膜＝狭義の網膜）と盲部（虹彩部，毛様体部）がある。
- 光は⑩〜③層を貫き，②層で受容される。

◆ 網膜 retina の大部分は光を感受する部位であり**網膜視部** optic part という。毛様体および虹彩の後部を覆う部分は光を感じず**網膜盲部** nonvisual retina という。

◆ 網膜は，間脳胞の突出部である**眼胞** optic vesicle から発生する。眼胞の中央部が陥凹して内外2層の上皮からなる**眼杯** optic cup が形成され，その内層は神経層，外層は色素上皮層に分化する。神経層は前端部には及ばないため網膜盲部が形成される。

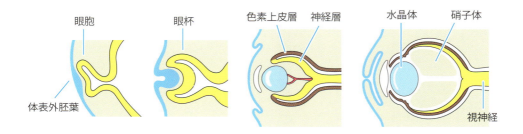

◆ 網膜視部（神経網膜）は数種類の神経細胞と支持細胞，色素上皮細胞で構成され，大脳皮質と同様に高度に分化した層構造を示す。

① **網膜色素上皮層** pigment epithelial layer：脈絡膜に接する単層立方上皮層。上皮細胞はメラニン顆粒を豊富に含有する。メラニン色素の光吸収能により，網膜に入射する光の散乱を防止する。さらに，**視物質** visual substance およびビタミンAの代謝，レチノールの吸収，視細胞の老朽化した外節の処理などの重要な機能を持つ。

② **杆体・錐体層**：視細胞である**杆体細胞** rod cell，**錐体細胞** cone cell の外節が存在する。外節内には入射光に対して垂直に配列する外節円板という層板構造があり，視物質は外節円板上に局在している。

◆ 杆体細胞は光に敏感で，視野が暗いとき主に受容器として機能する。杆体細胞の視物質は**ロドプシン** rhodopsin で，色彩は受容しない。ロドプシン分子の合成にはレチナールが必要であり，ビタミンAの欠乏は暗所での視力を低下させる。

◆ 錐体細胞は長・中・短波長域の光に感受性のある3種類の視物質，**ヨドプシン** iodopsin を持っており，それぞれ赤・緑・青の3色の受容に関わっている。錐体細胞は形態的には1種類だが，3種の視物質のうちの1つを持っている。

③ **外境界膜** external limiting membrane：**ミュラー細胞** Müller cell の接着帯が横に連続している部分で，光学顕微鏡では線状に見える。ミュラー細胞は神経膠細胞で，互いに接着帯で結合し網膜組織を支えるとともに，代謝調節などの役割を持つ。

④ **外顆粒層** external granular layer：視細胞の細胞体（核周部）が存在する。

⑤ **外網状層** external plexiform layer：視細胞の突起と双極細胞の樹状突起の終末が存在する。**双極細胞** bipolar cell は視細胞の入力を受け，視神経細胞へ伝達する。

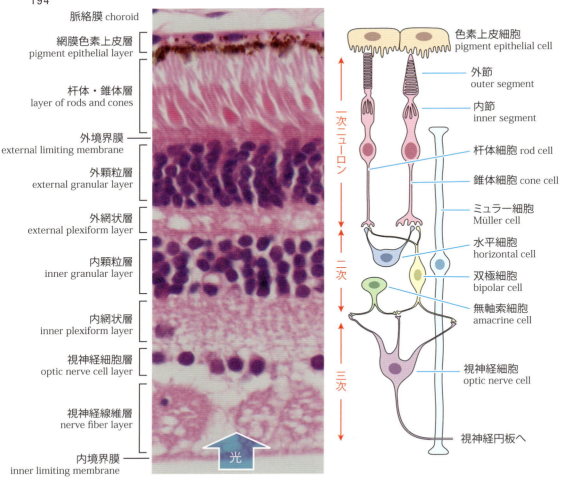

⑥ **内顆粒層** inner granular layer：双極細胞，ミュラー細胞の細胞体（核周部）が存在する。また，水平方向に突起を伸ばす2種類の細胞が存在する。**水平細胞** horizontal cell は横に数本の樹状突起を伸ばし，錐体細胞の突起とシナプスを形成する一方，その軸索突起は杆体細胞の突起との間にシナプスを形成する。**無軸索細胞（アマクリン細胞** amacrine cell）は双極細胞の軸索との間にシナプスを形成する。

⑦ **内網状層** inner plexiform layer：双極細胞の軸索突起，無軸索細胞の突起，視神経細胞の樹状突起，およびこれらの突起間のシナプス結合が存在する。

⑧ **視神経細胞層** optic nerve cell layer（**神経節細胞層** ganglion cell layer）：**視神経細胞** optic nerve cell の細胞体が存在する。

⑨ **視神経線維層** nerve fiber layer：視神経細胞の軸索突起，星状膠細胞が存在する。

⑩ **内境界膜** inner limiting membrane：硝子体との間に存在するミュラー細胞の基底膜である。ここでは円錐形に膨らんだミュラー細胞の突起が互いに結合しており，光学顕微鏡では線状に見える。

網膜剥離 色素上皮層と視細胞（杆体細胞，錐体細胞）との間には形態的接着装置は存在せず，色素上皮の産生するムコ多糖が両者の接着に重要であると考えられている。したがって，さまざまな病的状態で両者の間で剥離が起こりやすい。

Q121 眼瞼を構成する組織

●瞼板を中心に皮膚，筋，腺，結膜の解剖生理を理解する。

◆眼瞼 eyelid の皮膚は，人体の皮膚の中で最も薄い。皮下組織は乏しく，外傷時の内出血などにより腫脹しやすい。

◆眼瞼の筋は次のものがある。
①眼輪筋 orbicularis oculi muscle（骨格筋；顔面神経支配；眼裂を閉じる）
②上眼瞼挙筋 levator palpebrae superioris muscle（骨格筋；動眼神経支配；眼瞼を挙上する）
③瞼板筋 tarsal muscle（平滑筋；交感神経支配；眼裂を開く）

◆瞼板 tarsal plate は硬く緻密な結合組織からなり，内部に瞼板腺 tarsal gland（マイボーム腺 gland of Meibom）という脂腺を持つ。瞼板腺の分泌物は涙液表面に広がり，その蒸発・流出を防ぐ。

◆結膜 conjunctiva は，眼瞼の裏面（眼瞼結膜 palpebral conjunctiva）から眼球前面（眼球結膜 bulbar conjunctiva）を覆う。上皮は多列立方上皮である。上眼瞼の眼球結膜と眼瞼結膜の移行部（結膜円蓋部）には副涙腺 accessory lacrimal gland の導管が開口する。涙液と多列上皮の杯細胞からの粘液は，眼球運動を円滑化する。

◆睫毛 eyelash（まつげ）は知覚神経が分布し，異物の接触を感じると反射により眼瞼が閉じる。睫毛の付属腺として，アポクリン汗腺の一種である睫毛汗腺と睫毛脂腺がある。

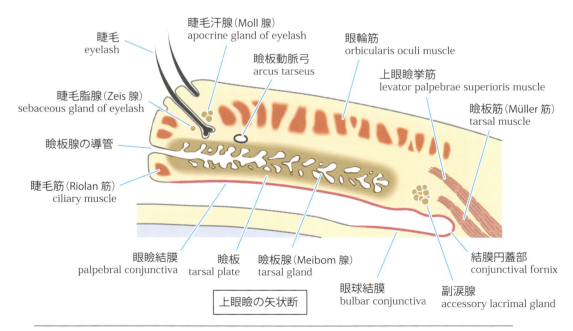

上眼瞼の矢状断

涙腺　涙腺は眼窩上外側の結膜下に存在する漿液性管状胞状腺で，終末部は立方ないし円柱上皮に囲まれる。唾液腺にみられるような介在部や線条部は存在せず，終末部はすぐに導管に移行する。

Q122 外耳道壁と鼓膜

- 外耳道は骨部と軟骨部に分けられる。
- 鼓膜は上皮層（外耳道表皮の続き），固有層，粘膜層（鼓室上皮）の3層からなる。

1) **外耳道** external auditory meatus

① **軟骨部** cartilaginous portion：外耳道の外側1/3は，耳介軟骨に続く弾性軟骨によって囲まれる。軟骨部の皮膚は，通常の皮膚にみられる真皮乳頭，皮下組織，毛を有し，毛包には脂腺が開口する。また，脂腺のほかに**耳道腺** ceruminous gland と呼ばれるアポクリン汗腺があり，その導管は毛包，脂腺の導管，あるいは外耳道表皮に直接開口する。耳道腺と脂腺の分泌物に脱落上皮が混合して耳垢が形成される。

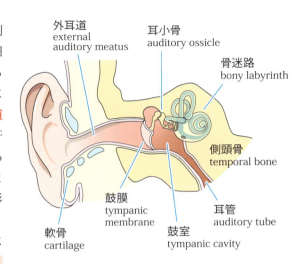

② **骨部** bony part：外耳道の内側2/3は骨により囲まれ，真皮乳頭，皮下組織，毛，脂腺，耳道腺などは観察されない。

2) **鼓膜** tympanic membrane

◆ 鼓膜が3層構造であることは，第1咽頭溝と第1咽頭嚢が間葉をはさんで接した部分から鼓膜が発生することを考えると理解しやすい。

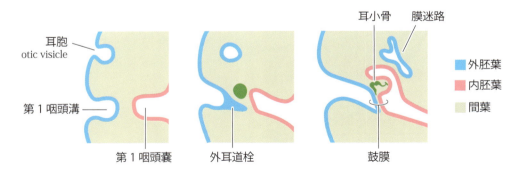

① 上皮層：外耳道側の上皮は重層扁平上皮で，真皮乳頭はみられない。
② 固有層：数層の規則正しく配列した膠原線維束からなり，外側の放射状線維と内側の輪状，放物状，横走の各線維がある。動脈，リンパ管，神経が分布する。
③ 粘膜層：鼓室側は単層扁平ないし立方上皮により覆われている。

耳垢の働き 耳垢は，豊富な脂質成分により外耳道を保護し，乾燥を保つとともに，抗菌作用を持つリゾチームという酵素に富み，外耳道の感染を防ぐ働きを持つ。

Q123 聴覚器を構成する細胞

◉ ラセン器は蝸牛管の全長にわたり存在し，有毛細胞と多種の支持細胞により構成されている。

◆ 音は外耳道を通って鼓膜を振動させ，耳小骨を介して内耳に通じる前庭窓を振動させる。前庭窓の振動は**蝸牛管** cochlear duct 内の外リンパ液に伝わり，その波動は蝸牛の**前庭階** scala vestibuli を通り，蝸牛頂部で**鼓室階** scala tympani に移り，最終的には中耳腔に面した蝸牛窓に発散する。この間に外リンパの振動は**基底膜** basilar membrane を振動させ，その上に乗るラセン器の中の有毛細胞が音を神経情報に変え蝸牛神経に伝える。

◆ **ラセン器** spiral organ（**コルチ器** organ of Corti）は基底膜上の蝸牛管上皮が蝸牛管の内腔に向けて膨隆し特殊化したものである。感覚受容細胞である**有毛細胞** hair cell のほかに，多種の支持細胞で構成されている。

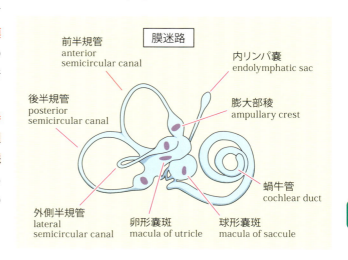

1）支持細胞

◆ **境界細胞**：内ラセン溝上皮と内有毛細胞の間の細胞群。

◆ **内柱細胞** inner pillar cell・**外柱細胞** outer pillar cell：細胞体から長い柱状突起が伸び，**内トンネル** inner tunnel を囲む。突起の先端は板状となり（頭板），内柱細胞と

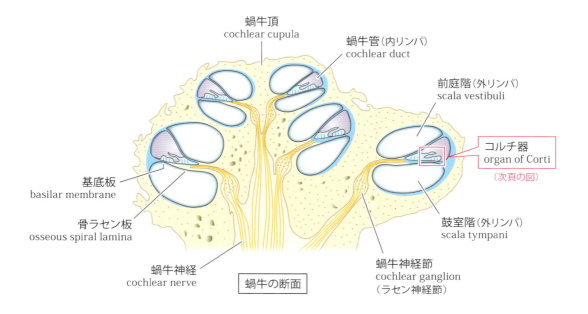

外柱細胞の頭板は互いに結合する。突起内には細胞骨格としての微小管が発達している。内トンネルは外柱細胞の間隙を介して**ヌエル腔** Nuel's space と通じている。

- **内指節細胞** inner phalangeal cell は内柱細胞と境界細胞の間に位置する細胞で，内有毛細胞の支持細胞である。**外指節細胞** outer phalangeal cell（**ダイテルス細胞** Deiters cell）は外有毛細胞の支持細胞であり，ヌエル腔をはさんで外柱細胞の外側に存在する。両者ともに頂部からは指節突起が伸び，その先端は板状の指節をなし，隣接する指節細胞の指節とともに有毛細胞の頂部をはさむようにして支えている。

- 外指節細胞と外ラセン溝上皮の間の明調な支持細胞群は，内側のヘンゼン細胞 Hensen cell（円柱上皮）と，外側のクラウディウス細胞 Claudius cell（立方上皮）に区別される。

2）感覚細胞

- 1列の**内有毛細胞** inner hair cell と3〜5列の**外有毛細胞** outer hair cell がある。外有毛細胞は基底回転では3列，頂部では5列になる。有毛細胞は動毛（線毛）を欠き，**聴毛** auditory hair（**感覚毛** sensory hair）と呼ばれる不動毛を有している。聴毛の上端は**蓋膜**_{がい} tectorial membrane（ラセン板縁上皮である歯間細胞の分泌物で作られる膜状の構造）に接している。

- 有毛細胞は，支持細胞により細胞体の基底側の部分と頂部周囲を支持されているだけで，それ以外の細胞体の部分は露出している。内・外柱細胞の頭板と内・外指節細胞の指節は，有毛細胞の頂部を取り囲みながら互いにすき間なく組み合わさり，ドームの屋根のような構造をつくる。したがって，有毛細胞の頂部は蝸牛管の内リンパに面しているが，細胞体の側面は柱状突起や指節突起の間隙を介してトンネルやヌエル腔を満たす液（内リンパと組成は異なる）に面することになる。

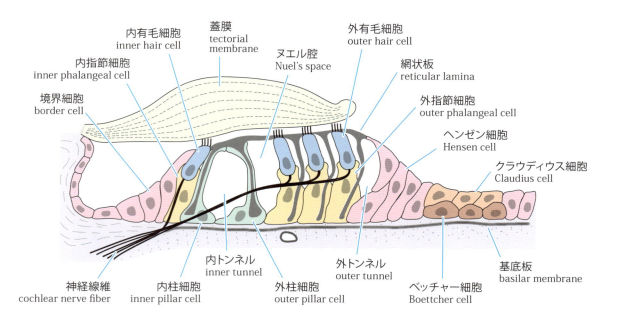

- 内・外有毛細胞は蝸牛神経の支配を受けており，細胞の基底部には多くの神経終末がシナプス結合している。トンネル，ヌエル腔を横切る無髄神経線維束は外有毛細胞に至る**蝸牛神経** cochlear nerve である。

血管条と内リンパ液 蝸牛の外側壁に存在する特殊な重層上皮と豊富な毛細血管よりなる部分を血管条という。蝸牛管内を満たす内リンパ液の分泌および吸収を行い，内リンパ液中の電解質濃度を調節することにより，蝸牛電位を維持している重要な組織である。重層上皮は基底膜を欠き，表層より辺縁細胞（表層細胞），中間細胞，基底細胞に区別され，毛細血管はこれらの上皮細胞の間に介在している。

Q124 平衡感覚器

- 平衡斑は重力加速度・直線加速度の感覚器で，球形嚢と卵形嚢にある。
- 膨大部稜は回転加速度の感覚器で，半規管膨大部にある。

1）**平衡斑** macula
- 球形嚢および卵形嚢の内リンパ腔壁の隆起である。**球形嚢斑** macula of saccule は正常の頭位に対して中心線が垂直方向に，**卵形嚢斑** macula of utricle は水平方向に向いている。
- 感覚上皮は感覚細胞と支持細胞からなり，感覚細胞の基底側には前庭神経の終末がシナプス結合する。感覚細胞は頂部に1本の長い**動毛** kinocilium と多数の**不動毛** stereocilia を持つ。感覚細胞の毛の配列には規則性がある。すなわち動毛は不動毛に対して，卵形嚢斑では中心線側に，球形嚢斑では外側に位置している。
- 運動により頭部が移動すると慣性により平衡砂が移動し有毛細胞の突起（不動毛）が傾く。これが刺激となり有毛細胞が興奮し，前庭神経に情報を伝える。

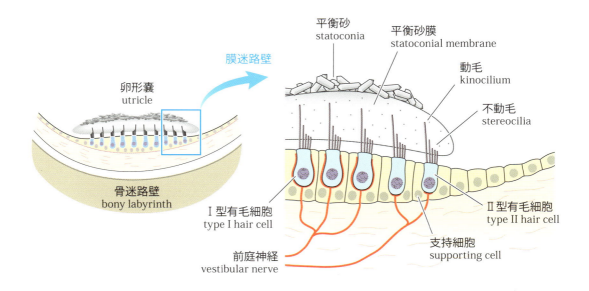

- 感覚細胞には底部が膨らんだナスのような形をしたⅠ型有毛細胞と，円筒形のⅡ型有毛細胞がある．Ⅰ型細胞はシナプス小胞を持たない求心性の終末に取り囲まれている（杯状知覚終末）が，Ⅱ型細胞に終わる終末は小型で，シナプス小胞を持つもの（遠心性線維）と持たないもの（求心性線維）が見られる．Ⅰ型有毛細胞は爬虫類より進化した動物にのみ見られる．
- 支持細胞は有毛細胞とこれにシナプスする前庭神経の突起を囲むとともに，平衡砂膜となるゲル状の物質を分泌する．支持細胞の核は基底側に並び，有毛細胞は上方にある．
- 動毛，不動毛の上部には**平衡砂膜** statoconial membrane（**耳石膜** otolithic membrane）が存在する．**平衡砂** statoconium（**耳石** otolith）は炭酸カルシウムを主成分とする両端三面体の結晶で，感覚上皮の支持細胞の分泌物で形成され，重力加速度・直線加速度を感知するためのオモリの役割をする．耳石と感覚細胞の毛の間は透明なコロイドまたはゼラチン様物質で満たされ，耳石を固定する働きを持つ．

2) **膨大部稜**（りょう）ampullary crest
- 膨大部稜は半規管の走行に直交して存在する．半規管の一側の壁が内腔に向けて堤防状に盛り上がり，さらにその表面を覆う感覚上皮の頂部からゼリー状物質からなる**小帽** ampullary cupula（**クプラ** cupula）が反対側の壁まで伸び出している．

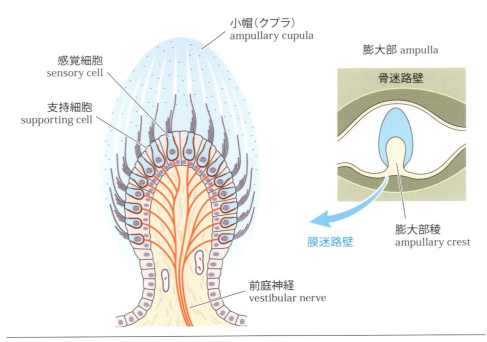

感覚細胞の興奮 平衡斑，膨大部稜ともに線毛が不動毛側へ屈曲すると過分極が，逆方向に屈曲すると脱分極が感覚細胞に起こる．動毛と不動毛の立体的配置については走査型電顕写真を見ておこう．平衡斑における耳石のずれ，膨大部稜における内リンパの流れと感覚細胞の脱分極・過分極に関しては，神経学書ないし耳鼻科学書を参照のこと．

◆感覚上皮は感覚細胞と支持細胞からなり，感覚細胞には前庭神経の終末がシナプス結合している。感覚細胞の毛はクプラの中を伸び，平衡斑の毛に比べて著しく長い。線毛（動毛）と不動毛があり，前者は後者に対して外側半規管では卵形嚢側に，前・後半規管では半規管側に位置している。

ア

アウエルバッハ神経叢　68, 69
アクアポリン　106
アクチビン　129
アクチン細糸　18
アクチンフィラメント　46
アザン染色　4
アズール顆粒　48
アズール好性　48
アスコルビン酸　32
アストロサイト　56
アドヘレンス結合　20
アドレナリン　139
アドレナリン細胞　139
アポクリン　31
アポクリン汗腺　171
アポクリン突起　173
アポトーシス　162
アマクリン細胞　194
アミラーゼ　87
アルギニンバゾプレッシン　144
アルデヒド　3
アルドステロン　137
アレルギー反応　36
アンギオテンシンⅡ　137
アンドロゲン　139
アンドロゲン結合タンパク　110
足細胞　102
α細胞　146

イ

インスリン　146
インターロイキン　50
インテグリン　21
インヒビン　110, 129
胃　70
胃小窩　70
胃腺　71
胃体　70
胃底　70
胃底腺　71
胃内因子　72
胃粘膜ヒダ　70
胃リパーゼ　71
移行上皮　26, 107

遺残小体　18
異染色質　8
異染性　35
伊東細胞　86
Ⅰ型コラーゲン　33, 38
Ⅰ型肺胞上皮細胞　97
一次骨化点　43
一次精母細胞　112
一次ライソソーム　17
一次卵胞　121
一次リンパ性組織　156
一倍体　24
陰窩　74, 79
陰茎海綿体　118
飲作用　15
飲小窩　15
飲小胞　16
咽頭溝　196
咽頭嚢　196

ウ

ヴィックダジール線条　181
ヴェール細胞　159
運動終板　47, 58

エ

エオジン　4
エクソサイトーシス　15
エストロゲン　128
エックリン汗腺　171
エナメル質　65
エナメル小柱　65
エブナー腺　61
エラスチン　33
エリスロポエチン　50
エンケファリン　139
エンタクチン　29
エンドクリン　132
エンドサイトーシス　14, 15
エンドソーム　15, 17
衛星細胞　46, 57
栄養膜合胞体細胞層　130
遠位尿細管　105
塩基好性細胞　141
塩酸　72

延髄　176

オ

オキシトシン　144
オステオン　41
オスミウム液　3
オッディ括約筋　89
オートクリン　132
オートファゴライソソーム　18
オートファジー　18
オリゴデンドロサイト　57
オリーブ脊髄路　175
黄色骨髄　156
黄体　123
黄体期　128
黄体形成ホルモン　128, 142
横紋　44
大型有芯小胞　59

カ

カウパー腺　117
カゴ細胞　64
ガストリン　72, 89, 133
カゼイン　173
カテコールアミン　139
カドヘリン　20
カルシトニン　135
かみ合い　22
かみ合い細胞　159, 162
下オリーブ核　176
下下垂体動脈　143
下丘核　179
下行性伝導路　175
下垂体後葉　144
下垂体前葉　141
下垂体門脈　143
蝸牛管　197
蝸牛神経　199
加水分解酵素　17
顆粒球　48
顆粒細胞　182
顆粒層　166, 182
顆粒膜黄体細胞　123
顆粒膜細胞　121
開口分泌　30

介在細胞　106
介在板　47
介在部　64, 88
改築　42
回腸　73
海綿骨　40
海綿体小柱　118
海綿体洞　118
灰白質　174
外顆粒層　180, 193
外境界膜　193
外根鞘　169
外指節細胞　198
外耳道　196
外錐体細胞層　180
外側脊髄視床路　176
外側皮質脊髄路　175, 176
外側ダブレット　22
外側毛帯　179
外弾性板　150
外柱細胞　197
外転神経核　178
外套帯　157
外バイヤルジェ線　181
外胚葉　26
外分泌腺　30
外分泌部　87
外膜　10, 150
外網状層　193
外有毛細胞　198
外リンパ　197
蓋膜　198
核　8
核移行シグナル　8
核周部　52
核小体　9
核膜　8
核膜孔　8
角化細胞　164
角質層　166
角膜　187
角膜固有層　187
角膜実質　187
角膜上皮　187
角膜内皮　187
隔膜　152
顎下腺　62
滑車神経　179
滑膜　38

滑膜細胞　38
滑面小胞体　12, 84
褐色脂肪組織　38
括約筋　68
感覚上皮　28, 201
感覚毛　198
肝管　85
肝細胞　84
肝細胞索　82
肝小葉　81
肝腺房　83
肝臓　81
間質結合組織　31
杆状核白血球　48
杆体細胞　193
杆体・錐体層　193
管状骨　43
汗腺　171
眼球　186
眼球結膜　195
眼瞼　195
眼瞼結膜　195
眼杯　193
眼胞　193
眼房水　189
眼輪筋　195
顔面神経　62, 178

キ

キーゼルバッハ部位　90
キネシン　53
ギムザ染色　4, 48
キモトリプシン　87
ギャップ結合　21
気管　94
気管支　95
気管腺　94
気管軟骨　94
器官　6
器官系　6
基質　34
基底顆粒細胞　89, 133
基底細胞　91, 115
基底小体　22
基底線条　64, 105
基底層　127, 164
基底脱落膜　130, 131

基底板　28
基底膜　28, 152, 197
希突起膠細胞　55, 57
機能層　127
疑核　176
球間区　66
球形嚢斑　199
球状核　182
球状帯　137
嗅球　90
嗅細胞　90
嗅索　91
嗅小胞　90
嗅上皮　90
嗅神経　90
嗅線毛　90
嗅腺　91
吸収上皮　28, 76
弓状動脈　100
巨核芽球　50
巨核球　51
虚血期　127, 128
橋　178
橋核　178
胸管　155
胸髄　174
胸膜　161
胸腺細胞　162
強膜　187
強膜篩板　187
強膜静脈洞　190
莢膜細胞　121
局所ホルモン　132
極性　12
近位尿細管　105
筋型動脈　149
筋原線維　44
筋細糸　44
筋周膜　46
筋小胞体　46
筋上皮細胞　64, 171
筋上膜　46
筋節　45
筋線維　44
筋線維芽細胞　152
筋組織　44
筋内膜　46
筋紡錘　46

ク

クッパー細胞　35, 85
クプラ　200
クモ膜　185
クモ膜下腔　185
クモ膜顆粒　185
クモ膜小柱　185
クラウディウス細胞　198
クラーク核　175
クラスリン　16
グラーフ卵胞　122
クララ細胞　95
グリア細胞　56, 141
グリコーゲン顆粒　84
クリスタ　10
グリソン鞘　81
グルカゴン　146
グルコサミノグリカン　34
グルコース輸送体　77
クローディン　20
クロマチン　8
クロム親和性細胞　139
空腸　73

ケ

ゲノム　9
ケラチノサイト　164
ケラチン線維　20
ケラトヒアリン顆粒　166
蛍光抗体法　5
形質細胞　36
頸部粘液細胞　72
頸膨大　174
繋留フィラメント　155
血液–胸腺関門　163
血液–空気関門　98
血液–精巣関門　111
血液–脳関門　152
血液細胞　48
血管極　103
血管条　199
血管内皮細胞　152
血管板　192
血管膜　186
血小板　49

結合組織　31, 34
結腸　79
結腸ヒダ　79
結腸ヒモ　79
結膜　195
楔状束　175
楔状束核　176
月経　128
月経期　127
腱　38
腱細胞　38
瞼板　195
瞼板筋　195
瞼板腺　195
原始卵胞　121
原尿　104
減数分裂　24

コ

コネキシン　21
コラーゲン原線維　32
コラーゲン線維　32
ゴルジ装置　12
ゴル束　175
コルチ器　197
コルチコトロフ　142
コルチゾール　138
コレシストキニン　86, 89
コロイド　134
コロニー刺激因子　50
コーン孔　97
小型芯なし小胞　59
小型有芯小胞　59
呼吸細気管支　95
呼吸上皮　28
鼓索神経　62
鼓室階　197
鼓膜　196
孤束核　62, 176
孤立リンパ小節　156
固定液　3
固有食道腺　69
好塩基球　48
好塩基性　4, 48
好酸球　48
好酸性　4, 48
好中球　48

好中性　48
後外側溝　175
後角　175
後期エンドソーム　17
後索　175
後脊髄小脳路　175
後柱　175
口蓋扁桃　61
口腔粘膜　60
口唇腺　60
口輪筋　60
光学顕微鏡　1
抗原抗体反応　5
抗原提示細胞　159
抗利尿ホルモン　144
膠原線維　32
膠様質　175
膠様組織　32
交叉　24
交連下器官　183
虹彩　188
虹彩上皮　189
厚糸期　24
甲状腺　134
甲状腺刺激ホルモン　142
構成性分泌　15
酵素原顆粒　88
酵素抗体法　5
酵素組織化学　5
喉頭　92
喉頭蓋　92
喉頭蓋腺　92
喉頭腺　92, 93
硬膜　184
硬膜静脈洞　185
肛門括約筋　80
肛門管　80
肛門腺　80
肛門柱　80
肛門洞　80
黒質　179
骨化点　43
骨芽細胞　41
骨格筋　45
骨原性細胞　41
骨細管　41
骨細胞　41
骨小腔　41
骨髄　156

骨髄芽球　50
骨髄細胞　50
骨層板　41
骨単位　41
骨端線　43
骨端軟骨　43
骨膜　41
混合腺　63
根鞘小皮　169

サ

サイトカイン　132
サイロキシン　135
サイログロブリン　134
サイロトロフ　142
サーファクタント　95, 97
細気管支　95
細隙膜　103
細糸期　24
細動脈　150
細胞　6
細胞外基質　31
細胞間橋　165
細胞間情報伝達　132
細胞骨格　18
細胞質橋　112
細胞周期　23
細胞接着　20
細胞内分泌細管　72
細胞分裂　23
細胞膜　7
細網細胞　34
細網線維　33
最後野　183
臍帯　130
杯細胞　77, 79
刷子縁　22, 76, 105
莢動脈　161
莢毛細血管　161
Ⅲ型コラーゲン　33
酸好性細胞　136, 141
酸性ホスファターゼ　13
三叉神経脊髄路　176
残余体　113

シ

ジェンナリ線条　181
シスゴルジネットワーク　12
シッフ試薬　4
シナプス　58, 132
シナプス間隙　58
シナプス後膜　58
シナプス小胞　58
シナプス前膜　58
シャーピー線維　66, 170
シュミット・ランターマン切痕　55
シュレーガー線条　65
シュレム管　190
シュワン細胞　54, 57
シュワン鞘　54
視蓋脊髄路　175
視索上核　144
視床　176
視神経　187
視神経細胞　194
視神経線維　194
視物質　193
子宮外膜　126
子宮筋層　126
子宮頸腺　127
子宮腺　127
子宮内膜　126
糸球体　101
糸球体外メサンギウム細胞　103
糸球体基底膜　102
糸状乳頭　61
刺激伝導系　148
始原生殖細胞　119
歯根膜　66
歯状核　182
歯状線　80
歯髄　65
歯槽骨　66
支持細胞　62, 91
脂腺　170
脂肪細胞　36
脂肪組織　36
自家食胞　18
自己分泌　132
自由神経終末　58, 164, 167
耳下腺　62
耳石　200

耳石膜　200
耳道腺　196
茸状乳頭　61
色素嫌性細胞　141
色素上皮細胞　189
軸索小丘　53
軸索突起　53
軸索輸送　53
軸索瘤　58
軸糸　22, 114
櫛状線　80
室頂核　182
室ヒダ　93
室傍核　144
射精管　117
主細胞　71, 106, 136
主膵管　88
樹状細胞　158
樹状突起　53
終期　23
終板器官　183
終末細気管支　95
終末消化酵素　77
終末槽　46
集合管　105, 106
集合リンパ小節　156
周皮細胞　152
重層円柱上皮　27
重層上皮　27
重層扁平上皮　27
縦走筋　68
十二指腸　73
十二指腸腺　74
絨毛　73
絨毛幹　130
絨毛間腔　130
絨毛性ゴナドトロピン　124
絨毛膜板　130
初期エンドソーム　17
初乳　173
漿液細胞　63
漿液腺　63
漿液半月　64
消化管ホルモン　89, 133
消化酵素　77, 87
松果体　140
小管小胞系　72
小球間区　66
小膠細胞　57

小腎杯 99	神経節細胞層 194	精細管 109
小腸 73	神経線維 54	精子 112, 114
小腸吸収上皮細胞 76	神経突起 53	精子細胞 113
小脳 182	神経内膜 55	精祖細胞 112
小脳核 178, 182	神経ペプチド 58	精巣 109
小胞体 11	真皮 166	精巣縦隔 109
小胞輸送 14	真皮乳頭 166	精巣上体 109
小帽 200	腎小体 99, 101	精巣上体管 115
小葉間結合組織 81	腎小葉 100	精巣網 109
小葉間静脈 81	腎錐体 100	精巣輸出管 109, 115
小葉間胆管 81, 85	腎柱 99	精囊 117
小葉間動脈 81, 100	腎動脈 100	精母細胞 112
小葉内導管 88	腎乳頭 100	星細胞 86
小リンパ球 49	腎盤 99	星状膠細胞 56
硝子体 191	腎門 99	性周期 128
硝子体膜 191		性染色質 9
硝子軟骨 39		性染色体 8
硝子膜 169		性腺刺激ホルモン 142
睫毛 195	**ス**	性腺刺激ホルモン放出ホルモン 128
上衣細胞 57, 183	ズダンⅢ染色 4	成熟卵胞 122
上下垂体動脈 143	スリット膜 103	成長ホルモン 142
上眼瞼挙筋 195	水解小体 13	正染色質 8
上丘 179	水晶体上皮 190	正中隆起 143, 183
上行性伝導路 175	水晶体線維 190	声帯筋 93
上小脳脚 178	水晶体包 190	声帯靱帯 93
上皮 26, 28	水平細胞 194	声帯ヒダ 93
上皮小体 136	膵外分泌部 87	声門裂 93
常染色体 8	膵島 145	青斑核 178
静脈 151	膵ポリペプチド 146	赤芽球 50
静脈叢 80	錐体外路 175	赤核 179
食作用 16, 35	錐体交叉 176	赤筋線維 46
食細胞 16	錐体細胞 180, 193	赤血球 48
食道 69	錐体路 175, 176	赤色骨髄 156
食道腺 69	錘内線維 46	赤脾髄 161
食道噴門腺 69	髄索 156, 158	脊髄 174
食胞 16	髄質動脈 139	脊髄視蓋路 175
心外膜 148	髄鞘 54	脊髄視床路 175
心筋 45	髄洞 158	脊髄小脳路 176
心筋線維 47	髄放線 100, 181	接合期 24
心筋層 148		接着帯 20
心内膜 148		接着斑 20
心房性ナトリウム利尿ペプチド 148	**セ**	舌咽神経 62
神経筋接合部 47		舌下神経核 176
神経膠細胞 56	セクレチン 89, 133	舌下腺 62
神経細胞体 52	セメント質 66	舌乳頭 61
神経周膜 55	セルトリ細胞 110	線維芽細胞 34
神経終末 58, 167	セロトニン 36, 133	線維柱帯 189
神経上膜 55	セントロメア 23	線維軟骨 40
神経性下垂体 144	精管 116	線維膜 186

線条部　64
線毛　22, 90, 125
線毛細胞　94
線毛上皮　26
腺腔　30
腺上皮　28
腺性下垂体　141
腺房細胞　87
腺房中心細胞　88
栓状核　182
染色質　8
染色体　8, 24
染色分体　24
染色法　3
尖体　114
尖体小胞　113
前外側溝　175
前角　174
前索　175
前正中裂　175
前脊髄小脳路　175
前柱　174
前庭階　197
前庭神経核　178
前庭脊髄路　175
前庭ヒダ　93
前皮質脊髄路　175
前房隅角　189
前葉ホルモン放出促進ホルモン　143
前葉ホルモン放出抑制ホルモン　143
前立腺　117
全分泌　31, 171

ソ

ソマトスタチン　146
ソマトトロフ　142
ソレノイド　8
組織　6
組織化学的染色法　5
組織適合複合体　162
組織標本　2
組織マクロファージ　35
疎性結合組織　31
粗面小胞体　11
双極細胞　193
双糸期　24
爪根　170

爪床　170
爪体　170
爪母基　170
走査型電子顕微鏡　1
相同染色体　24
層板小体　97, 165
象牙芽細胞　65
象牙細管　66
象牙質　65
造血因子　50
増殖期　127
臓側板　103
側角　174
側索　175
側柱　174
側脳室　183
足細胞　102
束状帯　138

タ

ダイアッド　47
ダイテルス細胞　198
タイト結合　20
ダイニン　22, 53
タガ線維　161
タニサイト　57
ターミナルウェブ　22, 76
多形細胞層　181
多能性幹細胞　50
多列上皮　26
多列線毛上皮　26, 94
唾液腺　62
体細胞分裂　23
対称分裂　23
胎盤　130
胎盤絨毛　130
胎盤性ラクトゲン　131
胎盤中隔　130
大球間区　66
大十二指腸乳頭　89
大食細胞　35, 49
大腎杯　99
大脳脚　179
大脳皮質　180
大リンパ球　49
第三脳室　183
第四脳室　183

第二分裂　24
脱落膜細胞　131
単芽球　50
単球　49
単層円柱上皮　26
単層扁平上皮　26
単層立方上皮　26
胆汁　85
胆汁酸　85
胆嚢　86
淡明層　166
弾性型動脈　149
弾性結合組織　32
弾性線維　33
弾性軟骨　40
弾性板　149
男性ホルモン　110

チ

チュブリン　19
チン小帯　190
緻密結合組織　32
緻密骨　40
緻密層　28
緻密斑　103
中間径フィラメント　19
中間質　174
中間洞　158
中間葉　143
中心小体　13
中心静脈　82, 139
中心体　13, 23
中心対　22
中心動脈　160
中心乳ビ管　74
中心被蓋路　179
中脳　179
中脳水道　183
中膜　149
虫垂　78
聴覚器　197
聴毛　198
鳥距溝　181
腸クロム親和性細胞　89, 146
腸腺　74
張原線維　20, 165
調節性分泌　15

直細動脈　100
直腸　79

ツ

ツェンカー液　3

テ

ディッセ腔　83
テストステロン　110
デスミン　19
デスメ膜　187
デスモグレイン　21
デスモコリン　21
デスモソーム　20
デスモプラキン　20
テトラヨードサイロニン　135
δ（デルタ）細胞　146
電解質コルチコイド　137
電子顕微鏡　1

ト

トームス顆粒層　66
トームス線維　66
トライアッド　46
トランスゴルジネットワーク　12
トランスサイトーシス　15
トリスケリオン　16
トリプシン　88
トリヨードサイロニン　135
トロポコラーゲン　32
鍍銀法　4
塗抹標本　48
糖衣　76
糖質コルチコイド　138
透過型電子顕微鏡　1
透明層　28, 166
透明帯　121
等皮質　180
導管　30
動眼神経核　179
動眼神経副核　179
動原体　23
動静脈吻合　154

動脈　149
動脈周囲リンパ鞘　160
動毛　199
瞳孔括約筋　188
瞳孔散大筋　189
洞様毛細血管　82
特殊心筋線維　148
独立脂腺　170

ナ

ナトリウム利尿ペプチド　148
内顆粒層　180, 194
内境界膜　194
内肛門括約筋　80
内根鞘　169
内指節細胞　198
内錐体細胞層　180
内側縦束　175
内側毛帯　176
内弾性板　150
内柱細胞　197
内トンネル　197
内バイヤルジェ線　181
内胚葉　26
内皮　148, 149
内皮細胞　152
内分泌　30, 132
内膜　10, 149
内網状層　194
内有毛細胞　198
内リンパ　199
軟骨芽細胞　39
軟骨細胞　39
軟骨内骨化　43
軟骨膜　39
軟膜　185

ニ

ニッスル小体　52
ニドゲン　29
ニューロピル　175
ニューロフィラメント　19
ニューロン　52
Ⅱ型コラーゲン　33
Ⅱ型肺胞上皮細胞　97

二価染色体　24, 112
二次骨化点　43
二次精母細胞　112
二次ライソソーム　18
二次卵胞　122
二次リンパ性組織　156
二倍体　24
乳球　173
乳腺　173
尿管　107
尿管極　103
尿細管　105
尿道　108
尿道海綿体　118
尿道括約筋　108
尿道球腺　117
尿道腺　117
妊娠黄体　124

ヌ

ヌエル腔　198
ヌクレオソーム　8

ネ

ネクサス　21
ネフロン　104
粘液細胞　63
粘液性結合組織　32
粘液腺　63
粘膜下組織　67
粘膜関連リンパ組織　156
粘膜筋板　67
粘膜固有層　67

ノ

ノルアドレナリン　139
ノルアドレナリン細胞　139
脳幹　176
脳弓下器官　183
脳砂　141
脳室　183
脳室周囲器官　183
脳性ナトリウム利尿ペプチド　148

ハ

バー小体　9
パイエル板　74, 156
ハイドロキシアパタイト　40
パイノサイトーシス　15
ハウシップ窩　42
バゾプレッシン　144
パチニ小体　168
ハックスレー層　169
ハッサル小体　162
パネート細胞　74
ハバース管　41
ハバース系　41
ハバース層板　41
バーベック顆粒　165
パラガングリオン　139
パラクリン　132
パラトルモン　136
パラフィン　2
破骨細胞　42
波状縁　42
胚芽帯　190
胚上皮　119
胚中心　78, 156, 157
背核　175
肺胞　95, 97
肺胞管　95
肺胞孔　97
肺胞上皮細胞　97
肺胞嚢　95
肺胞マクロファージ　98
白筋線維　46
白血球　48
白質　175
白色脂肪組織　37
白体　124
白脾髄　160
白膜　109, 118, 119
薄切　2
薄束　175
薄束核　176
半月ヒダ　79

ヒ

ヒアルロン酸　38

ヒスタミン　36
ヒストン　8
ビタミンA　86, 193
ビタミンD_3　136
ピット細胞　86
ヒト絨毛性ゴナドトロピン　131
ヒドロキシアパタイト　40
ビメンチン　19
ヒルトン白線　80
皮下組織　166
皮質ネフロン　104
皮膚　164
皮膚付属腺　170
被蓋細胞　26, 108
被蓋上皮　28
被覆小窩　16
被覆小胞　16
被包脱落膜　131
脾索　161
脾小節　160
脾柱　160
脾柱動脈　160
脾洞　154, 161
非対称分裂　23
肥満細胞　35
微小管　13, 19
微絨毛　22, 76
鼻腺　90
鼻粘膜　90
筆毛動脈　161
表在層　180
表層粘液細胞　70
表皮　164
表皮細胞　164
表面活性物質　97

フ

ファゴサイトーシス　16
ファゴライソソーム　18, 35
ブアン液　3
フィブロネクチン　34
フォイルゲン反応　4
フォルクマン管　41
フォンタナ腔　189
ブドウ膜　186, 192
プラコグロビン　20
ブリュッケ筋　190

プルキンエ細胞　182
プルキンエ線維　148
ブルダッハ束　175
ブルック膜　192
プロオピオメラノコルチン　143
プロゲステロン　123, 128, 131
プロコラーゲン　32
プロテオグリカン　34
プロラクチン　142
付着絨毛　131
不等質　181
不動毛　22, 115, 199
副甲状腺　136
副細胞　72
副腎髄質　139
副腎皮質　137
副腎皮質刺激ホルモン　142
副涙腺　195
噴門　70
噴門腺　71, 72
分子層　180, 182
分子モーター　19
分泌顆粒　14, 30, 87
分泌期　127
分泌細胞　30
分泌上皮　28
分葉核白血球　48

ヘ

ベッツ巨大錐体細胞　181
ヘパリン　36
ペプシノーゲン　71
ペプチドホルモン　133
ヘマトキシリン・エオジン染色　4
ヘミデスモソーム　21
ヘリング管　85
ヘリング小体　144
ペルオキシソーム　13, 84
ヘンゼン細胞　198
ヘンレ層　169
ヘンレループ　104, 105
平滑筋　45, 68, 149
平衡砂　200
平衡砂膜　200
平衡斑　199
閉鎖帯　20

閉鎖堤　20
閉鎖卵胞　124
壁細胞　71
壁側板　103
壁脱落膜　131
β細胞　146
辺縁帯　160
辺縁洞　158
扁桃　156
扁平骨　43
弁　151, 155
鞭毛　22, 114

ホ

ボウマン腺　91
ボウマン嚢　101, 103
ボウマン膜　187
ポーリン　10
ホルマリン　3
ホルモン　132
ホロクリン分泌　31, 171
放線冠　122
放線間交織　181
放線線維束　181
包埋　2
膀胱　107
傍細胞　71
傍糸球体細胞　103
傍糸球体装置　103
傍髄質ネフロン　104
傍皮質　157
傍分泌　132
傍濾胞細胞　135
帽状域　157
紡錘糸　23
膨大部稜　200

マ

マイクロフィブリル　33
マイスナー小体　168
マイスナー神経叢　67
マイボーム腺　195
マクロファージ　35, 49
マスト細胞　35
マトリックス　10

膜間腔　10
膜性部　94
膜タンパク　8
膜内骨化　43

ミ

ミエリン塩基性タンパク　57
ミエリン鞘　54
ミエリン層板　54
ミオシンフィラメント　46
ミクログリア　57
ミクロトーム　2
ミトコンドリア　10
ミトコンドリア顆粒　10
ミュラー筋　190
ミュラー細胞　193
味覚野　62
味孔　62
味細胞　62
味蕾　62
水チャネル　106
三つ組　46, 82
脈絡上板　192
脈絡叢　183
脈絡膜　186, 191
脈絡毛細管板　192

ム

無軸索細胞　194
無髄神経線維　54

メ

メイ・グリュンワルド・ギムザ染色　48
メサンギウム基質　102
メサンギウム細胞　102
メタクロマジー　35
メラトニン　140
メラニン　164
メラノサイト　164, 188
メラノソーム　164
メルケル細胞　164
メルケル盤　168

迷走神経　62
迷走神経背側核　176
免疫組織化学　5

モ

毛球　168
毛細血管　152
毛細血管後細静脈　158, 162
毛細胆管　85
毛細リンパ管　155
毛小皮　168
毛乳頭　168
毛母基　168
毛包　168
毛様体　189
毛様体筋　190
毛様体小帯　190
毛様体突起　189
網状層　28, 166
網状帯　139
網膜　193
網膜視部　193
網膜色素上皮層　193
網膜中心動脈　187
網膜盲部　193
網様体　175
網様体脊髄路　175
盲腸　79
門細胞　119
門脈　81
門脈域　81
門脈小葉　83

ユ

輸出細動脈　100
輸出リンパ管　158
輸送小胞　11
輸送担体　77
輸入細動脈　100
輸入リンパ管　157
有郭乳頭　61
有棘層　165
有糸分裂　23
有芯小胞　59
有髄神経線維　54

有線領　181
有窓性毛細血管　30, 152
有窓弾性板　150
有毛細胞　197, 199
幽門　70
幽門括約筋　71
幽門腺　71, 72

ヨ

ヨドプシン　193
葉間動脈　100
葉状乳頭　61
腰髄　174
腰膨大　174
羊膜　130
Ⅳ型コラーゲン　29, 33

ラ

ライソソーム　13, 17
ライディッヒ細胞　110
ライト・ギムザ染色　48
ラクトトロフ　142
ラセン器　197
ラセン動脈　127
ラトケ遺残腔　143
ラトケ嚢　141
ラミニン　21, 29
ラミン　19
ランヴィエ絞輪　55
ランゲルハンス細胞　131
ランゲルハンス細胞　159, 165
ランゲルハンス島　87, 145
卵管　125
卵管峡部　125
卵管采　125
卵管膨大部　125
卵丘　122
卵形嚢斑　199
卵細胞　120, 121
卵祖細胞　119
卵巣　119
卵母細胞　119
卵胞　119, 121
卵胞液　122
卵胞期　128

卵胞腔　122
卵胞細胞　121
卵胞刺激ホルモン　128, 142
卵胞膜黄体細胞　123
卵胞膜細胞　121

リ

リーベルキューン腺　74
リボソーム　11
リポフスチン顆粒　18
リモデリング　42
リン脂質　7
リンパ芽球　50
リンパ管　155
リンパ球　49
リンパ小節　156
リンパ浸潤　156
リンパ性組織　156
リンパ節　157
離出分泌　31
立毛筋　171
隆起部　143
流動モザイクモデル　7
領域間基質　39
領域基質　39
輪状靭帯　94
輪状ヒダ　73
輪走筋　68

ル

ルシュカ管　86
ルフィニ小体　168
類骨　40, 43
類洞　82, 154

レ

レチウス線条　65
レチナール　193
レニン　103

ロ

ロキタンスキー・アショフ洞　86

ロドプシン　193
濾胞　134
濾胞樹状細胞　159
濾胞上皮細胞　134
濾胞星細胞　143
漏斗　143

欧文

A 細胞　139, 146
A 帯　45
ACTH　142
ADH　144
ANP　148
ATP 合成酵素　10
Auerbach's plexus　68
B 細胞　50, 146
BALT　156
Barr body　9
Betz cell　181
Birbeck granule　165
BNP　148
Bouin 液　3
Bowman's gland　91
Bowman's membrane　187
Bruch's membrane　192
Brücke 筋　190
Brunner's gland　74
Burdach 束　175
C 細胞　135
CD4　162
CD8　162
CGN　12
Clara cell　95
Clarke 核　175
Claudius cell　198
Corti 器　197
Cowper's gland　117
CRH　142
D 細胞　146
Deiters cell　198
Descemet's membrane　187
Disse 腔　83
EC 細胞　133
Ebner's gland　61
F- アクチン　18
Fontana's space　190
FSH　128, 142

G-アクチン　18
G 細胞　72, 133
G-CSF　50
GALT　156
Gennari 線条　181
GFAP　19
GH　142
GHRH　142
Giemsa 染色　4
GIP　89, 146
Glisson's sheath　81
GLP-1　146
GLUT　77
GM-CSF　50
GnRH　128, 142
Golgi apparatus　12
Goll 束　175
Graafian follicle　122
H-E 染色　4
Hassall's corpuscle　162
Haversian canal　41
hCG　124, 131
Henle 層　169
Henle ループ　104
Hensen cell　198
Hering 管　85
Herring's body　144
Hilton's white line　80
Howship's lacuna　42
Huxley's layer　169
I 帯　45
in situ hybridization　5
Kiesselbach's area　90
Kohn pore　97

Kupffer cell　85
Langerhans cell　159, 165
Langerhans 島　87
Langhans cell　131
Leydig cell　110
LH　128, 142
LH サージ　122
LHRH　128
Lieberkühn gland　74
M 細胞　156
M-CSF　50
MALT　156
May-Grünwald-Giemsa stain　48
Meibom 腺　195
Meissner corpuscle　168
Meissner's plexus　67
Merkel cell　164
Merkel disk　168
MHC　162
Müller cell　193
Müller 筋　190
NA 細胞　139
Na$^+$ ポンプ　77
Nissl body　52
NK 細胞　50
Nuel's space　198
Oddi's sphincter　89
Pacinian corpuscle　168
Paneth cell　74
PAS 反応　4
PCV　158
Peyer's patch　74
POMC　143
PP 細胞　146

PRL　142
Purkinje cell　182
Purkinje's fiber　148
Ranvier 絞輪　55
Rathke's pouch　141
Retzius 線条　65
Ruffini corpuscle　168
S 細胞　133
Schiff 試薬　4
Schlemm 管　190
Schreger band　65
Schwann cell　54, 57
Schwann sheath　54
Schweigger-Seidel 鞘　161
Sertoli cell　110
SGLT　77
Sharpey's fiber　66, 170
T 細胞　50
T 細胞受容体　162
T 小管　46
T_3　135
T_4　135
TCR　162
TGN　12
TRH　142
TSH　142
Vicq d'Azyr 線条　181
VIP　146
Volkmann's canal　41
Wright-Giemsa stain　48
Z 帯　45
Zenker 液　3
Zinn's zonule　190

Qシリーズ　新組織学

定価（本体3,500円＋税）

1994年12月12日	第1版	
1997年 1月30日	第1版2刷	
1998年 5月28日	第2版	
1999年 6月 7日	第2版2刷	
2001年 2月 7日	第2版3刷	
2002年 3月20日	第3版	
2004年 3月 1日	第3版2刷	
2007年 3月22日	第4版	
2011年 4月 1日	第5版（新装版）	
2013年 6月15日	第5版2刷	
2016年 6月23日	第6版	
2018年 2月26日	第6版2刷	
2018年 9月13日	第6版3刷	
2020年 6月 5日	第7版	
2022年 1月26日	第7版2刷	
2023年 9月13日	第7版3刷	

執　筆　　野上晴雄・藤原研・権五徹
発行者　　梅澤俊彦
発行所　　日本医事新報社　www.jmedj.co.jp
　　　　　〒101-8718　東京都千代田区神田駿河台2-9
　　　　　電話 03-3292-1555（販売）・1557（編集）
　　　　　振替口座 00100-3-25171

印　刷　　ラン印刷社

©2020　Haruo Nogami & Ken Fujiwara　Printed in Japan
ISBN978-4-7849-1179-0

イラスト：鈴木眞理子・深谷稔子　装丁：花本浩一

JCOPY ＜(社)出版者著作権管理機構　委託出版物＞

本書の無断複写は著作権法上での例外を除き禁じられています。複写される場合は，そのつど事前に(社)出版者著作権管理機構（電話 03-5244-5088, FAX 03-5244-5089, e-mail：info@jcopy.or.jp）の許諾を得てください。

電子版の閲覧方法

巻末の袋とじに記載されたシリアルナンバーで、本書の電子版を閲覧できます。

手順① 弊社ホームページより会員登録（無料）をお願いします。
（すでに会員登録をしている方は手順②へ）

会員登録はこちら

手順② ログイン後、「マイページ」に移動してください。

手順③ 「会員限定コンテンツ」欄で、本書の「SN登録」をクリックしてください。

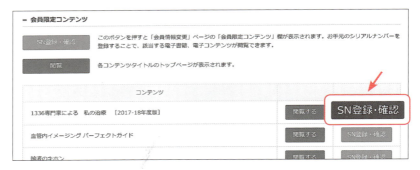

手順④ 次の画面でシリアルナンバーを入力し、「確認画面へ」をクリックしてください。

手順⑤ 確認画面で「変更する」をクリックすれば登録完了です。以降はマイページから電子版を閲覧できます。